イラストで
サクッと理解

今が見えてくる

アメリカ合衆国 50州図鑑

パトリック・ハーラン 監修

鶴岡ふみの イラスト

ナツメ社

JN022857

はじめに

自由な国、豊かな国、いろんな人が暮らす国
格差が激しい国、人種差別と戦う国、なんか危なそうな国
いろんな人たちがいろんなイメージを持っています

おそらく半分正解、半分はちょっと間違いです
なぜでしょうか？

1つはこの国が大きすぎるから
大きすぎて単一のイメージですべて捉えることはできません
さらに州ごとの独自性が強い。お酒造りが得意な州もあれば、
あまりお酒が好きじゃない州も（禁酒令がある郡も！）あります
北欧出身の人たちが多くてチーズ好きな州もあるし、
中南米出身で辛い物好きが多い州もあります

もう1つはアメリカがとても変化の激しい国だから
旅行でとある州に行ったり、ドラマやコミックで何となくこん
な所かなと思ったりしても、
どんどん変わるアメリカはそれをおいてけぼりにして常に新し
くなっていきます

おしゃれでかっこいいのはニューヨークという人もいるし、
ビッグウェーブが来ているのはテキサスという人もいます

この本ではそうした州ごとの違いや、ステレオタイプのイメー
ジ、それがどう変わってきているのかを意識しました
いくつかの州を読み比べても、1つの州を読み込んでも、どんな
読み方をしても自由ですが、まったく変化がない、まったくお
もしろいことがない州なんて1つもないことがわかるはずです

それでもアメリカに変わらないものがあるとしたら何か
これからアメリカに行く人も、行きたいと思っている人も、まっ
たく行くつもりがない人も、知るとなぜかワクワクしてしまう

何か前向きなエネルギーがうずまいていて、それが多くの人を
否応なく引き付ける。そんな力は独立戦争の頃も、21世紀も
変わらないのだと思います

監修　パトリック・ハーラン

各章の構成

州ページ

州の成り立ち、産業の移り変わり、名所といった各州の特徴を解説しています。

Pick up ページ

人口や面積が大きく、強い存在感を放っている州は増ページして解説しました。

歴史解説ページ

アメリカの成り立ちに大きく関わり、転換点となったできごとを解説しました。

州ページの見方

アメリカミニMAP

その州がアメリカのどこにあるのか一目でわかります。

基本情報

州の規模を計る基本的な指標。「州名」は州の名前の由来です。

年表

その州にとって重要なできごとがわかるタイムラインを上部に置きました。

章インデックス

州のモットー

各州が公式に定めたモットーです。ラテン語やフランス語のものは英語に直しました。

主要都市と州都

州都に加え、人口が最大の第一都市や地域の中心都市を取り上げました。州都は必ずしも最大都市ではありません。

コラム

主にその州が抱えている課題です。例外もあります。

5章について

5章ではアメリカという国の姿を、データを用いたり、テーマをしぼったりしながら解説しています。アメリカ全体を意識して読んでみてください。

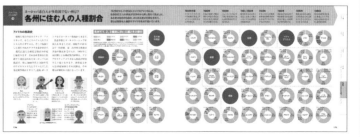

アメリカ50州 ランキングトップ3

面積

1位 アラスカ州
172万3337km²

2位 テキサス州
69万5662km²

3位 カリフォルニア州
42万3967km²

【出典】Census(2018年値、海外領土を除く)

人口

1位 カリフォルニア州
3902万9342人

2位 テキサス州
3002万9572人

3位 フロリダ州
2224万4823人

【出典】U.S. Census Bureau, Population Division(2022年推定値)

GDP

1位 カリフォルニア州
2兆8856億2700万ドル

2位 テキサス州
1兆8763億2800万ドル

3位 ニューヨーク州
1兆5630億4400万ドル

【出典】U.S. Bureau of Economic Analysis(2022年推定値)

ワシントン州
WASHINGTON (WA)
P.132〜133

オレゴン州
OREGON (OR)
P.134〜135

カリフォルニア州
CALIFORNIA (CA)
P.136〜137

アラスカ州
ALASKA (AK)
P.142〜143

CONTENTS

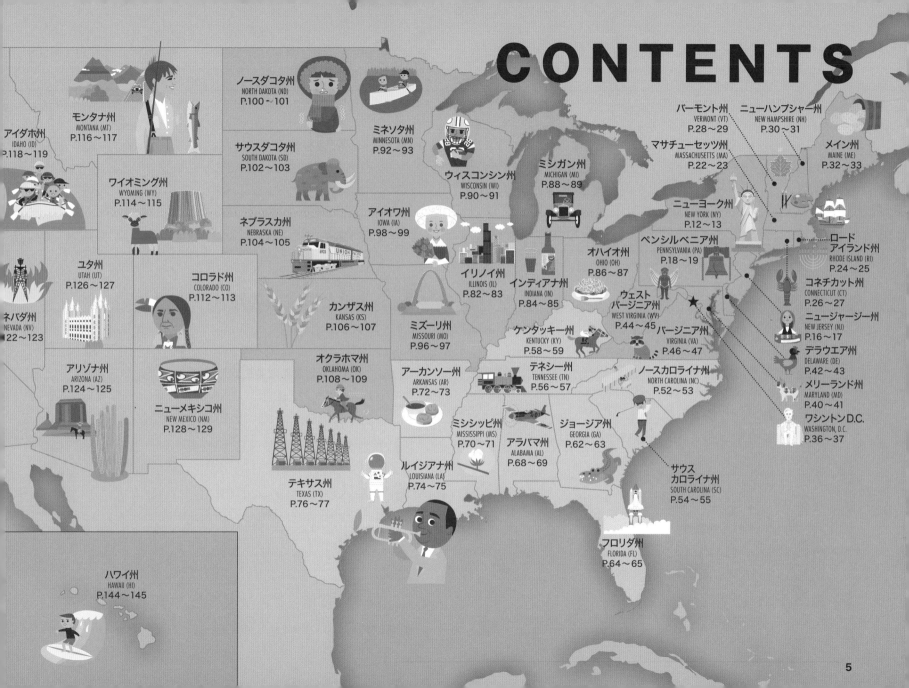

第1章 アメリカ東海岸13州

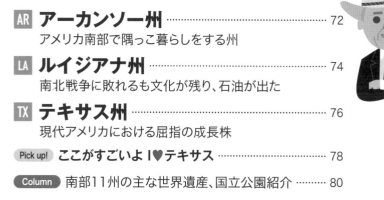

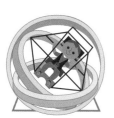

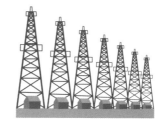

第3章 五大湖、中西部13州

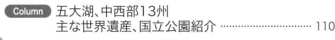

第4章 西部、西海岸、海外領土13州

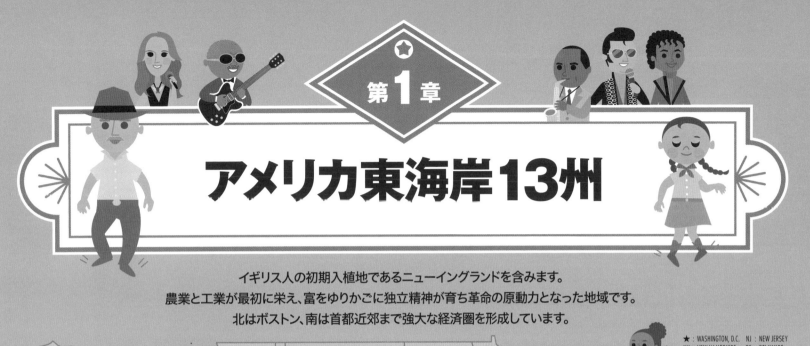

アメリカ東海岸13州

イギリス人の初期入植地であるニューイングランドを含みます。
農業と工業が最初に栄え、富をゆりかごに独立精神が育ち革命の原動力となった地域です。
北はボストン、南は首都近郊まで強大な経済圏を形成しています。

★ : WASHINGTON, D.C.　NJ : NEW JERSEY
NH : NEW HAMPSHIRE　DE : DELAWARE
VT : VERMONT　MD : MARYLAND
MA : MASSACHUSETTS
RI : RHODE ISLAND
CT : CONNECTICUT

WASHINGTON
MONTANA
NORTH DAKOTA
MINNESOTA
ALASKA
OREGON
IDAHO
SOUTH DAKOTA
WISCONSIN
MAINE
WYOMING
MICHIGAN
VT NH
NEW YORK
MA
NEBRASKA
IOWA
CT RI
NEVADA
UTAH
COLORADO
ILLINOIS INDIANA OHIO
PENNSYLVANIA
NJ
CALIFORNIA
KANSAS
MISSOURI
WEST VIRGINIA
MD DE
KENTUCKY
VIRGINIA
ARIZONA
NEW MEXICO
OKLAHOMA
ARKANSAS
TENNESSEE
NORTH CAROLINA
HAWAII
SOUTH CAROLINA
TEXAS
MISSISSIPPI ALABAMA GEORGIA
LOUISIANA
FLORIDA

ニューイングランド6州

美しいながらも厳しい自然と戦った初期入植者たちは、素朴で我慢強く、独立性に富む気風を持ちました。彼らはいつしかヤンキーと呼ばれ独立革命の中核となります。ニューイングランド6州はアメリカの始まりの地で、豊かな歴史、自然（秋の紅葉や冬の清浄さ）、最も古い簡素な暮らしをイメージさせるアメリカの原風景です。

ニューヨーク州

基本情報		
人口	1967万7151人（第4位）	
面積	14万1297㎢（第27位）	
GDP	1兆5630億4400万ドル（第3位）	
州名	1664年にオランダからイギリス支配となりヨーク公の名が付く	

ニューヨーク再発見時代へ

　ニューヨーク・シティ（NYC）があるのは州南東端。そこから飛行機が不時着したこともあるハドソン川を北上すると豊かな山地が出現。さらに州都辺りで水運革命をもたらしたエリー運河に入れば、五大湖とナイアガラの滝までたどり着けます。

　これほどの広さと、地理的多様性を持つ州としてのニューヨークも、アメリカ50州のなかでは面積が中位です。州の潜在能力を示すバロメーターといえる人口は4位、GDPは3位。上位をキープしていますが現代ではカリフォルニア、テキサス、フロリダに肩を並べられました。

　ですがニューヨークのレガシーはいまだ人を魅了し続けています。今後NYC以外の地方の魅力が再発見されたら、輝きを増すでしょう。

```
★ 州のモットー ★
"Excelsior"
「より高く」
```

❶ アイ・ラブ・ルーシー

豊かな中産階級と核家族を象徴する1950年代のTVドラマで主人公ルーシーを演じたルシル・ボールは州西部ジェームズタウン出身。

❻ サラトガ競馬場

サラトガは独立戦争の重要な戦いがあった地で、馬好きの間では真夏のダービー「トラバースステークス」の開催地として知られます。

❽ 怪談スリーピーホロー

ドイツ民話が元になっている恐怖の首無し騎士のお話。舞台である街が名前をスリーピーホローに改称し街おこしに取り組みました。

❷ ナイアガラの滝

ナイアガラ川の滝で有名なホースシュー滝は落差約60m、幅約670mと幅広です。カナダとの国境にあって昔は定番の新婚旅行先でした。

❸ フィンガーレイクス

手の指のように細長い湖が並んでいる景勝地です。この州はニューヨーク・シティを出て北に行けば行くほど豊かな自然に出合えます。

❾ 自由の女神

1886年にフランスからプレゼントされたアメリカの象徴です。イギリスと仲が悪いフランスは独立戦争でアメリカを助けています。

❹ セネカフォールズ会議（1848）

アメリカ初の女性の権利獲得を目指した会議。政治参加で差別を受けたエリザベス・C・スタントンらが開催し女性参政権の道を拓きます。

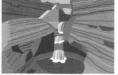

❺ サウザンド・アイランズ

国境のセントローレンス川にある1500を超える島々。古くからのリゾート地で、20世紀初頭の億万長者たちが小島に城を造りました。

❼ キャッツキル山の密造酒

禁酒法時代にギャングなどが山中で造りました。酒瓶をブーツに隠して運んだり売ったりしたので密造酒は英語でブートレッグです。

★ 州の鳥 ★
Eastern Bluebird
ルリツグミ

映画『天使にラブソングを』に主演しました。NYC出身です

最近はテレビのトーク番組とかに出ています

ウーピー・ゴールドバーグ

実は私は生まれがニューヨークなんですよ。場所はシラキュース

トム・クルーズ

あなたと違いアップステート(NYCより北の地方)

確かに私は生まれも育ちもダウンステート(NYC)のマンハッタン

市内・市外を気にする人もいるけど私は別に!

ウーピー・ゴールドバーグ

1章 東海岸
2章 南部
3章 五大湖 中西部
4章 西部・西海岸・海外領土
5章 アメリカはどんな国?
巻末資料

主要都市
ニューヨーク・シティ

ハドソン川河口に位置し、マンハッタンやブロンクスなど5区からなります。1620年代にオランダ人が開拓した所をイギリスが奪い、新大陸の交易拠点として発展。移民の玄関、金融の中心、製造業の街、大メディアの所在地など20世紀を彩ったあらゆる要素の顔役です。

州都
オールバニ

ハドソン川沿いの港町で海運の中心地として発展。17世紀初頭から探検家ヘンリー・ハドソンや、オランダ商人、ベルギー人が入っていた地で、最終的にイギリス人が1664年に支配します。1754年、ベンジャミン・フランクリンはこの街の議会で植民地を1つの政府の下に統合する計画を提案しています。

アップステート三大都市の名物

バッファローの手羽先
甘辛い味の素揚げで名前は「バッファローウイング」。手と口周りがベタ付くのはご愛嬌です。

ロチェスターのガーベッジプレート
マカロニ、ポテト、チーズなどカロリー爆弾が大集結した翻訳がはばかられる名前の一皿です。

シラキュースのソルトポテト
とてもシンプルなジャガイモの塩茹でです。シラキュースは岩塩の街です。

多様性が高く近年はリベラルなニューヨーク

●近年の州知事の所属政党

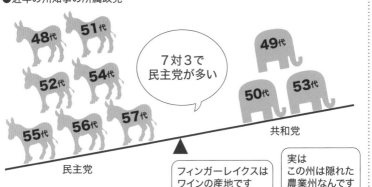

48代 51代 52代 54代 55代 56代 57代

49代 50代 53代

7対3で民主党が多い

共和党

民主党

近年は複雑になっているものの、ニューヨーク・シティではリベラルな民主党が強く、それ以外の地方部とロングアイランドは保守的な共和党が強いとされます。政治活動が活発なこの州では「家賃が高すぎ党」など、第三党が力を持つことも珍しくありません。

フィンガーレイクスはワインの産地です

実はこの州は隠れた農業州なんです

隠れた州の特産品 メープルシロップ

カエデから採取して作るメープルシロップは、北のバーモントの物が有名ですが、この州でもよく作っています。州内には中部にキャッツキル、北部にアディロンダックといった山地があって、ここで春のわずかな期間にカエデの樹液を採ります。冬の寒さはおいしいシロップの素であり、ニューヨークの緯度は日本の青森くらいです。

小さな木の杭を打ち込むのが伝統的な樹液採取方法

ニューヨーク・シティ（NYC）の5つの区画

アメリカ最大都市の人口はおよそ850万人。
多くの人種がバランス良く暮らし、
別の街区に入るだけで、
雰囲気が変わるモザイクのような都市。

3 クイーンズ（Queens）

5区のうち面積が最大です。一帯がイギリスの支配下に入ったその後、イングランド王チャールズ二世の妃キャサリン・オブ・ブラガンザにちなんで名付けられました。当初は田園地帯でしたが、19世紀には観光客が来るようになり、20世紀の橋梁とトンネル建設で交通の便がよくなると発展します。JFK国際空港や西端には工業地区のロングアイランドシティがある一方で、世界中の移民が集まる住宅地が広がり街角ごとに景色が変わります。

1 マンハッタン（Manhattan）

ウォール街、国連本部、メトロポリタン美術館などがあるアメリカの中枢。1626年にオランダ人提督が土地所有の概念に乏しいネイティブ・アメリカンから、60ギルダー相当の物品で島を購入したのが街の始まりです。18世紀後半の第1回アメリカ合衆国議会開催など政治的に重要な役割を果たし、19世紀にエリー運河が開通すると大いに発展します。摩天楼の建設は20世紀頭から、1920年代から30年代が建設ブームでした。

4 ブルックリン（Brooklyn）

マンハッタンから歴史ある吊り橋のブルックリン橋を渡るとたどり着き、5区で最も人口（約260万）が多い所です。イングランド王にちなみキングス郡と名付けられますが、当初入植したオランダ人が作った街の1つブルーケレンの名前の方が大事にされています。初期は農業、後に工業が盛んになり、19世紀末にニューヨーク・シティと合併するまで独立した街として発展しました。このため人々は独自の郷土愛を持っています。

2 ブロンクス（The Bronx）

マンハッタンを北に進んで行き、ハーレム川を渡った所にあるのがブロンクスです。ヤンキー・スタジアムやブロンクス動物園があります。この地を取得した北欧生まれのオランダ人ヨナス・ブロンクの名が付いています。初期はニューイングランドの入植者が来て、20世紀は南部から元奴隷のアフリカ系が押し寄せます。1970年代に治安が悪化し、特にサウスブロンクスにそのイメージがつきまといますが、近年は改善傾向にあります。

5 スタテンアイランド（Staten Island）

ニューヨーク湾に浮かぶ島でブルックリンとは橋でつながっていますが、マンハッタンに行くにはフェリーしかありません。反対にすぐ西隣のニュージャージー州とは三本の橋でつながっており、ニューヨーク・シティの中の郊外といったイメージです。独立戦争の和平会議の場所など史跡が残るほかに街の間に緑地が目立ち、比較的どかな所といわれます。以前はメジャーリーグ・ヤンキース傘下のマイナーリーグチームがありました。

ニューヨーク州の意外な側面

　NYCを擁するこの州を最初に切り拓いたのはオランダです。17世紀初頭の探検家ヘンリー・ハドソンが先駆けでした。ただし本国が豊かであったためか、交易主体で本格的な移民と農耕は進みませんでした。そこへイギリスが来て17世紀半ばに取って代わります。18世紀半ばの戦争でフランスを追い出すと、さらに入植が加速していきました。

　やがてここは独立戦争やエリー運河開通による水運革命、世界恐慌など数々のアメリカ史の舞台となります。その過程で意外にも保守的な顔を覗かせる局面がありました。独立戦争前夜の頃はイギリスに忠誠を誓う人々が多くいました。また憲法制定時は連邦政府の権力を強くしたい派閥と、弱い方が良いという派閥で議論が続き批准が遅れます。1840年代に土地所有改革があるまで、一般農民による開拓は進まず、女性参政権の運動は1848年から始まったものの、認められたのは1917年でした。広大なアメリカはいくつも顔を持ちます。わかったつもりでもそれは極一部。ニューヨークも同じで歴史的にもいろいろな側面を持ちます。

①世界恐慌期にできた摩天楼群の象徴、エンパイアステートビル　②クイーンズのジャクソンハイツの人気スポット、リトル・インディア　③ブルックリン橋、設計の一部に日本人技術者が関わった　④ヤンキースの本拠地であるヤンキー・スタジアム　⑤2020年に行われた子ども向けのコート提供を行うチャリティー　⑥リトル・イタリーと呼ばれるマンハッタンのマルベリー通り　⑦ブルックリンのコニーアイランドビーチにある老舗遊園地　⑧マンハッタン発スタテンアイランド行きの定期フェリー

1章 東海岸
2章 南部
3章 五大湖・中西部
4章 西部・西海岸・海外領土
5章 アメリカはどんな国？
巻末資料

ニュージャージー州

基本情報	
人口	926万1699人（第11位）
面積	2万2591㎢（第47位）
GDP	5817億400万ドル（第10位）
州名	イギリスのイングランド沿岸にあるジャージー島に由来する

都市労働者の賑やかな住処

　北東のニューヨーク、西のフィラデルフィアに挟まれた両都市のベッドタウンになっている州です。仕事を求める国内外の移民が住処とするので、非常に人種多様性が高く、同時に人口密度が高くなっています。

　初期の時代は都市部に食糧を届ける農業州で、だんだん日用品を含めたモノづくりが盛んになりました。経済成長するに従い必要になってきた金融や医療ヘルスケア事業の高度な人材は、全米トップレベルにまでなった大学が送り出してくれます。また、カジノリゾートや美しいビーチが休日を快適にしてくれます。そして汚職政治家やイタリア系マフィアがゴシップだけでなく、格差まで思い知らせてくれ、庶民の反骨心まで育ててくれるのです。

★ 州のモットー ★

"Liberty and prosperity"
「自由と繁栄」

❶ ラトガース大学

歴史ある公立名門校でニューアークなどにキャンパスがあります。日本人留学生には明治初期の上田藩主次男、松平忠厚などがいます。

❹ ブルック・シールズ

映画『青い珊瑚礁』などで知られる女優で子役時代にブレイク、彼女は成長すると名門プリンストン大学でフランス文学を学んでいます。

❼ アトランティックシティ

カジノリゾートや海沿いの繁華街で、ギャンブラーとパリピを集める遊び人の街です。トランプ元大統領の会社のカジノ（すでに破産）がありました。

❷ パセーイクストライキ

パセーイク市の織物業者による共産党主導のストです（1926）。移民労働者が多い州らしくパターソン絹織物ストなども起きています。

❺ ニュージャージー・ターンパイク

ターンパイクとは有料高速道路のことで、ニューヨークやフィラデルフィアへ通じます。モリーピッチャーなどサービスエリアも充実。

MOLLY PITCHER
SERVICE
AREA →

❽ ルーシー・ザ・エレファント

デベロッパーのラファティ氏が1881年に作った6階ほどの高さの客寄せオブジェ。彼の目論みは当たり観光客がよく立ち寄ります。

❸ トーマス・エジソン

メンロパークに研究所を開設し仲間と仕事に没頭、電球の改良や蓄音機を開発しました。後に人々は街の名前をエジソンに変えます。

❻ モンマスパーク競馬場

クラシック三冠レースの前哨戦を開催。アメリカはダートが主流で、鞭の使用回数制限や馬の体調管理が厳格で度々ルールが変わります。

❾ ケープメイ灯台

イタリア系の陽気なパリピが集うイメージが強い沿岸部「ジャージー・ショア」の老舗観光地にて19世紀半ばから人々を守っています。

Delaware River

Hudson River

Paterson ❸ ❷
◉ Newark ❶
Jersey City

Princeton ❹ ❺ ❻

Trenton ★

Asbury Park ❸

● Camden

Atlantic Ocean

❽ ❼ Atlantic City

Delaware Bay

❾ Cape May

★ 州の鳥 ★
Eastern Goldfinch
オウゴンヒワ

1664年	1776年	19世紀後半	1915年	1976年	2013年
すでにオランダ人が入植していたが、この年にイギリス人が自らの統治下に置く	ジョージ・ワシントンがデラウェア川を横断しトレントンの戦いで勝利する	古生物学者のコープ氏とマーシュ氏による化石戦争がハドンフィールドで勃発	歌手フランク・シナトラがホーボーケンの街で生まれ、半世紀後にグラミー獲得	アトランティックシティでのギャンブルを合法化。カジノが林立するように	同性カップルの権利を認める法律整備などを経て、ようやく同性婚が認められる

主要都市 ニューアーク

ハドソン川を挟んでニューヨーク市の西にあり、好立地から衛星都市として発展。工業、運輸業、保険業が盛んな州第一の都市です。設立は古く1666年のピューリタンによる開拓が始まりです。1967年にはアメリカを揺るがすアフリカ系による暴動の舞台となりました。

州都 トレントン

ジョージ・ワシントンが真冬のデラウェア川を渡り、イギリス軍を破ったトレントンの戦いの舞台です。18世紀前半から鉄鋼や陶器製造が行われ、19世紀前半の運河と鉄道の完成でさらに工業が伸長します。19世紀から20世紀初頭にかけては「トレントンが作り、世界が取っていく」が街のスローガンになるほどでした。

アメリカン・ダイナーの首都

コーヒーが何杯でもおかわりできる細長い大衆食堂「ダイナー」は、この州のオマホニー社が発明し、20世紀半ばまでに2000台以上を販売するほど盛況でした。近隣大都市で働く労働者が多かったことが躍進の理由だといいます。特にギリシャ人移民が好んで開業し、地域のコミュニティーハブの役割を果たしました。しかし現在はダイナー製造会社が閉鎖され、その数を減らしています。

50年代は素敵だったわ！

ニュージャージーが舞台の人気TV番組

『ザ・ソプラノズ 哀愁のマフィア』
イタリア系マフィアのボス(パニック発作の持病あり)を取り巻く家族と出来事を、リアリティーと幾分かのユーモアをもって描き、放送開始以来6シーズンまで制作されました。「こんな裏社会がこの州にある」と思うアメリカ人がいるそうです。

やんのかこら!!

ごきげんよう。

the Real Housewives OF NEW JERSEY

『ニュージャージーのリアルな主婦たち』
その街に住む主婦たちを主人公にした人気シリーズ「ザ・リアル・ハウスワイヴス」のニュージャージー編です。彼女たちの社会生活を赤裸々に映しています。登場人物は後に別れてシーズンを重ねるうちにいなくなることも。

第1章 東海岸
第2章 南部
第3章 五大湖、中西部
第4章 西部、西海岸、海外領土
第5章 アメリカはどんな国？
巻末資料

俺がマフィアとつながっているなんて誰がそんなこと言ったのは！

何を言われようが、俺は俺の道を貫くけどね

フランク・シナトラ

そうですよね、兄さん。マイ・ウェイが一番です。わかりますよ

俺らニュージャージー生まれはそうでなきゃ

ジョン・ボン・ジョヴィ

わかってるじゃないか。後悔なんて、ほんのちょっとでいいんだ

これが俺の人生、イッツ・マイ・ライフだ

フランク・シナトラ

COLUMN
ガーデンステートの名物 真っ赤なジャージートマト

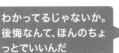

2ドル50セントで売られるジャージートマト

州のあだ名「ガーデンステート(庭の州、菜園の州)」は、ニューヨークとフィラデルフィアの食糧供給基地だったことに由来します。1930年代にはラトガース大と地元企業キャンベルが缶詰に適したトマトを開発。気候も栽培に適していたことからニュージャージーのトマトが有名になり、ピザに似たトマトパイが名物になりました。

独立革命と製鉄の火が灯った二大都市を持つ州

ペンシルベニア州

基本情報		
人口	1297万2008人（第5位）	
面積	11万9280㎢（第33位）	
GDP	7260億3600万ドル（第6位）	
州名	創設者ウィリアム・ペンの名から。本人は森の地シルバニアを希望した	

大陸会議が開催された地

母国英国で迫害されたプロテスタント一派、クエーカー教徒の避難所として、貴族ウィリアム・ペンが創設した地です。他の信仰も尊重したので多くの移民が集まり、フィラデルフィアが新大陸の植民地で最大都市に成長。本国の横暴が目に余るようになると、腹に据えかねた志士らが集まり革命の中心地となりました。

19世紀には石炭採掘と石油ブームが手伝い工業が伸長。東のフィラデルフィアでは主に軽工業が、五大湖に近い西のピッツバーグでは鉄鋼業が育ちます。20世紀に工業が低迷し、お隣ニューヨークの輝きに存在が薄れましたが、現在はピッツバーグの官民一体となったハイテク産業育成と産業多角化、それとシェールオイルが州を盛り上げています。

★ 州のモットー ★
"Virtue, liberty, and independence"
「善、自由、そして独立」

❶ 元祖ゾンビ映画

ジョージ・A・ロメロ監督が1968年に制作した『ナイト・オブ・ザ・リビングデッド』。そのロケ地はピッツバーグの北にある街です。

❷ 落水荘

近代建築の巨匠フランク・ロイド・ライトによる山荘。百貨店経営者カウフマン氏たっての希望で滝上に、滝を楽しむ家が造られました。

❸ グラウンドホッグ占い

新春の頃、グラウンドホッグ（リスの一種）が巣穴から出て自分の影に驚き穴に戻ったら冬が続き、戻らなかったら春が近いとのことです。

❹ マーセラス・シェール

ペンシルベニアを含む北東部一帯の地中に広がる巨大なシェールガス田で、ウクライナとロシアの戦争の影響で重要度が増しました。

❺ 『ジ・オフィス』

the Office

英国発のコメディであまりの人気にアメリカ版も制作決定。スクラントン市がその舞台です。シーズン9まで社会人の悲哀が見られます。

❻ スリーマイル島原発事故

1979年にアメリカ最悪のメルトダウン事故が起きました。事故を起こした2号機の溶けた核燃料を取り出すのに11年かかっています。

Lake Erie

Erie

★ 州の鳥 ★
Ruffed Grouse
エリマキライチョウ

Scranton ❺

Williamsport ❹

Punxsutawney ❸

State College

Pittsburgh ❶

Allentown

Delaware River

Harrisburg

Reading

❻ Lancaster ❼

Valley Forge

Gettysburg

❽ Philadelphia ◎❾

❼ シューフライパイ

黒い糖蜜を使ったアーミッシュ伝統のスイーツです。この州にはランカスター郡に大きなアーミッシュ・コミュニティーがあります。

❽ マッシュルームの首都

南東部ケネットスクウェアは一大産地。地元のお祭りにマスコットキャラがいたり、アメリカで一般的な揚げキノコを食べたりできます。

❾ 自由の鐘

1776年7月8日に鳴らされ、独立宣言の朗読を祝したと伝わる建国の象徴。最後に鳴らされたのは1846年のジョージ・ワシントンの誕生日。

17世紀前半	スウェーデン人やオランダ人が植民地を設立するもイギリスが取って代わる
1681年	イングランド王チャールズ二世がウィリアム・ペンにこの地域を授与する
1774年	フィラデルフィアで第一回大陸会議が開かれ革命に向けて動き出す
1776年	7月4日にフィラデルフィアでアメリカ独立宣言が採択。新国家アメリカが誕生
1863年	南北戦争の激戦であるゲティスバーグの戦いが起きる。北軍自由州として勝利
1876年	建国百周年を記念してフィラデルフィア万博が開催。日本館も出展していた

東海岸 1章
南部 2章
五大湖・中西部 3章
西部・西海岸・海外領土 4章
アメリカはどんな国？ 5章
巻末資料

私は軍属の父のもとに生まれました。若い頃はスペイン軍と戦った

でも負けてその頃クエーカーに会いました

ウィリアム・ペン

あなたがこの州を作って約250年後にピッツバーグで私は生まれた

20世紀半ばにポップアートを制作しました

アンディー・ウォーホル

私の時代は、芸術や絵画は基本的に特権階級のためのものでした

宮廷画家が父の肖像画を描いていましたよ

ウィリアム・ペン

主要都市 フィラデルフィア

18世紀に多くのヨーロッパ人が移民、当時の政治と産業の中心となります。そして第一回大陸会議、独立宣言署名、憲法制定会議の舞台として独立の生き証人になり、新国家の「初めて」がいくつもできました。アメリカで最古の美術館や初の病院などが造られました。

州都 ハリスバーグ

1705年にイギリス人ジョン・ハリスが設立した交易所まで歴史をさかのぼれます。19世紀前半に運河と鉄道が開通すると交通の要衝になり、鉄鋼業など工業が成長。その後は脱工業化の波を受けて行政や大学の所在地として発展しました。1906年完成の二代目州議事堂はバチカンのサン・ピエトロ大聖堂を模しています。

ペンシルベニアが体験した脱工業化

脱工業化とは農業の後に発展した工業が、サービス業へ発展し移り変わる流れのことです。ペンシルベニアでは19世紀前半まで農業が主役で、そこから一気に工業化に成功して躍進します。しかしあまりに工業化が進んだため、工業が衰退する時代に入るとその影響が大きく、特に大工業都市が苦しみました。

初期工業の発展
19世紀後半〜20世紀初頭はフィラデルフィアの繊維とピッツバーグの鉄鋼が成長します。

工業の衰退
20世紀半ば以降にアメリカ南側のサンベルト工業地帯が成長したため、役割を奪われます。

観光・サービス業へ移行
観光、金融、保険などが成長していきます。残された工業はハイテク化に挑戦しています。

ペンシルベニアが生んだ3人の王

スコットランドから仕事を求めて親が渡米しました。

ピッツバーグ生まれです。ピクルスを買い付けすぎて一度倒産しました。

成功してから企業城下町ハーシー市を作りました。

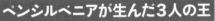

鉄鋼王カーネギー（1835〜1919）
ピッツバーグで製鉄所を経営。会社は世界最大級にまで成長し、街は鉄鋼で大繁栄します。

ケチャップ王ハインツ（1844〜1919）
自己破産を乗り越え、自家製では手間のかかるケチャップを工場で生産、これが大ヒット。

チョコレート王ハーシー（1857〜1945）
菓子事業失敗を経てキャラメル会社を立ち上げ、30代でチョコを大量生産し世界企業に。

大航海時代の幕開けで先住民の運命は暗転

先住民とヨーロッパ人の到達

- 先住民は狩猟採集だけでなく、農業を基盤に豊かな社会を築いた
- 当初はスペインが植民地を建設
- 天然痘の流行で先住民の人口は急減してしまう

かくも豊かだったアメリカの先住民文化

ネイティブ・アメリカン（アメリカ先住民）の先祖は、アラスカとロシアの間のベーリング海峡を渡ってやって来ました。最初の移住は約4万年前ともいわれています。

紀元前1000年頃までに、先住民の多くが農業に従事するようになりました。トウモロコシやカボチャ、トウガラシなどアメリカ大陸が原産の野菜は数多くあります。これらを栽培し、品種改良したのは先住民の人々です。

農耕が生活の中心になるにつれ、社会は複雑化していきました。中央部から南東部では墳丘を作り、そこに住居や墓を建てるミシシッピ文化が花開きました。

南西部の乾燥地帯には、建築技術に優れたプエブロ族が住んでいました。中心地のチャコ・キャニオンには日干し煉瓦で造られた大規模な集落の遺跡が残っています。

北東部のオンタリオ湖南岸の先住民は16世紀頃、イロコイ同盟という部族連合を形成していました。もしヨーロッパ人の到達が遅れていたら、アステカやインカのような帝国が北米に成立していたかもしれません。

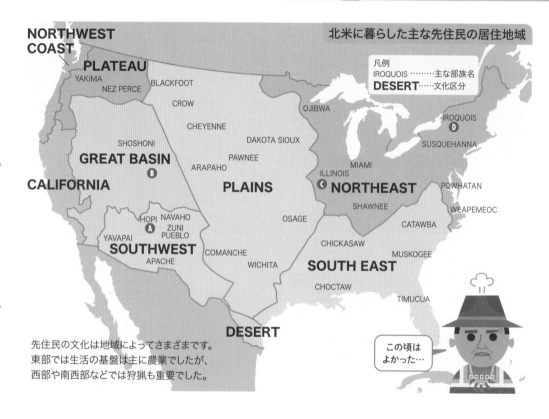

北米に暮らした主な先住民の居住地域

NORTHWEST COAST

PLATEAU
YAKIMA
NEZ PERCE
BLACKFOOT
CROW
OJIBWA

凡例
IROQUOIS ……… 主な部族名
DESERT …… 文化区分

IROQUOIS D

SUSQUEHANNA

CHEYENNE

SHOSHONI
DAKOTA SIOUX

GREAT BASIN B
PAWNEE
ARAPAHO
MIAMI
ILLINOIS
C NORTHEAST

CALIFORNIA
PLAINS
POWHATAN

HOPI A
NAVAHO
ZUNI
PUEBLO
OSAGE
SHAWNEE
WEAPEMEOC

YAVAPAI
CATAWBA

SOUTHWEST
COMANCHE
CHICKASAW
MUSKOGEE

APACHE
WICHITA
SOUTH EAST

CHOCTAW

TIMUCUA

DESERT

先住民の文化は地域によってさまざまです。東部では生活の基盤は主に農業でしたが、西部や南西部などでは狩猟も重要でした。

この頃はよかった…

ニューメキシコのチャコ文化 9〜13世紀

先住民がチャコ・キャニオンで育んだ都市文化。集落跡のひとつ、プエブロ・ボニートは、ローマのコロッセオとほぼ同じ大きさです。

コロラドのメサベルデ 6〜13世紀

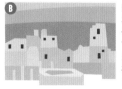

断崖の壁面に築かれた先住民の岩窟住居の遺跡が有名です。敵の襲来に備えるため、このような構造になっているといわれています。

イリノイのカホキア 9〜14世紀

セントルイス郊外にある先住民の墳丘群の遺跡。最盛期には約2万人が住んだといわれ、ミシシッピ文化の中心地として栄えました。

イロコイ族の長屋 〜18世紀

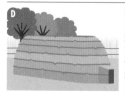

北東部のイロコイ族は細長い住居を建てたことで知られています。女系の血縁関係にある複数の家族がひとつの家で暮らしていました。

約4万年前	1492年	1494年	1500年	1507年	1521年	1533年	1585年
ベーリング海峡を渡り、先住民が南北アメリカ大陸に移住を開始	コロンブスが第1回目の航海で、バハマ諸島のサン・サルバドル島に到達する	スペインとポルトガルがトルデシリャス条約で勢力圏の境界線を定める	ポルトガル人のカブラルがヨーロッパ人として初めてブラジルに漂着（諸説あり）	ドイツの地理学者ヴァルトゼーミュラーが新大陸を初めて「アメリカ」と呼ぶ	コルテスがアステカ王国の首都を征服。メキシコがスペインの植民地となる	ピサロがインカ帝国の皇帝アタワルパを処刑。インカ文明が滅びる	イギリスがアメリカ東海岸のロアノーク島に最初の植民地を建設

1章 東海岸 / 2章 南部 / 3章 五大湖・中西部 / 4章 西部・西海岸・海外領土 / 5章 アメリカはどんな国？ / 巻末資料

ヨーロッパ人による新大陸到達

　15世紀、ヨーロッパ諸国で最初に大西洋に乗り出したのはポルトガルでした。エンリケ航海王子は西アフリカ沿岸に探検船を派遣し、植民地化を推進。1488年には、ポルトガル人のバルトロメウ・ディアスがアフリカ南端の喜望峰に到達します。こうして、東回り航路でアジアと交易する道が開けました。

　一方、スペインの後援を受けたコロンブスは、西回り航路でアジアを目指し、1492年にカリブ海の島々に到達。スペインは「新大陸」に勢力を築いていくことになります。

　1493年、ローマ教皇は教皇子午線でスペインとポルトガルの勢力圏を分ける勅書を発します。両国はこれに従わず、翌1494年にトルデシリャス条約を結び、それより西にずれた境界線で勢力圏を分割することに合意しました。

　コルテスやピサロらの征服者によって中南米の大帝国は次々と滅ぼされ、広大な土地がスペイン領になりました。1545年にボリビアのポトシ銀山が発見されると、多くの先住民が過酷な労働に酷使されて命を落としました。

　スペインとポルトガルに後れをとったイギリス、フランスは北米に目を向け、植民地を建設していくことになります。

大航海時代の開拓

大航海時代の先陣を切ったスペインとポルトガルは、世界を二分割しようと画策。
新大陸の大部分はスペインの勢力圏となりました。

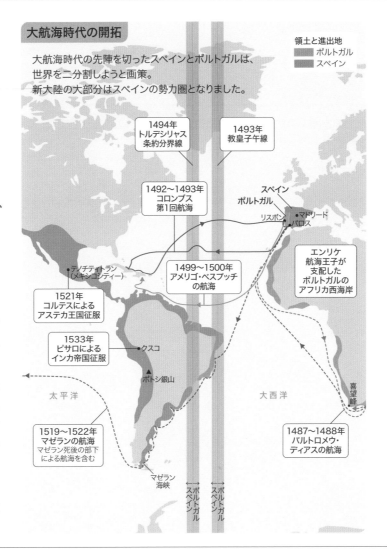

領土と進出地
- ポルトガル
- スペイン

1494年 トルデシリャス条約分界線
1493年 教皇子午線
1492〜1493年 コロンブス第1回航海
スペイン / ポルトガル
リスボン・パロス / ・マドリード
エンリケ航海王子が支配したポルトガルのアフリカ西海岸
・テノチティトラン（メキシコシティー）
1499〜1500年 アメリゴ・ベスプッチの航海
1521年 コルテスによるアステカ王国征服
1533年 ピサロによるインカ帝国征服
→クスコ
ポトシ銀山
喜望峰
太平洋
大西洋
1519〜1522年 マゼランの航海　マゼラン死後の部下による航海を含む
1487〜1488年 バルトロメウ・ディアスの航海
マゼラン海峡
ポルトガル・スペイン

アジアに着いたぞ（勘違い）

クリストファー・コロンブス
イタリア・ジェノバ生まれの探検家。最初はポルトガルに航海の支援を求めたものの、成功しませんでした。
（1451?〜1506）

スペイン王室を後ろ盾とし、西回りでアジアへの航路を開こうと計画。新大陸に到達することに成功しました。彼は地球を実際より小さく見積もっており、たどり着いた土地はアジアだと死ぬまで思い込んでいました。

もしかして、新大陸!?

ブラジル沿岸を探検航海し、論文『新大陸』を発表。この論文により、ヨーロッパの人々に新大陸の存在が初めて知れ渡りました。新大陸の呼び名である「アメリカ」は、彼の名「アメリゴ」からとられています。

アメリゴ・ベスプッチ
フィレンツェ生まれのイタリア人。探検家としては遅咲きで、初めて大西洋を航海したときは40歳を超えていました。
（1454〜1512）

キーワード 銃と天然痘

アステカやインカが短期間に滅亡してしまった理由のひとつは、ヨーロッパ勢が持っていた銃や大砲などの強力な武器。そしてもうひとつは天然痘です。先住民には天然痘の免疫がなかったため、ヨーロッパ人の侵入とともにパンデミックが発生し、人口が激減しました。

アメリカ史の流れを決定付けた先駆者

マサチューセッツ州

基本情報		
人口	698万1974人（第16位）	
面積	2万7336㎢（第44位）	
GDP	5438億7200万ドル（第12位）	
州名	先住民のアルゴンキン語でボストン周辺を示す「偉大な丘の小さな所」	

自由を求めた人々の新天地

　独立戦争を戦って本国イギリスから巣立った独立13州のうち、建国史との関わりが最も深い州です。海を渡ってきたピルグリムとピューリタンらが上陸したのも、独立戦争の火蓋が切られたのもこの州でした。

　あだ名はベイステート（湾の州）。州の南北、東西の長さより、海岸線の方が長く、漁業・造船・交易で発展したことをよく物語っています。当然シーフードが名物で歴史ある石畳の港町の路地裏で、ロブスターや貝料理が食べられます。片や他の農業州ほど農畜産業が強くありません。早くから工業化して、産業が農業から工業へ、人口が地方から都市へ移動した発展パターンが、アメリカでも早期に現れたためです。

> ★ 州のモットー ★
>
> "By the sword we seek peace, but peace only under liberty"
>
> 「剣で平和を得るが、それは自由の下のみにあり」

❶ 天然橋の峡谷

北米で唯一といわれる氷河の侵食によって形成された白大理石の天然橋があります。州西部には山あり谷ありの豊かな自然があります。

❷ 最初の銃声

1775年レキシントン・コンコードの戦いで響いたこの銃声は、独立戦争の口火を切った合図としてアメリカの教科書に登場する必須の歴史です。

❸ ヘンリー・ソロー

ウォールデン池で自給自足の生活を実践、それを書籍『森の生活』で発表した哲学者・思想家。19世紀末に自然とスピリチュアルを紹介し社会に影響を与えました。

❺ ボストン・ベイクド・ビーンズ

豆と塩漬け豚肉やベーコンを入れ、糖蜜で甘く味付けした郷土料理です。初期開拓者がネイティブ・アメリカンに教わりアレンジした料理といわれます。

❻ セイラム魔女裁判

17世紀の理不尽な魔女狩りで20名が処刑された事件。負の歴史として語り継がれると同時に、観光客向けゴーストツアーが人気です。

❹ ハーバード大学

イギリスから来たピューリタンが開いた大学で、アメリカ最古の1637年設立です。この州はMIT、アマーストもある教育州です。

★ 州の鳥 ★

Black-capped Chickadee
アメリカコガラ

❼ メイフラワー2

ピルグリムらが1620年にアメリカに来る時に乗ったメイフラワー号の原寸大レプリカが、プリマスに停泊し観光名所になっています。

❽ クランベリーの収穫

ケープコッドは甘酸っぱいクランベリーの産地です。野山で摘むのかと思いきや、水耕栽培なので収穫期は池に入り真っ赤な実を集めます。

❾ 捕鯨博物館

州南部や島々には捕鯨の歴史があります。ナンタケットやニューベッドフォードにそれを伝える博物館があり、骨格標本があります。

地図

Connecticut River
Lowell ●
❶
❻ Salem
Northampton ● ● Amherst
❷
❸
❹ ★ Boston
❺
◉ Worcester
● Springfield
Atlantic Ocean
Provincetown
❼ Plymouth
❽
Cape Cod
● New Bedford
Nantucket
❾

ネイティブ・アメリカンがすでに一帯で生活していたと考えられている

北欧バイキングのレイフ・エリクソンが到達したという伝説があるが真偽不明

フランス人探検家シャンプランがこの辺りを含めた探検により地図を作成

信仰の自由を求めたピルグリムがメイフラワー号でこの地に到着する

後発のピューリタンが開拓したマサチューセッツ湾植民地の勢力が拡大

本国イギリスとの関係が悪化。やがてボストン茶会事件（1773）へ発展

主要都市 ウースター

州中央部にある州第二の都市で、ボストンとスプリングフィールドを結ぶ中間点にあります。繊維業をはじめとして早くから工業が発展しました。南北戦争前夜の頃は南部奴隷の逃亡を助けた「地下鉄道」の中継地点でした。クラシック音楽祭の街としても知られています。

州都 ボストン

1630年にピューリタンが切り拓いたアメリカ最古の街の1つにして、州最大の都市です。独立戦争と奴隷反対運動と産業革命の中心地として歴史を牽引しました。ニューイングランドの文化、教育、芸術、経済の中心地として栄えるこの港町には、毎年4月のボストンマラソンで世界中からランナーが集まります。

大人気の4大プロスポーツチーム

ボストン・レッドソックス

本拠地はフェンウェイ・パーク。86年間優勝できず「バンビーノの呪い」といわれました。

ニューイングランド・ペイトリオッツ

本拠地はフォックスボロ。史上最多の勝利数を誇るQBトム・ブレイディが活躍した人気ある強豪です。

今年こそ優勝するぜ！

ボストン・セルティックス

歴史あるチームでラリー・バードなど伝説的選手が活躍し、17回の優勝を誇っています。

ボストン・ブルーインズ

オリジナルシックスと呼ばれる名門チームの1つで、ボビー・オアら名選手が所属しました。

マサチューセッツあるある

ごめんあそばせ

ボストンバラモンの存在

ボストン最古参の貴族階級（バラモン）で初期ピューリタンの子孫とされますが、近年は影響力が低下しているようです。

悪路が多い

歴史が古くて道路も古い、冬場の厳しい気候が道を傷めるなどいくつかの理由からか、悪路が多いというイメージがあります。

ロブスター・ロールがうまい

他のニューイングランド同様にロブスターが有名で、マヨネーズを入れるタイプと入れないタイプがありますが、この州ではマヨ派が優勢のようです。

不況からの脱出を成し遂げる

19世紀までは早くから工業化したマサチューセッツが、アメリカ経済を牽引しました。しかし20世紀に入るとサンベルトと呼ばれるアメリカの南側で最新の工業が発展し、また国際競争にもさらされます。このため州経済は低迷しましたが、第二次世界大戦と以降の冷戦期に防衛とハイテク産業が興り、やがてサービス業も伸長して州経済が上向きます。復活に大きな役割を果たしたのが、ボストン都市圏のハーバード大学やマサチューセッツ工科大学（MIT）といった高等教育機関の卒業生と彼らの研究といわれています。

COLUMN
あこがれの別荘地 文豪が愛したケープコッド

ケープコッド（タラ岬）は大西洋に突き出た砂がちな半島で、先端のプロヴィンスタウンは1620年にピルグリム・ファーザーズが来た地です。恵まれた気候と美しい海岸の景色からリゾート地として有名で、ユージン・オニール、カード・ヴォネガット、ノーマン・メイラー、ポール・セローなど名だたる作家に好まれました。

ケープコッド南西部の港町ファルマスの閑静な景色

ロードアイランド州

面積は最小だが歴史は最長クラスの州

基本情報	
人口	109万3734人（第44位）
面積	4001㎢（第50位）
GDP	554億1300万ドル（第44位）
州名	オランダ人が「Roode Eylandt（赤い島）」と名付けたなど由来が諸説ある

歴史の初期に世界を制する

　海が発展を助けた最小面積の州です。アメリカが植民地だった頃、隣のマサチューセッツと比べ新しく、宗教的少数派に寛容な開けた空気に誘われ海運業が発展。18世紀半ばには本国イギリスの規制が及ばない自由な港町として繁栄。本国に課税という形で介入され激怒し、英国税関船ガスピー号を燃やし、独立戦争に身を投じます。

　アメリカ独立後は海運を下地に産業革命の先頭に立ち、19世紀前半まで繊維をはじめ工業で経済の中心であり続けました。その後大恐慌の頃は、財界と距離を置く民主党政治の影響もあり低迷しますが、21世紀から規制緩和や企業誘致を進めて、金融やバイオ産業に活路を見出し、豊かになろうとしています。

★ 州のモットー ★
"Hope"
「希望」

❶ リンカーン市のカジノ

ロードアイランドの歳入に貢献している事業で、元はグレイハウンドのレースを開催していました。この州はスポーツ賭博も合法です。

❷ スレーター紡績所

アメリカで最初の紡績工場がポータケットにあります。スレーターさんが母国英国から企業秘密を持ち出して造ることができました。

❹ ガス・ヴァンサント

『グッド・ウィル・ハンティング』の映画監督は、ロードアイランド・スクール・オブ・デザイン（RISD）という名門の美術学校出身。

❼ クオンセット・ハット

第一次世界大戦時に活躍したトタン製半円形のプレハブ建築は、この州沿岸部にあるクオンセット・ポイントで大量生産されていました。

❸ ハズブロ社

兵隊人形G.I.ジョー、改良型双六モノポリー、熱狂的な大人のファンもいるマイリトルポニーなど数々のヒットを世に放っています。

❺ ラブクラフト

カルト的人気を誇り、触手を持つ神が暴れるクトゥルフ神話の生みの親はこの州出身です。宇宙ホラーの素は母なる海なのでしょうか？

❽ 歴史が古いシナゴーグ

港街ニューポートにあります。シナゴーグとはユダヤ教徒が礼拝などで集まるための会合所で、一種のコミュニティーハブです。

❻ クラムケーキ

海に面した州だけあって名物はシーフード。二枚貝（クラム）が入っている一口大のコロッケ「クラムケーキ」がよく食べられています。

❾ ジューディス灯台

ナラガンセット湾から外海に出る要所で船を見守っています。沖合のブロック島まで安全に航海するためになくてはならない存在でした。

Woonsocket ●
Lincoln ❶
❷
❸ Pawtucket
Providence ★❹❺
Warwick ◎❻
Bristol
East Greenwich ❼
Narragansett Bay
❽ Newport
❾
Atlantic Ocean
Block Island

★ 州の鳥 ★
Rhode Island Red
ロードアイランドレッド

東海岸 1章
南部 2章
五大湖、中西部 3章
西部、西海岸、海外領土 4章
アメリカはどんな国? 5章
巻末資料

17世紀前半	1636年	1790年	1850年代	1930年代	1960年代
ナラガンセット湾を中心に先住民同士が抗争、ヨーロッパ人がこれに介入する	州設立の立役者である宗教家ロジャー・ウィリアムズがこの地に来て開拓開始	自治権が弱まるのを警戒し合衆国憲法を建国13州のうち最後に批准する	反カトリック移民を掲げるノーナッシング党が一時的に州政治で力を持つ	世界恐慌の影響で州経済が低迷。手厚い福祉を推す民主党が州政府で力を持つ	第二次世界大戦と冷戦期に防衛産業が成長し、一時的に州経済が復活する

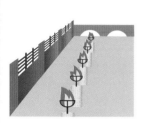

主要都市 ウォーリック

1642年に設立された古い都市の1つで、ネイティブ・アメリカンとの間に起きたフィリップ王戦争に巻き込まれました。独立前は海運業と造船業が育まれ、19世紀には川の水力を利用した繊維産業が栄えましたが衰退、現代はサービス業に重きを置いています。

州都 プロビデンス

ロジャー・ウィリアムズが1636年に設立、重要な港として製造業の中心地となります。19世紀には繊維、機械、宝飾品産業が栄えました。20世紀に製造業は衰退しますが、名門大学の卒業生の活躍もあり、医療、教育、金融だけでなく、歴史と文化も街を活気付け、現代アートや多彩な料理が人々を楽しませています。

ロードアイランドの祭典

ウォーター・ファイアー・フェスティバル

州都の川に灯籠を流します。やり手の市長が近年になって企画した町おこしイベントです。

ブリストル市建国祭

1785年に始まったアメリカでも最古とされる建国記念パレードが7月4日に行われます。

ウーンソケット市秋祭り

フランス系カナダ人の移民が始めたというお祭りです。お祭りのシンボルはメープルです。

ロードアイランド設立の立役者、ロジャー・ウィリアムズ

ロジャー・ウィリアムズはマサチューセッツの宗教家でしたが、何かと政治的で金満思考の教会と仲違いをして追放されます。そこで自らの清廉な信仰を実践する新天地を探し求め、ロードアイランドに街を作りプロビデンス(神の摂理)と名付けます。しかし設立後も近隣からの嫌がらせが続きました。

若い頃

政治と宗教が一緒ではダメ(政教分離)

私の街では他の宗教にも寛容に接するぞ

老境

まさか近隣州に土地を狙われるとは…

侵略されたりしたけど何とか守り切った

スキャンダラスな名市長

第二次世界大戦と冷戦特需が終わり、景気低迷に苦しんでいた1970年代に、州都プロビデンスで名(迷)市長が誕生します。バディ・チャンチことビンセント・A・チャンチです。彼は大規模な土木事業と都市計画で州都を再生させる大きな功績を残していますが、市長在任中に妻の不倫相手に対する暴行容疑で有罪判決を受け、のちにカムバックした後も汚職でまたも捕まるという汚点も残した人物です。さらにラジオ番組司会、作家、パスタソース製造と八面六臂に活動して物議を醸し続けた彼は、2016年に他界しました。

浴室が20もある邸宅 ブレーカーズマンション

ニューポートにある鉄道王・海運王ヴァンダービルト家の夏の別荘。19世紀後半の「金ぴか時代」に建てられ、70部屋の内装は、欧州の職人技、大理石、金箔で飾られています。20世紀半ばに同市保存会に売却されてから一般開放され、アメリカの工業化時代の繁栄の象徴と、当時の贅沢なライフスタイルを垣間見ることができます。

2018年まで3階にヴァンダービルトの末裔が住んでいました

コネチカット州

基本情報	
人口	362万6205人（第29位）
面積	1万4357㎢（第48位）
GDP	2525億3300万ドル（第23位）
州名	先住民の言葉で「長い川」や「干満のある長い川のそば」などの意味

お金持ちが多いのはなぜ

　ドラマや映画で有閑マダムが暮らす高級住宅街の州というイメージが付いています。これは正しく、世帯収入ランキングで全米10指に入ります。世界の富が集まるニューヨーク・シティに近い、品位あるニューイングランドへの入り口で、グリニッジなど州西部の閑静な高級住宅街を富裕層が好む、イェール大学が輩出する高度な人材と、保険業といったサービス業が発展したことなどがその理由といわれます。

　保険業の成長は20世紀末頃になってからで以前は工業州でした。今もニューヘイブンや、ブリッジポートといった港町に町工場があります。ですがかつての勢いは失われて貧しい地区も存在し、州内で格差があることを物語っています。

★ 州のモットー ★
"He who transplanted still sustains"
「移住した者が維持する」

❶ プルーデンス・クランドル・ミュージアム
1833年に始まった当時極めて珍しい黒人女学生を受け入れた私学です。世間の反発を受けてすぐに閉校し今は博物館になっています。

❷ 陰干しタバコ
コネチカット川流域で作られ高級葉巻の巻き紙になります。タバコは伝統産業でネイティブ・アメリカンの時代から栽培されていました。

❻ ダンベリー
20世紀初頭まで世界のどこより帽子を作っていた街です。地元アイスホッケーチーム「ハット・トリックス」のロゴに名残があります。

❽ イェール大学の脳標本
名門大学の隠れた名物です。約500の脳が保存されているらしく、ハーヴェイ・クッシング博士の研究写真など貴重な物が無数にあります。

❸ ザ・ハートフォード
州都ハートフォードの名前を冠した、アカシカのロゴを持つ大手保険会社。同市は「保険会社の首都」といわれるほど保険業が盛んです。

❼ ドラマ『ギルモア・ガールズ』
Gilmore girls

資産家の実家を飛び出した母と娘の人気ホームドラマです。この州のいくつかの富裕で閑静な街が舞台設定として使われています。

❾ 原潜ノーチラス号
世界初の原子力潜水艦は、グロトンの潜水艦博物館にあります。軍需産業で成長してきたコネチカットらしい観光名所です。

❹ サイラス・W・ロビンス邸
ウェザーズフィールドにある1873年建造の邸宅で、1991年の火災から復活しフランス第二帝政期建築の姿をとどめる宿になっています。

❺ ロブスター
地元の名店トニーのシーフード店ではロブスターロールも売っています。ロブスターは冷たい海で取れるニューイングランドの名物です。

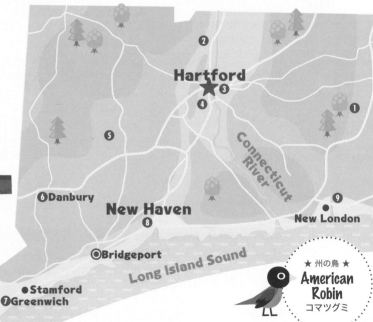

Hartford ★ ❸
❹
❷
❶
❺
Connecticut River
❻ Danbury
New Haven
❽
● Bridgeport
● Stamford
❼ Greenwich
Long Island Sound
❾ New London
Gilmore girls

★ 州の鳥 ★
American Robin
コマツグミ

第1章 東海岸

第2章 南部

第3章 五大湖・中西部

第4章 西部・西海岸・海外領土

第5章 アメリカはどんな国？

巻末資料

アーセナル（武器庫）の州

独立戦争の頃から武器などを作っており、19世紀半ばには産業の主体が農業から工業に移って豊かになっていました。南北戦争の時代にはコルトやウィンチェスターが北軍に銃器を提供しています。20世紀に入っても人類は飽きずに戦争に明け暮れ、2つの世界大戦とベトナム戦争が起き、小銃から潜水艦まで造るこの州は防衛産業を牽引しました。1980年代以降は軍縮とアメリカ南側サンベルトの成長で武器庫としての地位は低下しますが、金融、保険、医療、観光分野が育っており、表通りの豊かさが維持されています。

主要都市 ブリッジポート

19世紀に工業都市に発展した元漁村で、バーナム効果で知られる興業主P.T.バーナムが市長を務めたことがあります。この街の産業は馬車から銃器まで多岐にわたり、20世紀にはシコルスキーの航空機会社が航空産業を発展させました。今は脱工業化に勤しんでいます。

州都 ハートフォード

1635年に設立された歴史ある街です。交易所から発展していき、19世紀には銃器のコルト社や、新聞のハートフォード・クーラントなどが経済を引っ張る工業都市になりました。一方でサービス業が経済に貢献しているのは確かで、20世紀にはエトナやハートフォードやトラベラーズなど保険大手が本社を構えるようになりました。

コネチカットのあだ名

憲法の州

1639年にアメリカ初の憲法を制定しこの名が付きました。車のナンバープレートに書いてあったりします。

ナツメグの州

諸説ありますが、木で作った偽物のナツメグを売ったコネチカット商人の逸話に基づくあだ名とされます。

ブッシュの州！

州のあだ名ではありませんがブッシュ家ゆかりの地。パパブッシュはここの上院議員の家庭に生まれ、のちに大統領になる息子もこの州で生まれました。

コネチカットの偉人たち

大文豪マーク・トウェインが暮らした所で、アメリカ初の辞書を作ったウェブスターなど、コネチカットにゆかりがある偉人は少なくありません。投資家のJ.P.モルガンもこの州出身で、アメリカ史に大きな影響を与えた人が何人もいます。女優のキャサリーン・ヘップバーンもこの州の生まれです。

ネイサン・ヘイル

独立戦争で活躍した諜報員。名言「残念だ。国に捧げる命が1つしかないのだから」を残して宿敵英国に処刑されました。

ストウ夫人

アフリカ系奴隷の人生を『アンクル・トムの小屋』で描いてベストセラーに。同著は奴隷解放運動の機運を高めました。

COLUMN

ニューヘイブンで一番ピッツァ店ペペの店

場所はイェール大学の近くで目立つ看板が目印

イタリア移民のフランク・ペペが1925年に創業した有名店です。看板メニューの白ハマグリピザを、「アメリカで一番うまい！」としばしばマスコミが宣伝します。おいしさの秘密は創業者のルーツであるナポリピッツァで、モチモチでありつつ、カリカリな焦げ目のついた生地が特徴的なニューヘイブンスタイルの元祖ともいわれます。

みどりの山々に抱かれた強く美しい辺境

バーモント州

基本情報	人口	64万7064人（第49位）
	面積	2万4906㎢（第45位）
	GDP	313億9500万ドル（第50位）
	州名	フランス人探検家シャンプランが緑（Vert）の山（Mont）と名付けた等

独立共和国から州になった

　北東部ニューイングランド地域にありながら、建国時の13州に名を連ねず、1つ遅れて14番目に合衆国の仲間入りを果たしました。微妙に遅れたのは当時バーモント共和国という独立国を名乗っていたからです。同国は近隣州から土地を狙われ続けた人々が自ら打ち立てた国でした。

　バーモント共和国は建国後十数年でアメリカに合流しますが、質実剛健な山国の民とヤンキー魂は受け継がれ、身の丈に合った高い自治意識を重要視する州を作り上げました。環境意識、オーガニック農業、ガラスやチーズに発揮される職人気質、そして大自然と牧歌的な風景が残る群落が、一部のアメリカ人を引き付け、この新しい移住者がリベラルで進歩的な気風を持ち込んでいます。

★ 州のモットー ★

"Freedom and unity"
「自由と団結」

❶ サミュエル・ド・シャンプラン

17世紀初頭にカナダで植民地を開拓したフランス人。この辺りを探検した際に巨大湖を発見しており、湖に彼の名が付けられています。

❷ メープルシロップ

州の特産として知られ、セント・オルバン市のメープルシロップ祭りが有名です。同市は南北戦争の戦いがあった最北の地でもあります。

❸ スキーリゾートの街ストウ

バーモントはいってみればアメリカの北国であり山国。つまり冬は銀世界になるわけで、スキーをはじめウィンタースポーツが盛んです。

❹ アルケミストビール

バーモントの、ひいては全米のクラフトビールブームを牽引する醸造所の1つ。ホップが多いIPA「ヘディー・トッパー」などが人気です。

❻ バーニー・サンダース

近年の大統領選挙で名が上がるこの州選出の上院議員。年は80を超えます。行き過ぎた資本主義に異議を唱える稀有な現役政治家です。

❼ ベン・アンド・ジェリーズ

酪農と乳製品製造が強みであるこの地ならではといえる大企業。創業はバーリントン市で、各国にアイスクリーム店を展開しています。

❷ メープルシロップ

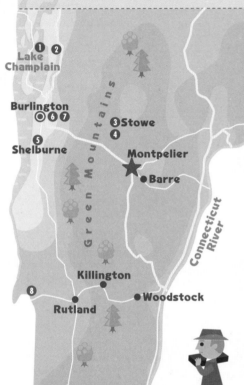

CANADA

Lake Champlain

Burlington ◎❻❼

Shelburne

❶ ❷

❸ Stowe
❹

❺

Montpelier
★

● Barre

Green Mountains

Connecticut River

Killington

❽

● Woodstock

Rutland

❾

Brattleboro

★ 州の鳥 ★
Hermit Thrush
チャイロコツグミ

❺ バーモントチーズ

白いチェダーチーズも州の特産品です。毎年生産者が集まるシェルバーン市のチーズ祭は、チーズ好きにはたまらないイベント。

❽ スレート鉱山

屋根の建材などに重宝される岩石「スレート」を採掘していたのは、故郷がスレートの産地であったウェールズからの移民とされています。

❾ ベニントンの戦い

1777年に起きたアメリカ独立戦争の戦闘の1つです。勝ったのはイギリス軍ではなく、独立に燃えるニューイングランドの民兵でした。

1章 東海岸

2章 南部

3章 五大湖、中西部

4章 西部、西海岸、海外領土

5章 アメリカはどんな国?

巻末資料

スロースターターな山国

現代でこそアメリカの心の故郷がある地として人気あるバーモントですが、それまでの道は平坦とはいえませんでした。1810年代には夏のない年といわれた過酷な天候が続き、またアメリカ西部の開拓熱が高まったことで、人がどんどん流出、人口があまり増えませんでした。この流れに歯止めがかかったのは百年以上が経った1950年代以降です。州間高速道路やIBMの工場ができて、ようやく転入者が目に見えて増えました。近年は新住民と古くからの地元っ子の軋轢や、観光開発による自然破壊といった課題に挑んでいます。

紅葉と農場がある牧歌的風景

緑の丘に佇む白い教会

アメリカの原風景「ノースイーストキングダム」

ノースイーストキングダム(NEK)はバーモント北東部3郡の総称です。緑が生い茂る小さい村の白いプロテスタント教会、のんびり草を食む農場の牛たち、紅葉と並木道といった、アメリカ最初期の田舎の風景が残る地といわれます。アメリカ人にとっての里山、心の故郷と言っても過言ではありません。

主要都市 バーリントン

シャンプラン湖畔にあるバーモント最大の都市です。19世紀半ばにアメリカで3番目に大きい木材運搬港だった同市は、今ではバーモント大学を擁しており、経済と文化と社会生活の中心を担っています。地元の英雄イーサン・アレンは故郷であるこの街に眠っています。

州都 モントピリア

アメリカで最も人口が少ない州都といわれます。マクドナルドが一軒もない唯一の州都でもあります。名前はフランスの同名の街から取られました。州議事堂大火(1857)などのタイミングで州都の座をバーリントンなどに奪われかけましたが死守し、現在の議事堂はこの州の特産品である花崗岩が使われています。

バーモント共和国とグリーン・マウンテン・ボーイズ

グリーン・マウンテン・ボーイズ

この地で結成された民兵団でアメリカ独立戦争後に「バーモント共和国」を建国しました。

イーサン・アレン団長

グリーン・マウンテン・ボーイズを率い独立戦争に貢献し、バーモント独立の礎を築きました。

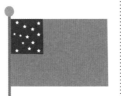
緑の山と13星の旗

1777年建国のバーモント共和国国旗です。この国が1791年にバーモント州になりました。

COLUMN
サウンド・オブ・ミュージック トラップ一家ロッヂ

『サウンド・オブ・ミュージック』はナチスに併合されるオーストリアから、アメリカへ亡命するトラップ一家を描いた史実に基づくミュージカル。細部は物語と異なりますが一家は実在しており、亡命後バーモントに住んで、1950年からストウの街で観光ロッヂを開きました。なお現在も営業中でお洒落なウェブサイトから予約ができます。

1980年に火災に見舞われるが96室ある新ロッヂに再建された

小さいけれど、存在感は人一倍のヤンキーたち

ニューハンプシャー州

基本情報		
人口	139万5231人（第41位）	
面積	2万4214㎢（第46位）	
GDP	830億400万ドル（第39位）	
州名	1629年にイギリスのハンプシャー郡から名前を取り名付けられる	

アメリカ東北人が見せる気骨

ニューイングランド6州の1つで、アメリカ建国時13州でもある、誇り高き頑強なヤンキー魂が根付く州です。進取の精神にあふれ19世紀に工業化に邁進。20世紀に入ると、アメリカ南側の隆盛や世界恐慌など、繰り返し不況が襲いますが、「後ろの者が先になり、先の者が後ろになる」との聖書の内容をなぞるように、官民が協力して持ち直しています。

経済は建国初期ほどの勢いがないものの、政治は別です。大統領選挙では、一連の選挙活動が全米で最も早く開始される州の1つとして注目されます。かつて導入された民意がストレートに反映される直接選挙方式が功を奏し、自分たちのことは、自分たちで決めるという強い自治意識は、現代でも消えていません。

★ 州のモットー ★

"Live free or die"
「自由か死か」

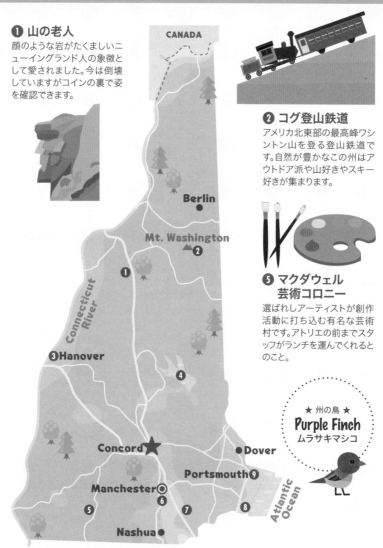

① 山の老人
顔のような岩がたくましいニューイングランド人の象徴として愛されました。今は倒壊していますがコインの裏で姿を確認できます。

② コグ登山鉄道
アメリカ北東部の最高峰ワシントン山を登る登山鉄道です。自然が豊かなこの州はアウトドア派や山好きやスキー好きが集まります。

⑤ マクダウェル芸術コロニー
選ばれしアーティストが創作活動に打ち込む有名な芸術村です。アトリエの前までスタッフがランチを運んでくれるとのこと。

③ ダートマス大学
ハノーヴァー市にある有名なカレッジです。ここで開催されたダートマス会議で、AI（人工知能）の定義が為されたのでした。名門大学連合アイビーリーグの1つ。

⑥ アモスケイグ紡績工場
19世紀後半から20世紀初頭に世界で1番大きい紡績工場として名を馳せましたが、時代の波に飲まれて廃業しました。マンチェスター市にありました。

④ ウィニペソーキー湖
風光明媚なニューハンプシャー湖水地方の湖で、小島にセカンドハウスが建造されています。湖遊びは一種のステータスです。

⑦ 詩人ロバート・フロスト
教科書に登場するレベルの国民的詩人。デリーなどでアメリカ東北の空気を吸い、『選ばれざる道』といった詩を生み出しました。

⑧ シーブルック原発
かつて主役だった水力発電では電力需要を賄いきれなくなり、この原発や石油を使った発電所が造られて、今も変わりなく稼働しています。

⑨ ガンダロー船
この辺りが世界の工場として栄えた19世紀に活躍していた船底が平べったい船。ポーツマス市で復刻した名船を見ることができます。

★ 州の鳥 ★
Purple Finch
ムラサキマシコ

東海岸 1章
南部 2章
五大湖・中西部 3章
西部・西海岸・海外領土 4章
アメリカはどんな国？ 5章
巻末資料

ヨーロッパ系の中の少数派住民

他のニューイングランド地方の州と同様、人種割合はヨーロッパ系白人が圧倒的に多く人口の約8割を占めます。

ただしフランス系カナダ人、スコットランド系アイリッシュもおり、白人を一括りにすることはできません。

フランス系カナダ人

ボンジュール！

南北戦争後にカナダのケベックから来ました。工業都市で働くためです。

スコットランド系アイリッシュ

ハロー！

18世紀初頭に信仰の自由や仕事を求めて来ました。新天地に故郷の街の名を付けました。

私はニューハンプシャーの予備選挙に助けられたんですよ

予備選挙で2位に選ばれ一気に勢いが付いた

クリントン
42代大統領

私も助けられた。2008年の時にここの予備選挙で負けたんです

でも敗戦スピーチで"Yes we can"と言った！

オバマ
44代大統領

ほう、あなたを象徴するフレーズが生まれた場所なのですね

予備選のライバルは私の妻（ヒラリー）でしたね

クリントン
42代大統領

主要都市 マンチェスター

最大の都市で、18世紀前半は漁業で知られ、やがて紡績工場ができて発展しました。繊維産業は衰退していますが、コンピューター関連、航空、自動車、電気部品、そして金融とともに経済の一翼を担っています。独立戦争の英雄ジョン・スターク縁の街としても有名です。

ニューハンプシャー州政の特徴

タウンミーティング（町民会議）が強かった

アメリカ建国時からある直接選挙で政治を決める町民会議が特徴的でしたが、近年は形骸化の懸念があります。

消費税と個人所得税が0%

政治の質素倹約志向を代表するような税率。代わりに事業税、自動車燃料税、ギャンブル収益が財政の源泉です。

同性婚を早くから認めた

2009年に議会が同性婚を認め、翌年から同性婚が実際に合法化されました。これは全米でもかなり早い方です。

州都 コンコード

1808年以来、ニューハンプシャーの州都ですが、以前は南のマサチューセッツに編入されたり、譲渡されたりと境界紛争の地でした。両者が話し合いの末ニューハンプシャーへの帰属が決まると、「意見の一致」「友好」を意味するコンコードと名付けられたのです。特産の花崗岩は州内外の名建築に利用されています。

COLUMN アーリーステートの熱気 高い政治参加への意識

2020年2月、予備選前の集会でも行列ができた

大統領選挙はまず各地で行われる予備選挙（各党の候補者選び）から始まります。この州は法律で「投票式予備選挙はうちが他州に先駆けて行う」と定めています。最初ということはメディアが動向を大きく報道し、その後の選挙に大きな影響を与えるということです。市民の政治的関心も高い一方で、近年民主党には候補者選びを別の州から始める動きも。

アメリカ史の初期に煌めいた北東端の州
メイン州

基本情報	
人口	138万5340人（第42位）
面積	9万1633km²（第39位）
GDP	647億6600万ドル（第43位）
州名	フランス語に由来する、漁師がメイン（中心）の島と呼んだなどの説がある

厳しいダウンイーストの自然

最初のヨーロッパ人入植者は、おそらく毛皮と魚と木材を求めたマサチューセッツの開拓者や商人だったようです。彼らは東に吹く風を帆に受け、北の未開地メインへ下りました。やがて荒々しい岩だらけのメイン沿岸部は、「ダウンイースト」と呼ばれます。この言葉は厳しい沿岸部の気候に鍛えられた強い自立心を要する暮らしをも想起させます。

歴史初期は先住民やフランス人やイギリス軍との戦場に。その後、製材、漁業、造船だけでなく軽工業が栄えます。アメリカの政治経済の中心が南へ、開拓者が西を目指すようになると成長は鈍化。現代では残った豊かな自然を売りに州南部で観光開発が急拡大中で、地元っ子は保護と開発のバランスに気を配っています。

★ 州のモットー ★

"I lead"

「私が導く」

❶ ジャガイモ産地

北部のアルーストック郡で栽培されますが、メインは農耕に適した土地が少なく、農業従事者が他州と比べてそれほど多いとはいえません。

❹ サリーのこけももつみ

1948年に上梓された有名な絵本で、サリーちゃんが間違えて熊の家に帰ります。メイン沿岸部が舞台で、ベリーはメインの特産品です。

❼ バス鉄工所

州南部バス市にある鉄工造船所で百年以上の歴史を誇り、アメリカ海軍のミサイル駆逐艦などを建造しました。現在も操業中です。

❷ 名峰カターディン

州中央にそびえる標高1605mのメイン最高峰です。3500km続く超長距離遊歩道アパラチアン・トレイルの北の終着点でもあります。

❺ アカディア国立公園

宣伝文句は「全米で最初に日の出が見られます」。この辺り一帯に入植したフランス人入植者が自分の土地をアカディアと呼びました。

❽ エドワード・モース博士

日本で大森貝塚を発掘した動物学者の博士はポートランド出身。アメリカにいた頃から貝マニアだったのは海育ちからでしょうか。

❸ ペノブスコット族

「夜明けの人々」と呼ばれたネイティブ・アメリカン部族の1つ。今は居留地で暮らしており首長さんが広報活動を行います。

❻ スティーブン・キング

『ランゴリアーズ』などで知られるホラーの帝王はポートランド生まれで、かつて林業で栄えたバンゴーの街にも家を持ち暮らしましたが、近年は引っ越したとのウワサも。

❾ ブッシュ家の別荘

お父さんの方のブッシュ元大統領が購入しました。州南部の海沿いや沿岸の島々は富裕層の避暑地として知られ、観光地としても人気です。

★ 州の鳥 ★

Black-capped Chickadee

アメリカコガラ

Moosehead Lake

● Bangor

● Waterville

★ Augusta

● Bar Harbor

● Lewiston

◉ Portland

Atlantic Ocean

17世紀以前
アルゴンキン語を話すミクマク族とアベナキ族が狩猟採集と農業で暮らしていた

1600年代
マサチューセッツが勢力を拡大し、メインを勢力下に置くようになる

1763年
イギリスがフレンチ・インディアン戦争に勝利したことで英仏の争いが収束

1820年
ミズーリ協定（ミズーリ妥協）によって北部自由州としてメイン州が独立

1860年
メイン生まれの若者ミルトン・ブラッドレーが人生ゲームを開発する

1912年
アウトドア用品のL.L.Beanが創業、靴などを売り出し始めるが最初は苦戦

国が2つに分かれたら将来良くないことが起きると思うよ、私は…

元大統領
トーマス・ジェファーソン

東海岸 1章
南部 2章
五大湖・中西部 3章
西部・西海岸・海外領土 4章
アメリカはどんな国？ 5章
巻末資料

主要都市 ポートランド

1633年にイギリス人が入植してから、先住民やフランス人やイギリス軍の攻撃に遭い、独立記念日の式典での失火による大火で焼かれながらも、漁業と造船、商業と製造業で発展した半島にある州第一の港湾都市です。町外れの18世紀末の灯台がシンボルになっています。

メインの成立とミズーリ妥協

メインを開拓した入植者は19世紀初頭、勢力を増していたマサチューセッツに事実上支配され、その一部という扱いでした。この状況が遠く離れたミズーリによる州加盟申請で一変します。ミズーリは奴隷容認州で、加盟すると、奴隷州と自由州（奴隷を認めない州）の11対11というバランスが崩れ、アメリカ連邦政府で奴隷州の力が強くなります。自由州側は警戒しミズーリ加盟に反対。そして連邦議会で両者が議論を尽くした結果、ミズーリを奴隷州として加盟させる一方

で、メインを自由州として昇格させ、12対12でバランスを保つ妥協案が成立しました。こうして1820年「ミズーリ妥協」によってメインは23番目の州になったのでした。

奴隷禁止

オレゴン（英国と共有）

未編入領土

MI TERRITORY

スペイン領

ミズーリ妥協線

ミズーリ州

アーカンソー準州

奴隷反対の州・準州

メイン州

VT
NH
NY
MA
RI
PA
NJ
CT
DE
MD
OH
IN
IL
VA
KY
NC
TN
SC
MS
AL
GA
LA
FL TERRITORY

奴隷を持てる

奴隷賛成の州・準州

メインの2大勢力

メインに古くから住んだヨーロッパ人は「ダウンイースト・ヤンキー」と呼ばれるイギリス系とスコッチ・アイリッシュ系からなる移民です。頑強で独立心に富

んだ、誇り高いゆえに気難しく寡黙な人たちとされます。彼らの他に一定数おり、存在感を示しているのがカナダから移住してきたフランス系の人々です。

スチュアート・リトルを描いたE.B.ホワイトです

生まれは別の州だけど、メインに長く暮らしたよ

ダウンイースト・ヤンキー

フランス系カナダ人歌手のセリーヌ・ディオンです

私より前の世代にケベックや、カナダ東部のアカディア人が移ってきたようね

アカディア人はカナダ東部に早くから入植したフランス人で、後にイギリス人に追い出されてメインやルイジアナに逃げた人のことよ

フランス系

州都 オーガスタ

1628年にマサチューセッツのプリマスから来た交易商が到着したのが始まりで、やがて交易所と砦が建設され、独立戦争を戦った将軍の娘オーガスタ・ディアボーンの名が街の名前になりました。2000年時点で人口2万弱と全米で3番目に人が少ない州都ですが、大学と行政機構と軽工業のある暮らしやすい街です。

COLUMN

あなたの心を癒します 巨大猫メインクーン

賢くて人懐っこいので人間の子にすぐ慣れます

体長が約1mにまで成長する長毛の猫で、その名前は原産地であるメイン州とアライグマを意味するラクーンが合体したものです。祖先はわかっていませんが、19世紀後半にはボストンなどのショーで公開されていたようです。性格は至って穏やかで温厚なため「ジェントル・ジャイアント」と呼ばれています。

信教の自由・自治、そして一攫千金を求めて
入植と植民地の時代

最初の恒久的な入植：ジェームズタウン

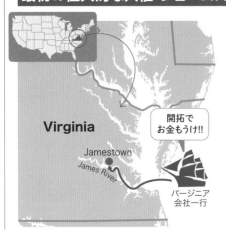

Virginia
Jamestown
James River
開拓でお金もうけ!!
バージニア会社一行

1607年、バージニア会社が組織した、金銀を求める約100人の入植者がジェームズタウンを建設しました。うち半数以上は、初年度にマラリアなどで死亡。苦難を越え、ジェームズタウンは最初の恒久的なイギリス植民地になりました。1619年にはアメリカ初の議会が設置され、初めてアフリカから奴隷が到着します。なおその後人々はより良い土地を求めてこの地を去ります。

続く入植：プリマスとボストン

信仰の自由!!
ピューリタン一行
信仰の自由!!
Boston
Massachusetts
Plymouth
ピルグリム一行のメイフラワー号

1620年、信仰の自由を求める「ピルグリム（巡礼者）」がメイフラワー号で新大陸を目指しました。彼らは船内で「メイフラワー誓約書」に署名し、法の支配の原則を確認。マサチューセッツの地にプリマスを建設しました。
続いて英国国教会の改革派であるピューリタン（清教徒）が1630年に上陸し、ボストンの町ができます。彼らも本国での迫害を逃れてきたのでした。

形成されていった13の植民地

ニュージャージー（1664）
ニューヨーク植民地の一部でしたが、ヨーク公がカートレット卿とバークリー卿に売却して分離。ジャージーの名はカートレット卿の元の領地から来ています。

ニューヨーク（1624）
この地に最初に入植したオランダ人は、マンハッタン島にニューアムステルダムを築きました。後にイギリスが占領し、ヨーク公にちなんだ名に改めました。

マサチューセッツ（1620）
信教の自由を求めたピューリタンらが開拓。中心都市ボストンは早くから発展しました。ピューリタンが1636年に設立したアメリカ初の大学がハーバードです。

ペンシルベニア（1681）
ウィリアム・ペンらクエーカー教徒の開拓団が入植。首都フィラデルフィアは、18世紀後半にはイギリス帝国内でロンドンに次ぐ人口を持つまでに成長しました。

ニューハンプシャー（1629）
1623年に漁業と交易のための最初の居住地が置かれました。イギリス南部のハンプシャー州にちなみ、1629年にニューハンプシャーと命名されました。

デラウェア（1638）
オランダとスウェーデンからの移民が開拓した土地です。イギリスの支配が確立した後も初期の入植者が残り、多様な民族が集う植民地になりました。

ロードアイランド（1636）
先住民に対する補償や政教分離を主張し、マサチューセッツを追放されたウィリアムズ牧師が設立。彼はこの地をプロヴィデンス（神の摂理）と名付けました。

メリーランド（1632）
カトリック教徒のボルチモア卿が、英国王から許可を得て信徒のための土地として統治しました。1649年には宗派の違いによる迫害を禁止する法律を制定。

コネチカット（1636）
マサチューセッツのピューリタンから分派したフッカー牧師が設立。やがて周辺植民地と合併し、北米の憲法「コネチカット基本法」が制定されました。

バージニア（1607）
最初に成立した植民地で、タバコの栽培で発展しました。当初は年季奉公労働者（一定期間、主人に仕える人）をイギリスから受け入れましたが、1660年代には奴隷制を法制化しました。

ノースカロライナ（1663）
1660年にイギリスが王政復古すると、即位したチャールズ2世は自らを支持した貴族たちを植民地の領主としました。このとき与えられた土地がカロライナです。

ジョージア（1733）
借金に苦しむ者や貧窮者のための新天地として、ジェームズ・オグルソープが英国王ジョージ2世から許可を得て設立。国王にちなみジョージアと命名されました。

サウスカロライナ（1663）
カロライナ植民地の南部には宗教的寛容さや自治を求める人が多く移り住み、北部とは文化の違いが生まれました。1729年、カロライナは南北に分離しました。

1607年	1620年	1664年	1675年	1682年	1733年	1754年	1763年
バージニアに最初の恒久的な植民地、ジェームズタウンが建設される	メイフラワー号による移民がマサチューセッツに上陸し、プリマスを建設	オランダ植民地のニューアムステルダムをイギリスが占領し、ニューヨークと改称	ネイティブ・アメリカンとイギリス人開拓者の間でフィリップ王戦争が勃発	フランスの探検家がミシシッピ川河口に到達。流域全体をルイジアナと命名	ジョージア植民地が建設され、後に独立戦争を戦う13植民地がすべて成立	フレンチ・インディアン戦争勃発。翌年に欧州の大国を巻き込んだ七年戦争に発展	フレンチ・インディアン戦争が終結し、ルイジアナの一部がイギリスに割譲される

東海岸　1章

南部　2章

五大湖・中西部　3章

西部・西海岸・海外領土　4章

アメリカはどんな国？　5章

巻末資料

植民地と本国の発展：三角貿易

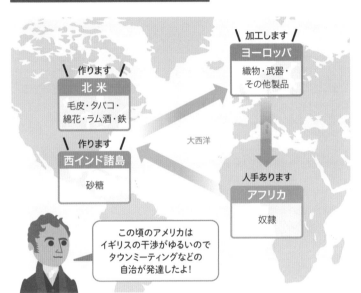

作ります → 加工します

北米 毛皮・タバコ・綿花・ラム酒・鉄

西インド諸島 砂糖

ヨーロッパ 織物・武器・その他製品

大西洋

人手あります

アフリカ 奴隷

この頃のアメリカはイギリスの干渉がゆるいのでタウンミーティングなどの自治が発達したよ！

　17〜18世紀、イギリスをはじめとする西欧諸国は大西洋の三角貿易で莫大な収益をあげます。北米からはタバコや毛皮などが、西インド諸島からは砂糖がヨーロッパへ。ヨーロッパからは織物や武器などがアフリカへ。そしてアフリカからは黒人奴隷が新大陸へ運ばれました。

　奴隷の輸送船は劣悪な環境で、約15％もの人が道中で亡くなったといわれます。着いた先の農場では過酷な労働を強いられ、逃亡は許されませんでした。

● キーワード **イギリス以外の進出**
フランスはミシシッピ川流域をルイジアナ植民地とし、河口にニューオーリンズの町を建設。オランダはマンハッタン島を拠点にハドソン川流域を開拓しました。スペインは16世紀後半からフロリダの植民地化を進め、17世紀にはニューメキシコにも進出していました。

植民地拡大の影響1：フィリップ王戦争（1675〜1676）

　アメリカ先住民は当初、入植者に友好的でしたが、植民地側の土地の要求やキリスト教の押しつけなどにより、次第に反発が高まります。先住民3人が植民地で処刑されたことを機に、ついに戦争が勃発。植民地側が大きな被害を受けながらも勝利し、先住民の指導者メタコム（フィリップ王）の首はプリマスの街頭に晒されました。

フィリップ王（メタコム）
父の時代はイギリス人との関係は良好だったが、次第に彼らが主権を脅かし始めたので抵抗、戦いを挑んだ。
（1638〜1676）

戦争の発端

イギリス人が不当な銃引き渡し協定の締結を迫ってきた！

仲間内の戦士3人がイギリス人に捕まり処刑された。もう我慢ならん！

戦争の結果

かなり被害が出たが勝った。これで先住民も大人しくなる

首謀者であるフィリップ王は25年の晒し首じゃ

植民地拡大の影響2：フレンチ・インディアン戦争（1754〜1763）

　ルイジアナとケベックに植民地を築いていたフランスは、先住民の部族と同盟を組み、オハイオ川流域に勢力を広げていきました。13の植民地は団結してこれに対抗。イギリス本国の積極的な関与が功を奏し、フランス側の都市ケベック、モントリオールを占領することに成功します。1763年のパリ条約で、フランスは北アメリカの多くの植民地を失いました。

ベンジャミン・フランクリン
独立宣言起草メンバーの一人で、政治家、科学者、発明家、ジャーナリストでもあったマルチな天才で愛国者。
（1706〜1790）

JOIN, or DIE.

ジョイン・オア・ダイ、団結か死か。1754年に自身の新聞に掲載した風刺画。戦争初期に13植民地の団結を訴えました

戦争の結果

フランスを新大陸から追い出したぞ。ミシシッピ以東のフランス領（ルイジアナ）を手に入れたぞ

計画された機能的な首都

ワシントンD.C.

基本情報		
人口	67万1803人	
面積	177km²	
GDP	1292億7000万ドル	
州名	初代大統領ワシントンの名前と、アメリカに到達したコロンブスより	

アメリカ政治の中心地

ワシントンD.C.は、メリーランドとバージニアに囲まれており、50州のどこにも属さない連邦政府直轄の独立行政区です。国の立法・行政・司法の機関が集中し、数十万人の公務員が住んでいるのもこの土地の特徴です。街は碁盤目状と放射状の道路から構成されています。都市の機能を計算してデザインされ、施設や組織が機能別にまとまっているのです。

正式名称は、アメリカに到達したクリストファー・コロンブスにちなんで「コロンビア特別区」。英語表記の「District of Columbia」を略したD.C.が、ワシントン州との混同を避けるために使われています。日常会話ではD.C.(ディーシー)とだけ呼ばれる場合も多くあります。

毎年多くの観光客が訪れることでも有名です。世界最大の博物館・美術館を総括するスミソニアン協会および博物館があるのもここ。多くの展示が無料で見学できるのも、連邦政府のお膝元ならではといえます。

❶ ホワイトハウス

最初は黄色でしたが、英兵に燃やされてしまい、再建後白く塗られることに。ルーズベルトの時代に愛称ホワイトハウスが正式に決定しました。

❹ ワシントン記念塔

初代大統領の功績を讃える建造物。古代エジプトの方尖塔デザインを採用しており、首都ではこの塔より高い建築物を建てることはNG。

❻ 国会議事堂

ワシントン大統領時代に着工、火災や戦火に遭いながら改築・拡張を繰り返しています。先端にはブロンズの自由の女神像があります。

❼ ジョージタウン

ヨーロッパ人によって建設され、ワシントンD.C.誕生前はイギリスの植民地として発展。植民地時代のヨーロッパの情緒が残っています。

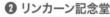

Rock Creek Park

Basilica of the National Shrine of the Immaculate Conception

Washington National Cathedral

The White House

Potomac River

Anacostia River

❷ リンカーン記念堂

リンカーン生誕100周年を記念して造られた建物。これを支える円柱36本はリンカーンが暗殺された時点の加盟州数にちなんでいます。

❸ 桜祭り

東京から約2000本の桜の木が寄贈されたことを記念して行われるイベント。ポトマック河畔の桜並木は、全米でも最大規模です。

❺ スミソニアン

1846年、英国の学者スミソンの基金によって設立された国立学術文化研究機関。自然史博物館をはじめ、各種研究所などがあります。

❾ Uストリートコリドー

黒人文化とジャズの豊かな歴史があり、全盛期にはルイ・アームストロングもクラブで演奏。色鮮やかな壁画が多く街並みもカラフルです。

❽ デュポンサークル

ナイトクラブ、バーやカフェ、ギャラリーがひしめく洒脱なエリア。シンボルの噴水周辺は、いつも人が集まる憩いの場になっています。

1章 東海岸
2章 南部
3章 五大湖・中西部
4章 西部・西海岸・海外領土
5章 アメリカはどんな国？
巻末資料

主要エリア

キャピトル・ヒル

国会議事堂（連邦議会議事堂）を含む一帯の住宅街や地域名を指す名称。ワシントンD.C.のやや東部にありますが、首都の中心とみなされ住所の東西南北は議事堂を基準に定められています。見学は自由になっているものの、議事堂内はツアー参加者のみ見学可能です。

主要エリア

ナショナル・モール

西のリンカーン記念堂から東の国会議事堂まで2マイル（約3.2km）以上ある公園。南北戦争時に北軍がこの場所で組織され、訓練と野営を行いました。それ以降、集会や抗議活動などの会場として、政治・社会・文化運動において重要な役割を担っています。大統領就任式が行われるのもこの場所になります。

州昇格への議論

ワシントンD.C.が州になると他州より力を持ちすぎるという懸念が取り沙汰されます。この地域の人々は、州でないという理由で1961年まで大統領選挙に参加することができませんでした。州でないワシントンD.C.からは代議員1人を下院に出しますが、議決権はないので住民の意見が国政に反映されているとはいえません。2021年には州昇格の法案が下院で可決されましたが、上院では否決。やはり、この地域が州になることへの懸念がまだ根強いようです。

3番目の首都

1776年に独立宣言をし、合衆国としての歴史をスタートさせたアメリカ。最初の首都はニューヨーク、次いでフィラデルフィアという順で移転したため、ワシントンD.C.は3番目の首都です。この場所を選んだのは、初代大統領ジョージ・ワシントン。経済面で潤っていたバージニアを筆頭とする南部州からの「首都を南部におくべき」という強い意見があり、メリーランドの南端とバージニアの北端を割譲され、首都が誕生しました。当初は正方形のかたちでした。

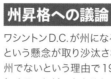

ジョージ・ワシントン

首都の古地図

しかし、バージニア側には政府機関がほとんど設置されず、メリーランド側のみが発展。このためバージニア側の住民間で州への帰属変更運動が起き、連邦議会の議決を経て、1846年にバージニアへ返還されることとなりました。現在はアーリントンと呼ばれ、アメリカ国防総省本庁舎（通称ペンタゴン）や、アメリカの兵士たちが眠るアーリントン国立墓地が置かれるなど、とても重要な意味をもつエリアとなっています。

ペンタゴン

特殊かつ多様な人口構成

南北戦争前の1860年頃の人口は7.5万人でしたが、現在は約70万人が暮らしています。第一の産業は観光ですが、最大の雇用主は連邦政府という特徴から、区内の就業者の半数弱が連邦政府職員です。

南部奴隷州だったメリーランドと最大の奴隷人口を抱えたバージニアの土地を割譲された歴史的背景もあり、人口のうち半分弱がアフリカ系アメリカ人です。さらに約1割がヒスパニック（ラテンアメリカ）人になります。リベラルな気風があるからか、性的マイノリティーに理解がある土地柄とされます。

COLUMN

首都が豊かは本当か!? D.C.ホームレス問題

近年、深刻なホームレス問題に悩まされており、人口当たりの数は全米最悪。市政府は2025年までに首都から路上生活者をなくすと宣言しており、シェルターの建設にも取り組みます。一方で、ホームレスが寝そべったり居座ったりしないようにする「排除アート」の設置など手厳しい対応も。財政難で対策の先行きは不透明です。

ユニオン駅近くにあるホームレスのテント

大国を統治する政府機関とは!?

本国イギリスに統治されるのはもう無理！
そうして独立したアメリカ人は、
自らがその役割をする立場になる。
何をどう考えて統治のしくみを整えたのか？

連邦政府権限強化に反対した第三代大統領トーマス・ジェファーソン像

アメリカ政府の組織図

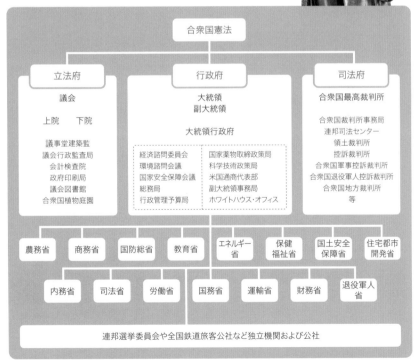

合衆国憲法

立法府 — 議会 — 上院 下院

議事堂建築監
議会行政監査院
会計検査院
政府印刷局
議会図書館
合衆国植物庭園

行政府 — 大統領 副大統領 — 大統領行政府

経済諮問委員会　国家薬物取締政策局
環境諮問会議　科学技術政策局
国家安全保障会議　米国通商代表部
総務局　副大統領事務局
行政管理予算局　ホワイトハウス・オフィス

司法府 — 合衆国最高裁判所

合衆国裁判所事務局
連邦司法センター
領土裁判所
控訴裁判所
合衆国軍事控訴裁判所
合衆国退役軍人控訴裁判所
合衆国地方裁判所
等

農務省　商務省　国防総省　教育省　エネルギー省　保健福祉省　国土安全保障省　住宅都市開発省

内務省　司法省　労働省　国務省　運輸省　財務省　退役軍人省

連邦選挙委員会や全国鉄道旅客公社など独立機関および公社

立法府

法律を作り、連邦税の徴収、戦争の宣言、条約の批准ができる機関です。人口に関係なく各州２名ずつが選出される上院議員と、各州の人口に比例して選出される下院議員が、議会議事堂に集まります。法案は両院で可決され成立しますが（大統領の承認も必要）、成立や阻止についてロビイストが議員に働きかけます。ロビイストとはある団体の利益のため議員に陳情や請願をする人々。彼らは立法過程のほぼ全段階に介入可能です。

行政府

法律を執行する機関でトップは大統領です。大統領は議会が可決した法案の拒否、軍の最高司令官、最高裁判事の任命など幅広い権限を持ちます。選挙によって選ばれた１人の公職者（政治経験の有無は問われない）にこうした権限に加え、国家元首の役割まで担うほど力が集中するのは民主主義国では珍しいことです。大統領はマスコミへの露出が多いため、それを通じて世論を動かすことができます。

司法府

最高裁判所を頂点とする各種裁判所で構成され、民事と刑事の起訴裁判で人を裁いたり、議会の法律を違憲としたりします。最高裁が違憲とみなした法律は無効となります。最高裁判事の席に空きが出ると、判事は上院の承認を得た上で就任します。とはいえ任命するのはあくまで大統領です。この人事によって、大統領の所属政党の主張を判決に反映させやすいようにすることができます。近年は人工妊娠中絶を違憲とする判決が覆りました。

理念を大事にする統治

　アメリカは「立憲連邦共和国」です。憲法を最高法規とする法治国家ゆえ「立憲」。中央政府である連邦政府と50の州政府から構成される「連邦」。国民主権で、選挙で選ばれた代表者が政治を行うから「共和国」です。

　合衆国憲法は政府の力を分散させるべく、立法府、行政府、司法府に分けた三権分立を唱えています。また国民の権利を保護しています。これはヨーロッパでの長い被支配層弾圧と戦乱を経て生まれた思想の体現です。建国時にこのような理念をまず決めた（煩悶しながらも）アメリカは、理念先行の国といえます。

　合衆国憲法が定める連邦政府の権限は、州間の通商の規制、国防支出、貨幣鋳造、移住や帰化の規制、諸外国との条約締結などです。ほかの大部分は各州に権限を委ねています。そうして各州は独自の州憲法を持ち、日常生活に関わる民法や刑法を定めています。例えば銃規制は各州独自のルールがあります。各州は連邦政府を頂きつつも強い自治権を持ちますが、連邦政府が口出しできないわけではありません。補助金交付といった手段で影響力を行使しています。

❶最高裁前で行われた中絶の権利を守るためのデモ行進（2021）　❷大統領経済諮問委員会のマーチン・フェルドシュタイン委員長（1984）　❸財務省のトップ、ジャネット・イエレン長官（2021）　❹コンドリーザ・ライス国務長官（写真は退官後2011）　❺中央銀行制度の最高意思決定機関FRBのグリーンスパン議長（2005）　❻議会図書館　❼大統領執務室のレプリカ　❽ジョージ・W・ブッシュ大統領の一般教書演説を聴く議員たち（2005）　❾ジョージ・W・ブッシュ大統領の一般教書演説（2005）

いくつもの顔を持つ「アメリカ・イン・ミニチュア」

メリーランド州

豊かになったカトリック避難所

アメリカが新首都(ワシントンD.C.)を定める際、この州が土地の一部を譲ります。国の統治機構を支えるため、人材や資本、技術やインフラが集まり、それらがメリーランドにもトリクルダウン。20世紀後半からはバイオ、航空宇宙、ITといったニューエコノミーが育ち、ここを全米でも豊かな方の州にしました。

17世紀初頭、この地に入植したのはローマ・カトリックを信じるイングランド貴族、セシル・カルバートに率いられた人々(奴隷もいた)です。彼らは全キリスト教の信仰の自由を認める法律を制定。時代が下ると多数派プロテスタントが台頭しますが、それでもメリーランドは少数派の避難所であり続け、背景が異なる各国の人々が都市部に移民しました。

★ 州のモットー ★
**"Strong deeds,
gentle words"**
「強い行動、優しい言葉」

---

❶ アンティータムの戦い

北軍が勝利した1862年の南北戦争の激戦。両軍合わせて数万の兵が死亡し、1日の戦いとしては最も多くの血が流れた戦いになりました。

❷ キャンプ・デービッド

国内外の要人が会合する政府の山荘で、山荘前の記者会見がよくニュースになります。名前の由来はアイゼンハワー大統領のお孫さん。

❸ ベセスダゲームズ

首都近郊にはハイテク産業が集まっています。ベセスダは"Fallout"で知られる人気ゲームメーカーで本社はロックビルにあります。

❹ NSA

国家安全保障局のこと。世界中の通信を傍受して監視しています。現代では人がスパイ活動を行うCIAより重要度が高いとされます。

❺ アナポリス海軍兵学校

帽子を投げる卒業式が風物詩です。入学できるのは17〜23歳の未婚のアメリカ市民で、1976年からは女性も入学できるように。

❻ エドガー・アラン・ポー

19世紀のアメリカ文学に多大な影響を与えた大作家。『黒猫』といった怪奇的な作品を書いた彼が謎の死を遂げたのがボルチモアでした。

❼ ボルチモア・オリオールズ

伝統あるメジャーの野球チームで過去に3度優勝したことがあります。近年の成績はいまいちですが、だからこそ応援したくなります。

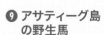

❽ カニさんダービー

州の名物ブルークラブはクラブケーキになるだけでなく、クリスフィールド市で開催されるイベントでは足の速さを競わされます。

❾ アサティーグ島の野生馬

いつの間にか野生化し、一帯で群を成しています。マルグレット・ヘンリーの小説『シンコティーグの霧』に登場し全米で知られるように。

★ 州の鳥 ★
Oriole
ムクドリモドキ

Hagerstown
Cumberland ●
Potomac River
Frederick
Baltimore ◎❻❼
Washington D.C. ●
Annapolis
Delmarva Peninsula
Ocean City
Smith Island
Atlantic Ocean

1章 東海岸
2章 南部
3章 五大湖、中西部
4章 西部、西海岸、海外領土
5章 アメリカはどんな国？
巻末資料

1632年	1639年頃	1649年	1650年代〜	1770年代	1818年
カトリックのセシル・カルバートがこの地に入植する権利を英国王から得る	続々と入植者が到着する。労働者である奴隷も含まれ、タバコを生産する	アメリカで最初期となる信仰の自由（キリスト教各宗派のみ）を認める法を作る	アメリカの多数派プロテスタントのピューリタンの勢いが強くなり影響を受ける	アナポリス茶会事件が起こりアメリカ独立戦争へと突入	西へと向かう大きな街道カンバーランドロードが完成、やがて鉄道と運河も建造

主要都市 ボルチモア

1729年に設立され当初はタバコと穀物が集まる港でした。そこから海運と造船が発展し、第一次世界大戦の軍需で重工業が飛躍します。現代では工業港であることに加え、ジョンズ・ホプキンス大など高等教育機関も育ち、数々の史跡とともに大きな注目を浴びています。

州都 アナポリス

1649年のピューリタンの入植に端を発する港街で、やがてイギリスのアン女王を讃えてアナポリスと名付けられました。独立戦争前夜の茶会事件は、実はここでも同様に起きており、独立戦争を終結させたパリ条約が結ばれたのもここ。南北戦争を含めアメリカ史前半頃の戦争に巻き込まれなかった幸運な古都といえます。

アメリカ国家の誕生秘話

「あぁ君に見えるだろうか、夜明けのなかで翻る星条旗が」という愛国心あふれるアメリカ国歌「星条旗」は、弁護士フランシス・スコット・キーが戦争での体験をベースに書いた詩が元となっています。

イギリスへの反発が強まり1812年に米英戦争が勃発、東海岸を含む各地で戦闘が発生。

戦闘中に英国艦で捕虜交換交渉を成功させたキー氏らが、戦闘終了まで艦内で抑留されることに。

一夜明け星条旗がなびく母国の砦を発見、攻撃に耐えたことに感動して詩「星条旗」を執筆。

メリーランド州旗の由来

アメリカ各州はそれぞれ州の旗を制定しており、さまざまなデザインがあります。なかでもメリーランド州旗は独特で、一見すると奇抜です。「黄と黒のボルチモア卿カルバート家の紋章」と、「赤と白の初代ボルチボア卿の母方のクロスランド家の紋章」が組み合わさったため不思議な柄になりました。

公式行事などで掲げられるメリーランド州旗。

三毛猫が州の公式猫なのは旗と色が似ているからとの説も。

なぜミニチュアと呼ばれる？

州の形を見ればわかるように、西部へと細長く延びた山や谷や森がある地域があり、東部には海と白砂が美しいデルマーバ半島があります。これら周縁部は自然豊かな所で、移民を惹き付ける大都市の忙しさや拝金性とは距離を置きます。また歴史を見ると南北戦争では、奴隷を使いながらも北軍に属した境界州で、北と南の両方の性格を持っています。このように山あり海あり、都市あり田園ありといった地勢、さらに歴史的に多様な側面を持つメリーランドは、アメリカの全てが凝縮されたアメリカのミニチュアと呼ばれます。

COLUMN
変わりゆく意識 アフリカ系知事の誕生

ムーア氏が働くアナポリスの歴史ある州議事堂

2022年のメリーランド州知事選挙で勝利したのは民主党に所属するウェズ・ムーア氏で、彼は選挙で選ばれたアメリカで3人目のアフリカ系州知事となりました。対抗馬はトランプを支持する共和党候補者ダン・コックス氏。しかし前任のホーガン知事は同じく共和党であったものの穏健派で、コックス氏を支持しなかったと報道されています。

人の数より企業数が多いといわれる会社天国

デラウェア州

基本情報		
人口	101万8396人（第45位）
面積	6446㎢（第49位）
GDP	657億5500万ドル（第42位）
州名	1630年に周辺を探検した初代総督デ・ラ・ワー卿からきている

頭でっかちな不思議バランス

タックスヘイブンといわれ、北部に人と会社とお金が集まっています。その中心都市ウィルミントンには世界的な総合化学メーカーのデュポン社や、ワクチン開発で知られるアストラゼネカ社などがあります。

一方でそれ以外の南部は農業や養鶏が盛んなスローライフの田舎といわれます。北と南を分けているのはかなり北寄りのチェサピーク＆デラウェア運河です。南北に長い州の北の頭が重い様子は、都市化が成長の原動力であるアメリカを体現しているかのようです。

面積が小さく、個性の強い近隣州と比べて影が薄いと思われがち。地下資源もありませんが、北部は東部沿岸一帯の大経済圏の一員であって、素通りできない重要な州です。

★ 州のモットー ★
"Liberty and independence"
「自由と独立」

Wilmington ①◎
Newark
New Castle ③ ②
④
Chesapeake & Delaware Canal
Delaware River

❶ バイデン大統領

ペンシルベニア生まれ、デラウェア育ちです。ウィルミントンで弁護士として活動し、やがて上院議員を経て46代大統領に就任しました。

❺ ドーバー国際スピードウェイ

モータースポーツ団体「NASCAR（ナスカー）」が毎年レースを開催するオーバルトラック。バンク角度が急でスピードが出やすいコースです。

❽ パンキン・チャンキン

大砲などの機械でカボチャをぶっ飛ばして飛距離を競う集いです。南部ブリッジビルが発祥地とされますが、近年は諸事情で別の州で開催されたりしています。

Dover ★ ⑤
Delaware Bay
Lewes ⑥
Rehoboth Beach ⑦
⑧
⑨
Bethany Beach ●
Delmar ●

❷ デラウェア記念橋

お隣ニュージャージーに行く時に通るデラウェア川の巨大橋で、第二次世界大戦以後の戦争で亡くなった兵士たちを追悼しています。

❻ ルイス市の灯台船

植民地時代の建築物が残る歴史の街ルイスには、今は現存数が限られるライトシップ（灯台船）が停泊し人々に愛されています。

OVERFALLS

★ 州の鳥 ★
Delaware Blue Hen
デラウェア青鶏

❸ ファーストステート国立歴史公園

この州が最初に合衆国憲法に批准したことを記念した公園です。ニューキャッスル庁舎の他にも、州各地に史跡が点在しています。

❹ エンドウ豆畑島

20世紀に活躍した砦があるデラウェア川に浮かぶ島です。その昔に船から投棄された豆が芽吹いて島になったという伝説があります。

❼ レホボスビーチ・パトロール

若者が遊びに来る有名なビーチ。その治安と安全を守る屈強で優しいお兄さんとお姉さんが集まるライフガード隊は1921年創設です。

❾ 養鶏

州南部の主要な産業で、隣州を含むデルマーバ半島南部で盛んです。地元で好まれる炭火焼きBBQを各家庭秘伝のソースで食べます。

年表

1631年	1682年以降	1787年	19世紀	1923年	2020年
オランダ人が最初のヨーロッパ人としてこの地の開拓を始める。だが失敗する	ペンシルベニアのウィリアム・ペンがこの地を割譲される。以降移民流入が加速	アメリカ合衆国憲法を最初に批准。このため州のあだ名がファーストステートに	ウィルミントンの製粉所で挽かれたブランディワインの超微粉などで経済が潤う	デュポン高速道路の完成により物流ルートが整備され州南部の一次産業が活性化	この州を本拠地とするジョー・バイデン上院議員が大統領選挙で勝利する

シーザー・ロドニー
私は独立戦争中、植民地の動向を皆で決める大陸会議の代議員だった

雷雨の夜に馬を飛ばし会議に参加したんだ

ジョージ・ワシントン
1776年7月1日の夜のことでしたね

あの時あなたがアメリカ独立賛成に投票してくれて良かった

シーザー・ロドニー
我が州にはイギリスと仲が良い独立反対派閥もいたんですよ

でもあの夜に頑張って本当に良かった

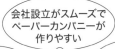

主要都市 ウィルミントン

スウェーデン、オランダ、イギリスの順で支配者が変わった州随一の都市です。金融、商業の要であるのは会社設立に有利な制度と、隣州大都市圏へのアクセスの良さのため。ウィルミントン駅はバイデン大統領がかつて通勤に利用したことから、バイデン駅の異名を持ちます。

州都 ドーバー

ウィリアム・ペン（ペンシルベニア設立の立役者でありクェーカー教徒）によって設立された行政の中心地です。北部と比べて地方色が強いデラウェア南部に位置しており農業も一定の経済力を示しています。州立大学などがあるほかに、第二次世界大戦中に設立されたドーバー空軍基地が存在感を放っています。

会社設立に有利とされる州

デラウェア州は人口より法人数の方が多いといわれます。それはけっして誇張ではなく、州内の会社の数は100万以上で、著名な企業ランキングである「フォーチュン500」企業のうち6割以上がデラウェアにあります。数多くの企業がここを本拠とするのは右イラストのように企業に有利な制度のためです。

会社設立がスムーズでペーパーカンパニーが作りやすい

消費税（セールスタックス）が0%

州外で稼いだ事業からは課税されない

会社法や裁判の仕組みがビジネスライク

経営者情報や金融情報の秘匿性が高い

州経済を牽引した華麗なるデュポンの系譜

一企業が州発展に大貢献した例はいくつかあり、デラウェアとデュポンもその1つです。ウィルミントンを本拠地とした同社は世界企業に成長し、州の財政と雇用創出に貢献、インフラ整備や文化事業のパトロンを引き受けました。

黒色火薬王 エルテール・イレネー・デュポン

フランスの経済学者の子で、アメリカに渡り1802年から火薬製造を開始

1812年の第二次独立戦争で会社が大きくなったけど、爆発事故とかもあって経営は大変だったな。私の死後は子孫が事業を多角化して我が社は大成長したらしい。

ナイロン発明者 ウォーレス・カロザース

デュポン社所属の化学者で、1935年に人工繊維ナイロンを開発

私は1937年に41歳で自死したけれど、その後、私の作ったナイロンは製品化されて1940年にはナイロン製ストッキングがものすごく売れたそうなのだよ。

COLUMN

ジョー・バイデン 地元での評判やいかに!?

シリコンバレー銀行危機について話す大統領

高齢ゆえ経験は豊富で30年以上にわたり地元選出の上院議員を務めたことや、地元から首都まで電車通勤していた市民感覚、家族を失った悲劇などが大衆に広く知られていました。ただし彼の中道的な姿勢や社会的地位を好む人もいれば、好まない層もいます。州民の暮らす地域や立場で評価は異なり、アメリカの分断が見てとれます。

中央がないがしろにしがちな山の恵みあふれる州

ウェストバージニア州

基本情報	
人口	177万5156人（第39位）
面積	6万2756k㎡（第41位）
GDP	716億5200万ドル（第41位）
州名	バージニア西部から分離離脱したため、先住民語に由来する名前は廃案

ウェストバージニアの独立

　州名が示すように元は大きなバージニア州の中の西部地域でした。アパラチア山脈の美しくも険峻な山と谷に覆われ、森と水の恵みが豊かです。一方で農業に適した広い平地が少なかったため、奴隷を使った大農場を造りたい初期の開拓者はあまりこの地に目を向けませんでした。彼らは主にバージニア東部で奴隷農場を発展させ、西部の山の人々を政治的にもないがしろにしました。

　19世紀前半は南北戦争前夜の頃。アメリカが奴隷容認か非容認かで二分されます。奴隷を持たず、政治的に後れをとった山の人々は、容認派であるバージニア東部からの分離を叫びました。そうした郷土愛と団結と反骨心が、南北戦争中の1863年に実り、35番目の州として誕生しました。

★ 州のモットー ★

"Mountaineers are always free"
「山の民は常に自由」

❶ モスマン
20世紀後半に流行った妖怪で凶兆を呼ぶ蛾男。40人以上の犠牲者が出た橋の崩落事故の際に目撃情報があり全米の話題をさらいました。

❷ ガラス伝統工芸
ウィーリング周辺ではガラスの原料であるシリカ用の砂が産出します。このためガラス工芸が盛んで、粘土も出るので陶芸も盛んです。

❻ スノーシュー山リゾート
冬はスキー、暖かい季節はカヌーなどのアウトドア遊びができる人気スポット。この州は山国で観光資源、温泉、石炭に事欠きません。

❼ 作家 パール・バック
ウェストバージニアのヒルズボロ生まれ、宣教師の親の都合のため中国育ち。代表作『大地』で中国文化を紹介したノーベル賞作家です。

❽ 巨大地下 核シェルター
冷戦時の大統領令でグリーンブライアー・リゾートの地下に造られました。地下3階層まであり約千人が2カ月暮らせる仕様です。

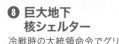

❸ 母の日の街
20世紀初頭グラフトンに住むアンナさんが社会活動家の母の死をきっかけに母の日創設を思い立ち、これが全米と日本に広がりました。

❹ ハーパーズフェリー
名曲『カントリーロード』に登場するシェナンドー川に囲まれた古風な街で、観光地になっています。南北戦争では戦場になりました。

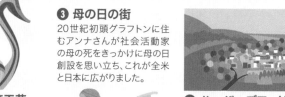

❺ マーティンズバーグ リンゴ収穫祭
リンゴは州東部でよく作られ盛大な収穫祭が行われますが、近年は開発の波が郊外まで押し寄せリンゴ園の先行きが心配されています。

❾ ベックリー炭鉱跡
鉱山が成立しなくなった後ただでは転ばない山の民たちは炭鉱跡を観光地化。坑道ツアーガイドである元坑夫が渋い声で語ります。

Ohio River

Wheeling ❷
Morgantown
Parkersburg ❸
❶
Charleston ◎
Huntington ★
Snowshoe ❻
● Summersville
❼
Lewisburg ❽
Beckley ❾

★ 州の鳥 ★
Cardinal
ショウジョウ
コウカンチョウ

44

紀元前500年〜	1763年	1775年〜	1859年	1940年代	1970年代
古代人アデナが古墳を作る。マウンドヴィルやチャールストンに現存している	イギリスがアパラチアなど西部への入植を禁じる法律を作り植民地側が激怒	アメリカ独立戦争。この頃すでに入植禁止令を無視した約3万人が暮らした	奴隷制度反対論者のジョン・ブラウンが政府軍の武器を奪う反乱を起こす	州北部の食器メーカー、フィエスタ社が使っていたウランが原爆開発に使われる	歌手ジョン・デンバーが『カントリーロード』でこの州の自然を讃えて評判に

州都 チャールストン

金のドーム屋根が輝く州議事堂が鎮座するウェストバージニア第一の街です。チャールストンの名前は18世紀後半にここを切り拓いたジョージ・クレンデニン大佐の父に由来します。石炭や塩を産出するだけでなくオハイオ川とつながるカナワ川が流れる要衝で、川沿いに化学産業が発展し、行政機関や医療機関も集まる州の要です。

主要都市 ハンティントン

オハイオ川沿いにあり、オハイオとケンタッキーが接する川の港町です。鉄道王ハンティントンが19世紀後半に駅を作ろうとしてできた街で、鉄道開通で発展しました。今は水運と鉄道の重要性が低下したものの、名門マーシャル大学が若い学生を集める元気な街です。

山の民の誇りアパラチアン文化

ブルーグラス音楽

バンジョーなどの楽器が主役でアパラチアに入植したスコッチ・アイリッシュの音楽などが基礎になっています。

フラットフットダンス

基本ソロ、足裏全体で地面をタップします。型は自由で「激しいフィドルに対する山の民の芸術的反応」とのこと。

名物ペパロニロール

サラミの一種ペパロニを練り込んだ高カロリーなパン。炭坑夫など重労働に従事する人のために考えられました。

州経済を支えた坑夫の苦闘

マテワンの虐殺（1920）

横暴な鉱山会社に対して環境改善を求める労働者と会社側が衝突し銃撃戦に発展、死者まで出ました。

炭鉱爆発事故（2006、2010）

鉱山労働が危険と隣り合わせなのは現代も同じで、21世紀に入っても死者が出るレベルの爆発事故が起きています。

私たちの戦いはこれからだ

独立したウェストバージニア州民はしばらく農業で食べていましたが、19世紀後半に石炭産業が急発展。しかし20世紀後半に石油の時代へ入り低迷。この州は貧しくなった石炭地域の代名詞とされ、低い平均所得、高い肥満率、教育の不十分に悩まされます。21世紀まで連邦政府はあまり支援をせず捨て置いたため、石炭を見捨てないと叫んだトランプ氏が人気を博しました。今は需要がやや増した石炭にあぐらをかかず、未開発なことを武器に、観光、データセンター、IT産業の誘致に力を入れています。

COLUMN

みんなの希望の橋 ニューリバーゴージ橋

1977年完成のニューリバーにかかるこの橋により、川と谷で分断されていた州中央部の交通の便が一気に良くなりました。水面から高さ約250m、長さ約900m、アーチの長さは約500mという規模は単径間アーチ鉄橋としては当時最大。高速道路橋で歩道がないので、橋梁マニアは徒歩通行が可能な年に一度の「橋の日」を狙います。

高速19号線の橋として地元をつなぐ重要な橋

バージニア州

基本情報		
人口	868万3619人（第12位）
面積	11万787km²（第35位）
GDP	5129億4600万ドル（第13位）
州名	イングランド女王エリザベス一世の二つ名「バージン・クイーン」にちなむ

アーリーアダプターの幸運

移民船団がヨーロッパ人初の恒久的植民地ジェームズタウン（❿）をここに造りました。目的は新天地の富。奴隷を使うタバコ農場で資本と政治力を蓄え、その子孫らはアメリカ独立の中核メンバーとなります。

奴隷経済ゆえ南北戦争を南軍奴隷州として戦い、戦後は他の南部州と異なり順調に復興の道を歩みます。その理由はいくつかありますが、首都に隣接した地域で政府系とそれに連なる軍需・サービス業が発展したことが大きいとされます。バージニアにとって南北戦争は、中心産業としての寿命が近い農業からうまく脱却する機会となった側面があるようです。地方の農村と都市の断絶はあるものの、それを補ってあまりある幸運をこの州は持ちます。

> ★ 州のモットー ★
> ## "Thus always to tyrants"
> 「暴君は常にこのように（倒される）」

❶ ターキー

州北部ロッキンガム郡は七面鳥の首都といわれる産地です。11月末の感謝祭では七面鳥にワイルドライスを詰めた丸焼きを食べます。

❷ シェナンドー国立公園

首都の近場の自然といわれます。首都からの距離約120kmはこの国では遠くではないようです。街でゴミパンダと言われてしまうアライグマがいます。

❸ トーマス・ジェファーソンの大時計

3代大統領のタバコ農場の大時計は、室内に向けては2針で「時」「分」を表示し、建物外の奴隷に向けては1針で「時」のみを伝えます。

❹ ペンタゴン

軍隊を管轄する国防総省本部で9.11テロでは飛行機が衝突、犠牲者が出ています。近くには戦没者が眠るアーリントン墓地があります。

> ★ 州の鳥 ★
> ### Cardinal
> ショウジョウコウカンチョウ

❺ ジョージ・ワシントンの入れ歯

就任時点で総入れ歯だったとされコンプレックスだったようです。ワシントンが暮らしたマウントバーノンの邸宅は現在ミュージアムで、入れ歯を所蔵しています。

❻ ブリストル市カントリー音楽館

ブリストルはアパラチア山脈に抱かれるテネシーとの境界の街。カントリー音楽の中心地の1つで音楽館がラジオを配信しています。

❼ リッチモンド北のリッチマン

2023年に火が付いたインディーズ歌手オリバー・アンソニーの曲。貧しい庶民と無策の政治家を唄っています。生まれは州中部の街。

❽ ピーナッツ祭り

評判のバージニアピーナッツを讃えるお祭り。落花生男のコスプレを見たりできます。ピーナッツはアメリカ南部でよく作られています。

❾ フォード級空母

ニューポートニューズは造船が盛んで、米軍が発注する巨大空母を造る能力があります。防衛産業はこの州にとって大切な収入源です。

Winchester
Fairfax ❹ ●Washington D.C. ❺
❶
Charlottesville ❸
Richmond
Lynchburg ❼
Roanoke
❿
Newport News ❾
Blacksburg
Norfolk ●◎Virginia Beach
Bristol ❻
Danville ❽
Atlantic Ocean

主要都市 バージニアビーチ

チェサピーク湾に面したバージニア第一の都市です。突端のヘンリー岬には1607年にジェームズタウンに到着した入植者たちを記念する碑が立ちます。19世紀後半のホテル建設と鉄道開通でリゾート地として発展し、第一次世界大戦後は沿岸警備を行う軍施設ができました。

州都 リッチモンド

遡ると1607年の入植者たちの探検に行き着く豊かな歴史を持つ街です。独立戦争ではイギリス軍に占領され、南北戦争では一時期南軍の首都になりました。戦後復活し始めたタバコ産業の他、印刷出版、化学薬品、金属、繊維と製紙などが発展。パトリック・ヘンリーが「自由か死か」の演説をした史跡など観光資源もたっぷりあります。

バージニアゆかりの有名人

ポカホンタス
ネイティブ・アメリカンの有力者の娘。イギリス人の命を助け異文化交流に努めました。

いのちをだいじに

パトリック・ヘンリー
弁護士で政治家。独立戦争時に「自由か死か」と演説で問い人々を大いに鼓舞しました。

ガンガンいこうぜ

いろいろやろうぜ

ウッドロー・ウィルソン
この州が輩出した8人の大統領の一人で第一次世界大戦という大変な時期に職務を全う。

初期大統領5人のうち4人を輩出できた秘密

最初の5人のうち4人はバージニア州出身です。建国に重要な役割を果たした人々がこの州出身だったことに加え、5分の3条項と呼ばれる憲法の条文がこのことに影響しています。5分の3条項では、下院議員の選出と課税の基準となる人の数え方について、「奴隷1人を5分の3と勘定する」と定めています。これで奴隷が多い州（特にバージニアを含む南部）の政治力が強くなり、大統領の輩出にも影響を与えました。4代大統領のジェームズ・マディソンは、憲法の父と呼ばれる憲法起草の立役者で、この条項作成にも大きく関わっています。

昔は5000ドル紙幣に私の顔が使われていたよ

ジェームズ・マディソン
建国初期にマディソンは州よりも連邦政府の政治力が強い「連邦派」の立場をとりました。

私たちはともに農場の息子だし、私は君を秘書官に任命しました

周りが言うほど仲が悪くなかったですよね

ジョージ・ワシントン

私は政府の権力は弱める方が良いし、外交も積極的がよかったですね

それに国務長官職の辞任に追い込まれました

トーマス・ジェファーソン

あの時はすまなかった。しかし致し方なかったことだったろう

（他人から見たら仲悪く見えるかもな…）

ジョージ・ワシントン

COLUMN
揺れるリッチモンド市 どうなるリー将軍像

在りし日のリー将軍像（2020年7月）

リッチモンドの名所の1つモニュメント通りには、南北戦争を戦った南軍の英傑たちの像があります。一際目立ったのが130年間市民を見守り続けた総司令官ロバート・リー将軍像でした。しかし全米で人種差別抗議運動が発生した2021年9月、惜しむ人がいたなか像は撤去されます。

現代へ通じる近代的な共和政国家が成立

独立戦争（アメリカ独立革命）

独立革命の発端：植民地と本国の対立

　フレンチ・インディアン戦争の終結後、イギリス本国はアパラチア山脈以西への白人の移住を禁じました。先住民とのこれ以上の衝突を避けるためです。さらにフランスの脅威が消えたことに乗じて、植民地に新しい税を次々と課しました。こうした本国の施策に植民地の人々は不満を募らせ、次第に独立の機運が高まっていきました。

税金よこせ！規制強化だ！

1764 砂糖法
砂糖の関税徴収の厳格化法。砂糖はラム酒製造に必須だろう

1765 印紙法
公文書や新聞に印紙の貼付を定める法で、たくさん税金がとれそうだ

1767 タウンゼンド諸法
印紙法が抗議で撤廃されたから茶や紙などに税金を課す法律などを作ろう

何をいまさら！

代表なくして課税なし！
植民地への課税を次々と決めた英国議会に、当事者である植民地の代表はいない。「代表なくして課税なし」をスローガンに掲げ、抗議をしよう

砂糖法、印紙法、タウンゼンド諸法（茶税以外）は撤廃

革命のひきがね：ボストン茶会事件

　両者の緊張は高まり、1770年にはイギリス兵が市民5人を殺害した「ボストンの虐殺」が発生。そんななか、本国は東インド会社（アジアで貿易を行う独占企業）に植民地での茶の独占販売権を認めます。怒ったボストン市民は、先住民に変装して船に侵入し、積荷の茶を海へ投棄。本国はボストン港を閉鎖するなどして報復し、対立はさらに深まりました。

勘弁ならん！

茶の販売独占だと！だったら全部捨ててやる！

こちらにも考えがある！

ボストン港を閉鎖だ！

イギリス行政官を裁けないようにしてやる！

マサチューセッツの権利を制限！

一部の土地をフランスに渡してしまえ！

植民地側はみんなで集まり第一回大陸会議を開催。イギリス製品のボイコットなどを決定し、さらに対立が過熱！

独立戦争の勃発

　1775年、植民地と本国の間でついに戦争が勃発しました。組織力や物量に勝る本国側が優勢でしたが、植民地側は粘り強く抵抗し、サラトガの戦いで決定的な勝利をおさめます。これを見たフランスが植民地側に立って参戦。6年後のヨークタウンの戦いでイギリス軍の主力は降伏し、植民地側が独立を勝ち取りました。

1777 サラトガの戦い
カナダから進軍したイギリス軍は、ハドソン川沿いのサラトガでアメリカ軍に敗北。この結果を受けて、フランスはアメリカと同盟を結ぶことを決意します。

1777～78 バレーフォージの冬
イギリス軍に占領されたフィラデルフィア近郊のバレーフォージで、約1万2000のアメリカ軍が越冬。兵士の約1/4が飢えや病気で亡くなったといわれます。

1775 レキシントン・コンコードの戦い
武器の接収のためマサチューセッツのコンコードに派遣されたイギリス軍と、独立派の民兵がレキシントンで衝突。植民地と本国の間に戦端が開かれました。

1775 バンカーヒルの戦い
開戦直後に独立派はボストンを包囲。これを突破しようとするイギリス軍との間で激しい戦闘になりました。イギリス側が大きな犠牲を払いながらも勝利。

1776 ロングアイランドの戦い
アメリカ独立宣言の翌月、ジョージ・ワシントン将軍の率いるアメリカ軍はロングアイランドでイギリス軍に敗北。ニューヨークを明け渡すことになります。

1776 トレントンの戦い
劣勢を覆すため、ワシントン将軍はクリスマスの夜にデラウェア川を渡って奇襲を仕掛けます。アメリカ軍は勝利をおさめ、人々の士気は再び高まりました。

1778～81 南部での諸戦
1778年以降、イギリスは反独立派の多い南部を主戦場とする戦略に転換。しかしアメリカのグリーン将軍に消耗戦を強いられ、次第に打つ手を無くしていきます。

1781 ヨークタウンの降伏
ヴァージニアのヨークタウンに布陣したイギリス軍は、半島の入口をアメリカ軍に塞がれ、フランス海軍にも攻められて降伏。ここで戦争の大勢が決しました。

最強!!（戦争当初）

ハラペコだよね

1763年	1770年	1773年	1775年	1776年	1783年	1787年	1789年
フレンチ・インディアン戦争終結。パリ条約でルイジアナの一部がイギリス領となる	ボストンでイギリス兵が市民と小競り合いになり、5人射殺(ボストンの虐殺)	東インド会社の船がボストン市民に襲われ、茶が投棄される(ボストン茶会事件)	アメリカ独立戦争が勃発。ジョージ・ワシントンが植民地側の総司令官となる	7月4日、トマス・ジェファーソンらが起草したアメリカ独立宣言が発表される	パリ条約が結ばれ、講和が成立。イギリスがアメリカ合衆国の独立を承認	三権分立の原則を確立した世界初の近代的成文憲法、アメリカ合衆国憲法制定	憲法に基づく大統領選挙が行われ、ジョージ・ワシントンが初代大統領に就任

東海岸 1章
南部 2章
五大湖 中西部 3章
西部 西海岸、海外領土 4章
アメリカはどんな国? 5章
巻末資料

独立革命における対立構図

13植民地

独立派(愛国派)
開戦当時は植民地人の約1/3ほどで、農園主や都市商工業者などが中心でした。独立後は連邦派と反連邦派に分かれて対立します。

↕ 対立

忠誠派(国王派)
聖職者や高級官吏、大地主、大商人などを中心として、国王を支持しイギリス支配の継続を求める人々も約1/3ほどいました。

中立派
残りの約1/3はどちらにも属さない中立派でした。トマス・ペインの著書の普及などにより、次第に独立派へと傾いていきます。

VS

イギリス

国王ジョージ3世(トーリー党)
イギリス国王とそれを支える保守派の与党トーリー党は、植民地に対して高圧的な態度で臨み、結果として独立戦争を招きました。

支持 ↕ 対立

ホイッグ党
野党・ホイッグ党は、植民地の独立派に対して一定の理解を示しました。1782年にホイッグ党の内閣が誕生し、講和が成立しました。

第三勢力
フランス…1778年に植民地側と同盟し軍を派遣。フランス艦隊の加勢が植民地勝利に貢献しました。
スペイン…スペインは1779年に参戦。戦後のパリ条約で、20年ぶりにフロリダを取り戻しました。
オランダ…1780年に第四次英蘭戦争勃発。独立戦争への関与は避けるも事実上植民地側に味方しました。

植民地には独立に反対する忠誠派や中立派の人々も多数いましたが、トマス・ペインが1776年に著した『コモン・センス(常識)』をきっかけに、独立派が優勢になっていきます。本国の野党ホイッグ党や、フランスなどの外国勢力も独立派を後押ししました。

> イギリスから分離独立することが、この大陸の真の利益であって、それ以外の全てのことは一時的なつぎはぎ細工に過ぎず、決して永続的な幸福をもたらさない

イギリス出身の哲学者トマス・ペインは匿名で『コモン・センス』を発表し、独立の意義をわかりやすく説きました。

●キーワード アメリカ独立宣言
独立戦争中の1776年に発表。人権を誰もが生まれながらに持つ権利(自然権)であるとする画期的な内容で、フランス革命など、後の市民革命にも大きな影響を与えました。宣言が採択された7月4日は、現在もアメリカの独立記念日として祝われています。

> 全ての人は平等に創られ、創造主によって一定の奪われることのない権利を与えられている

避雷針を発明したベンジャミン・フランクリンは、アメリカ独立宣言の起草者の1人。外交官としても活躍しました。

独立戦争の結果:アメリカの勝利とパリ条約

1783年、イギリスとの間でパリ条約が締結され、名実ともにアメリカ合衆国が成立します。このとき、建国13州に加えて、ミシシッピ川の東側の広大な地域がアメリカ領となりました。スペインはフロリダを獲得しますが、独立戦争に深く関与したフランスは、北米の領土を回復できずに終わります。植民地人の忠誠派の多くは、国境を越えてカナダへ移住しました。

イギリス領

1783 イギリスから割譲
1783 建国時13州

スペイン領
ミシシッピ川

アメリカが獲得した新たな領土は、開拓者にとって待ち望まれたものでした。連邦政府は北西部条例を制定して、この地域に新たな州を創立できるようにし、入植を促しました。

> 北西部を開拓するぞ!

独立戦争の結果:合衆国憲法の制定

1787年にアメリカ合衆国憲法が制定され、13州は連邦政府が統治する1つの国家になりました。この憲法は人民主権と三権分立を原則とする先進的なもので、世界初の近代的成文憲法です。一方、連邦政府が成立したために、各州の独立性は弱まることになりました。この後、連邦派と反連邦派(州権派)の対立がアメリカ政治の新たな火種となっていきます。

ポイント▶ 三権分立

立法	法律が作られる上院と下院
行政	法律が適用される大統領と政府
司法	法律が解釈される裁判所

ポイント▶ 連邦主義と対立

連邦派 ↔ 反連邦派
対立

憲法が人々を暴政から守る

憲法が連邦政府に力を与えすぎている

ポイント▶ 人民主権

「We the People of the United States(われら合衆国の人民は)」から始まる憲法の序文は、主権が人民にあることを明確に示しています。しかし先住民や奴隷の人権は考慮されませんでした。

> 私たちは含まれず…

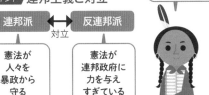

東海岸13州の主な世界遺産、国立公園紹介

3 インディペンデンスホール

世界遺産

ペンシルベニア州の古都フィラデルフィアにある世界遺産。日本語では独立記念館と呼ばれ、その名の通り1776年7月4日にアメリカ独立宣言が行われた建物です。元はペンシルベニア植民地の議事堂で、独立宣言のほかにも大陸会議の開催や憲法の採択の舞台となりました。アメリカの歴史の生き証人といっても大袈裟ではなく、独立と自由のシンボルといわれるリバティ・ベルもかつてここに保存され、国内外からの観光客が訪れました。

1 アカディア国立公園

1919年にアメリカの東部で最初の国立公園に指定されました。元は別の名前でしたが、この地に入植を試みたフランス人の土地の名前にちなみ「アカディア」の名が付いています。公園はマウント・デザート島などの森林に覆われ、大西洋沿岸北部の最高峰（約470m）であるキャデラック山がそびえています。この山はアメリカで一番早く日の出が見られる場所といわれ（諸説あり）、それを見るために多くのハイカーが集まってきます。

4 モンティチェロ

世界遺産

第3代大統領で独立宣言起草者の1人、トーマス・ジェファーソンが暮らした家です。バージニア州のシャーロッツビル近くにあり、ジェファーソンが引退後に設立したバージニア大学も近くにあります。ここの周囲は農園になっていて、彼は200人のアフリカ系奴隷を雇いタバコを栽培していました。アメリカの新古典様式の建物はジェファーソンによる設計で、彼自身の偉大さとともに、建築史に与えた貢献も加味され世界遺産に登録されました。

2 グッゲンハイム美術館

世界遺産

近代建築の父フランク・ロイド・ライトによる設計で、世界遺産に登録されている彼の建築物群の1つです。設立はペンシルベニア出身の鉱山王で美術蒐集家のソロモン・ロバート・グッゲンハイム。ニューヨーク・シティにある現在の建物は1959年に開館しています。エレベーターで最上階まで登り、そこから螺旋スロープを降りつつ作品を鑑賞できる独特な構造で、ピカソの作品展示もさることながら、美術館そのものが作品になっています。

5 シェナンドー国立公園

首都ワシントンD.C.から車で約1時間半から2時間の所にある国立公園です。場所はバージニア州の北部になります。アメリカ東部を斜めに走るアパラチア山脈の一部、ブルーリッジ山脈の一部で、そこをシェナンドー川が流れる雄大な景観を楽しめます。公園内を走る高原道路「スカイラインドライブ」が有名で、特に秋の紅葉の時期にドライブを楽しむ人が増えます。車を降りてトレッキング、ロッククライミング、キャンプをする人もいます。

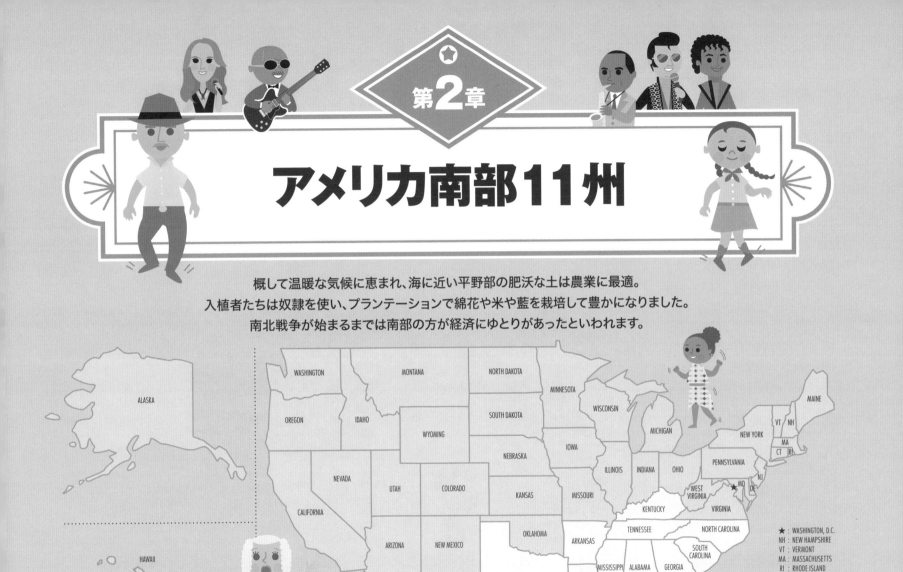

アメリカ南部11州

第2章

概して温暖な気候に恵まれ、海に近い平野部の肥沃な土は農業に最適。
入植者たちは奴隷を使い、プランテーションで綿花や米や藍を栽培して豊かになりました。
南北戦争が始まるまでは南部の方が経済にゆとりがあったといわれます。

★ : WASHINGTON, D.C.
NH : NEW HAMPSHIRE
VT : VERMONT
MA : MASSACHUSETTS
RI : RHODE ISLAND
CT : CONNECTICUT
NJ : NEW JERSEY
DE : DELAWARE
MD : MARYLAND

ノースカロライナ州

基本情報	
人口	1069万8973人（第9位）
面積	13万9391㎢（第28位）
GDP	5595億1000万ドル（第11位）
州名	カロライナはイングランド王のチャールズ一世、二世に由来する

昔は何かと腰が重かった

　ノースカロライナ（NC）は、アメリカ建国時に成立した13州のうち、合衆国憲法に批准したのが最後から2番目。南北戦争で南軍奴隷州になった州のうち、合流がテネシーとともに最後のタイミングだった州です。州内で主流派と反主流の両方が健全に育っていたので動きが慎重でした。

　南軍に属した州は概して復興が遅れますが、この州は違い早い方でした。第二次世界大戦後に、NC大学（チャペルヒル）、NC州立大（ローリー）、デューク大（ダーラム）が高等教育と研究開発が盛んな三角地帯「リサーチ・トライアングル」を形成し、優秀な人材とハイテク企業を育てたのです。伝統的なタバコと繊維産業も、まだまだ現役で活躍していて、産業多様化に貢献しています。

★ 州のモットー ★
"To be rather than to seem"
「見かけよりも実質を」

❶ チェロキー観光村

この辺りのチェロキー族はアメリカ人によって現在のオクラホマに強制移住させられました。今は彼らの文化を伝える村があります。

❷ ブルーリッヂ・パークウェイ

ブルーリッヂ山脈の国立公園を通る美しい観光街道です。ノースカロライナは横に長い形をした州で、西部はアパラチア山脈に接します。

❸ ビルトモア エステート

芸術とビールの街アシュビルにある鉄道王ヴァンダービルトが建造した個人宅です。19世紀後半の好景気「金ぴか時代」を象徴しています。

❹ セーラム旧市街

タバコやドーナッツの大企業があるウィンストン・セーラムは、欧州のモラビア人が切り開いた古い街で、今も屋根付き橋が残っています。

❺ 家具の街

木材の産地で家具の街として栄えるハイポイント、そのすぐ隣町にある家具ランドは、巨大なタンスのデザインが施された展示販売場。

★ 州の鳥 ★
Cardinal
ショウジョウ
コウカンチョウ

Winston-Salem　Greensboro
High Point　❹❺❻
Durham
Chapel Hill　Kill Devil Hills ❽
★ Raleigh
❸ Asheville　❾
❶　◎Charlotte
❷　❼ Fayetteville
Morehead City
Wilmington
Atlantic Ocean

❻ シットイン

グリーンズボロ市では公民権運動が盛り上がった1960年代に、街の食堂などで座り込みデモ「シットイン」がしばしば行われました。

❼ 旧フォート・ブラッグ

第二次世界大戦やイラク戦争に行った第18空挺部隊がある世界最大規模の軍事基地です。2023年にフォート・リバティに改称しています。

❽ ライト兄弟初飛行

悪魔を殺すほど強いラム酒が難破船から流れついた故事で知られるキルデビルヒルズ。その街近くのキティーホークが伝説の舞台です。

❾ 幻のロアノーク

イギリス人が1587年にアメリカに入植して造った街の人々は、大木にCROの文字を刻んで忽然と姿を消したといいます。真相は謎のまま。

1章 東海岸
2章 南部
3章 五大湖・中西部
4章 西部、西海岸、海外領土
5章 アメリカはどんな国？
巻末資料

紀元前8000年頃	1500年代初頭	1585年	1663年	1775年	1861年
すでにネイティブ・アメリカンがこの地に到着していたと考えられている	最初のヨーロッパ人が到着。ネイティブ・アメリカンの推定人口は3.5〜5万	ロアノーク島にイギリス人植民地ができるも数年のうちに人々は謎の失踪を遂げる	イングランド王が南北カロライナ一帯を8人のイギリス人に授与、入植が進む	アメリカ独立戦争が勃発、州内は独立派とイギリス支持派に割れる	南北戦争が勃発。州内に奴隷はいたが南軍に加わったのは戦争勃発後となる

主要都市 シャーロット

銀行の街シャーロットは、カリフォルニアのゴールドラッシュ以前に金が発見されて造幣局ができ、その後は水力発電による紡績で栄えた所です。シンボルであるスズメバチは、独立戦争中にイギリス軍をさんざん苦しめ「スズメバチの巣」と呼ばれたことに由来します。

州都 ローリー

近隣のダーラム市とチャペルヒル市とともに、リサーチ・トライアングルと呼ばれている研究開発が盛んな学園都市です。ローリーには州立大学があります。政府機関、研究機関、教育や医療といった分野で働く人が多く暮らすほか、製紙、コンピューター、食品加工などの工場で働く人もいます。設立は1792年です。

ノースカロライナ出身の有名人

酒はほどほどが一番だぜ！

ジョン・コルトレーン（1926〜1967）

即興の新境地に達した20世紀モダンジャズの巨匠。死後（40歳）もその影響は絶大です。

ファッションに年齢は関係ない！

ジュリアン・ムーア

アルトマンの『ショート・カッツ』などに出演、世界三大映画祭の女優賞を制覇しています。

マイケル・ジョーダン

空中を歩くようにダンクを決めまくったバスケの神は、この州でスターに育ちます。

ノースカロライナ大でプレー！

ノースカロライナ州民のくびったけ

世界ビール杯で金メダルを獲得！

ニンジャ黒ビール

クラフトビールが有名なこの州では、アシュビル・ブリューイングの個性的なビールが人気です。

西部ではトマトソースで味付け！

ノースカロライナ式BBQ

豚肉をよく使います。州東部は丸焼き派で、西部は肩肉派と地域によって好みが違います。

ノースカロライナ大タールヒールズ

地元の大人気チームです。州経済を支えたタール生産労働者の黒いかかとが名前の由来。

打倒デューク大ブルーデビルズ！

うちの州は、いろんな人がたくさんいるから、おもしろいんだよ

外国人もLGBTQ+も同じ人間じゃないか

都市部のリベラルな市民

言いたいことはわかるよ。でもトイレは従来の男女別が安心だろ？

これまでの常識を続けるのがそんなに悪い？

地方に住む保守的な人

考え方が違う者同士がぶつかるのは、うちの州の伝統だな

南北戦争の時も北軍派がいたらしいよ

都市部のリベラルな市民

COLUMN

トイレの性別どうする!? 大論争！バスルーム法

バスルームとはトイレのこと。2016年にノースカロライナは、「公衆トイレ利用は出生証明に記載された性別に準じて男女で分かれる」との条例を制定。これが性的マイノリティーの権利を脅かし差別的だとする批判が起き議論になりました。後に法律は撤回されますが、心の性とトイレ利用の本質的な議論は避けられたままです。

Bank of America前のLGBTQ+権利デモ（シャーロット、2019）

南北戦争とその後の復興を戦い続ける州

サウスカロライナ州

基本情報		
人口	528万2634人（第23位）	
面積	8万2933km²（第40位）	
GDP	2264億2000万ドル（第25位）	
州名	カロライナはイングランド王のチャールズ一世、二世に由来する	

一歩進んで二歩下がった戦後

　南北戦争の時に最初に連邦を抜けた州で、その初戦とされるサムター要塞の戦いが起きた州です。奴隷を働かせ、藍やコメや綿花の大農場が生み出した栄華と豪奢は、人々を真っ先に連邦離脱に駆り立てるほど失い難いものだったといわれます。

　しかし圧倒的な工業力を持つ北部自由州を前に南北戦争で敗北。戦前の生活は一変し、サウスカロライナは焦土から再建を図ります。多くの元奴隷や資産を失った白人は小作人になるよりほかなく、また派閥争いと政治取引の末に北部州も再建から手を引きます。すると白人勢力が復活し、黒人を合法的に差別する一連の「ジム・クロウ法」を制定。産業的にはタバコと綿花がある程度復活し、繊維業を成長させました。

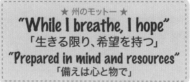

★ 州のモットー ★
"While I breathe, I hope"
「生きる限り、希望を持つ」
"Prepared in mind and resources"
「備えは心と物で」

★ 州の鳥 ★
Carolina Wren
チャバラマユミソサザイ

❶ デニーズ本社
カリフォルニアで創業し、この州の会社の子会社になった時期に本社をスパータンバーグに移しました。同市の一際高いビルがそれです。

❷ カタウバ・イヤリング
昔は多くの部族がいたものの、今も残っているのはカタウバなどごく一部になってしまいました。その文化は口承文芸と手工芸に生きています。

❹ コンガリー国立公園
場所はコンガリー川沿い。キャンプ可能ですがグリル禁止で、こんがり肉を焼くのはNGです。南国の花バタフライピーが夏に咲きます。

❸ モモ
温暖な気候でお隣ジョージアとともに名産品。北部ガフニーが名産地で、モモオブジェ（貯水塔）を地元っこはお月様と呼びます。

❺ マグノリア農場
南部でも古い歴史を持つプランテーションで、20世紀初頭から代々庭園を守っているのは、アフリカ系の庭師の一族リーチ家の人々です。

❻ フォート・サムター
南北戦争の口火が切られた要塞で、奴隷貿易で栄えたチャールストン港の近くです。初戦に勝利したのは地の利がある南軍の方でした。

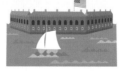

❼ フロッグモア・シチュー
ソーセージ、エビ、トウモロコシを塩と香辛料で煮た沿岸部（ローカントリー）の郷土料理です。食べるのは具だけでスープは捨てます。

❽ ガラ
複数の言語が飛び交う貿易港で、独自に発展したアフリカ系の人々の文化や言語のこと。コロナ禍に中止されたビューフォートのガラ祭が2023年に復活しました。

❾ パリス島海兵訓練所
ブート・キャンプなどの厳しい訓練で知られ、映画『フルメタル・ジャケット』の舞台になって、劇中の新兵がひどいことになりました。

1729年
イギリスが設立したカロライナ植民地が北と南に分割され、サウスカロライナが誕生

1822年
奴隷から脱することに成功したデンマーク・ヴェシーが反乱を計画するが発覚

1860年
年末に連邦からいち早く脱出し南部連合加盟。翌年、4年にわたる南北戦争が勃発

1877年
南北戦争後に連邦軍が駐留し、連邦政府が政治に介入した再建期が終わる

1933年
1960年代にファンク旋風を巻き起こすジェームズ・ブラウンが生まれる

1957年
アフリカ系テニス選手のアリシア・ギブソンがウィンブルドンを制覇する

主要都市 チャールストン

1670年設立で、英国王チャールズ二世にちなみ当初チャールズタウンと名付けられました。入植者とともにアフリカ系の奴隷が連れて来られ、南北戦争前までは奴隷貿易で最も栄えた街の1つになりました。戦後は復興が遅れた反面、古い街並みが残り観光地として人気に。

州都 コロンビア

1786年に州都として設立が決まり造られた街で、南北戦争中は南軍の物資輸送拠点でした。北軍シャーマン将軍が街を焼き、大砲の着弾箇所が州議事堂の壁にブロンズの星でマークされています。戦後再建され、行政施設と産業が周辺で復活、工業製品と農産物が集まる物流拠点として大きく発展しました。

南部プランテーションの貴族的な文化と慣習

アメリカ初のゴルフ
18世紀後半のチャールストンがその場所（諸説あります）。当時の豊かさを象徴しています。

アメリカ初のオペラ
18世紀前半にチャールストンで開演された『フローラ』が初です。それほどの富がありました。

黒人奴隷の使役
ゴルフやオペラを楽しむ余裕ができたのは、奴隷を働かせてその利益を搾取していたからでした。

この州が輩出した個性的な政治家（全員共和党）

「大統領に私はなる！」

ニッキー・ヘイリー
州初となる女性かつマイノリティー（インド系）の州知事として活躍した後に国連大使も務めました。

「すぐに謝ったじゃん！」

ジョー・ウィルソン
議事堂で演説中のオバマ大統領（当時）に「嘘つき」とやじを飛ばしニュースになった下院議員です。

「つい嘘ついちゃった」

マーク・サンフォード
不倫旅行が発覚して州知事を辞任したものの、2013年に下院議員に当選して政界カムバック。

くびきが緩み始めた21世紀

黒人差別を合法とする社会と、南北戦争敗北に始まる経済的困難は、20世紀半ばに転機を迎えます。第二次世界大戦と朝鮮戦争の特需で、繊維のほか化学と製紙が急拡大、港湾の整備も進みました。そして都市部で中間層が出現すると公民権運動が胎動、1964年に公民権法が制定され法律上の差別が撤回されます。20世紀後半から21世紀にかけては、自動車産業（BMW）、航空産業（ボーイング）が成長。さらにチャールストンの街並みや沿岸のビーチが観光客に人気となり、比較的貧しい農業州と呼ばれた頃から変わってきています。

COLUMN
人種差別の象徴!? 南軍旗撤去騒動

2015年にチャールストンの教会で銃乱射事件が発生。その容疑者は南軍旗を白人優位のシンボルとして使いました。これを受けて半世紀にわたり州議事堂に掲げられていた南軍旗が撤去されます。しかしこれを快く思わない人もいます。アメリカ南部には南軍として戦った歴史を誇りにしている州民も一定数います。

州議事堂で南軍旗撤去に抗議する活動家（コロンビア、2017年）

紆余曲折の歴史の上にプレスリーを送り出す

テネシー州

基本情報		
人口	705万1339人(第15位)	
面積	10万9153k㎡(第36位)	
GDP	3677億7600万ドル(第17位)	
州名	チェロキー族の村があった地名から来ているが意味は伝わっていない	

州民は小作人から工場勤務に

　中部と西部に綿花農場が多かったため、北軍に入るべしとの声が抑えられ、南軍に身を投じた州です。南北戦争後の再建期を経て他の南部同様に人種差別が復活。アフリカ系や貧しい白人は小作農として綿花やタバコやトウモロコシを栽培し、20世紀前半まで農業が経済の主体でした。

　工業州になれたのは、大恐慌(1930年代)以降に、連邦政府によるバラマキ政策「ニューディール」の一環でテネシー川流域開発公社(TVA)ができたからです。TVAはテネシー川に50以上のダムを建設して雇用を生み出し、完成後の水力発電が工業を育てました。そしてテネシーは第二次世界大戦の軍需景気へと突入し、現代ではEVに取り組んでいる堅調な自動車産業が生まれました。

★ 州のモットー ★
"Agriculture and commerce"
「農業と商業」

❶ グランド・オール・オプリ

エルビス・プレスリーも出演したことがある1925年以来続くカントリーミュージックのラジオショー。音楽の街ナッシュビルのシンボルです。

❷ スコープス裁判

1925年に進化論を教えようとした教師が、キリスト教原理主義派に訴えられた裁判。三匹の猿の絵入りで新聞が伝え全米の話題をさらいました。

❸ コーデル・ハル

日本ではハル・ノートで有名な国務長官はテネシー北部出身です。戦後は国連創設に関わりノーベル平和賞を受賞しています。

❹ オークリッジ国立研究所

原子爆弾の開発を目指すマンハッタン計画の際にできた機関です。現代も原子力研究者を養成していますが火事が起きたりします。

❺ ノリスダム

国策会社テネシー川流域開発公社(TVA)がテネシー川に大量に造ったダムの第一号です。建設事業と水力発電により近隣州まで潤いました。

Kingsport●　　●Bristol
Johnson City●

★ Nashville ❶

Cumberland River

Mississippi River

Tennessee River

❺
Knoxville
❹

❸

❽
❼

❷

Chattanooga ❾

◎Memphis
❻

★ 州の鳥 ★
Mockingbird
モッキンバード

❻ プレスリーの街

メンフィスといえばエルビス・プレスリーを世に送り出した音楽の街でありながら、名物であるポーク・リブで知られるBBQの街です。

❼ ジャック・ダニエル

立派な髭の創業者が世界に広めたテネシー・ウイスキーです。実はお酒だけではなく、美味しいBBQソースも製造しています。

❽ ウォーキングホース

州南部で育てられたサラブレッドではないお馬さん。独特の四拍子のリズムで走ります。穏やかな性格が大きな農場などで好まれました。

❾ チャタヌーガ・チューチュー

グレン・ミラーのビッグバンドが発表したジャズの名曲です。タイトルはシンシナティ発チャタヌーガ行きの汽車から取られています。

1540年
スペイン人探検家エルナンド・デ・ソトが金を探しに来たが無かったので帰った

1763年
フレンチ・インディアン戦争にイギリスが勝ち、ヨーロッパ人の入植が加速する

1780年
独立戦争中のキングスマウンテンの戦いでテネシー兵が奮戦し英国を苦しめる

1829年
テネシーが送り出したアンドリュー・ジャクソンが第7代大統領に就任する

1838年頃
ネイティブ・アメリカンのチェロキーを現オクラホマまで徒歩で強制移住させる

1865年
南軍として参加した南北戦争で敗北

私は米英戦争で戦い英雄といわれた。住んだのはナッシュビルです

堅い古木「オールド・ヒッコリー」が二つ名

アンドリュー・ジャクソン

さすがです先輩。大統領になったのは1829年で第7代ですよね！

僕が11代大統領になったのは1845年！

ジェームズ・ポーク

君はアメリカの領土をカリフォルニアまで拡大してくれたらしいな

君こそジャクソン・デモクラシーの後継者だ

アンドリュー・ジャクソン

主要都市 メンフィス

1819年設立の綿花市場と交通の要衝で、南北戦争中は北軍の支配下に入り、1960年代にキング牧師が暗殺された街です。といってもこの街を有名にしたのは音楽です。ビールストリートでブルースが響き、B.B.キングといった伝説的ミュージシャンを多数輩出しました。

州都 ナッシュビル

州都になったのは1843年。続く南北戦争では戦略上の要衝とされ、戦後は医療、教育、銀行業などが成長しました。といってもこの街のアイデンティティは音楽です。グランド・オール・オプリやカントリー・ミュージックの殿堂などの施設があり、「アメリカの音楽の都」の称号を持っています。今もアーティストの卵の聖地です。

テネシーの3つの地域的特色

テネシーのような横に長い州はアメリカでは少数派で、概して地勢が豊か。州民は「私たちの州は大まかに3つに分かれる」といいます。イースト（東部）と、ミドル（中部）と、ウェスト（西部）です。この3つの地域は地理的に異なる特徴を持っており、経済と文化と社会の特色に違いがあります。

肥沃な土を持った平べったい土地で、かつて綿花を栽培するプランテーションが盛んだった

平地と丘陵が交互に並んでいて、伝統的に農業と商業がバランス良く成長してきた地域

グレートスモーキー山脈やカンバーランド高地があり、山岳地帯としての伝統と文化がある

ウェストテネシー
中心地：メンフィス

ミドルテネシー
中心地：ナッシュビル

イーストテネシー
中心地：チャタヌーガ、ノックスビル、キングスポート

我が州の英雄、テネシー・ボランティアーズ

1812年戦争の義勇兵
独立後のアメリカとイギリスが戦った戦争でこの州の義勇兵（ボランティアーズ）が活躍。

デイビー・クロケット
テネシー出身の軍人で、政治家になりましたが軍人に戻り、アラモの戦いで戦死した強者。

テネシー大アメフト部
地元っ子に大人気のチーム「ボランティアーズ」は、偉大なる先人からもらった名前。

COLUMN
マンハッタン計画、極秘施設K-25工場

濃縮ウランが生産された秘密工場です。冷戦期まで核兵器製造に携わっていました。創業停止は60年代から80年代頃とされ、その後数十年にわたって除染と廃炉作業が行われたといわれます。2015年にはマンハッタン計画国立歴史公園の開園に合わせて、K-25バーチャル博物館がネット上にできました。

1947年に撮影された秘密工場K-25の全景写真

古き良きケンタッキーの歴史

　昼は真っ黒になり「石炭」を採掘、夜は安ソファで「フライドチキン」と「タバコ」と「バーボン」を楽しむ。ラジオで「ブルーグラス音楽」を聞きながら、5月の「ダービー」で勝つ夢を期待してまどろみへ。名物を並べるだけで哀愁を感じさせる州です。

　ネイティブ・アメリカンの土地へ、18世紀にカンバーランドギャップの峠を通り、西への道を切り拓いた開拓者ダニエル・ブーンらが入植。1792年にアメリカの15番目の州となった頃には、奴隷を使う大農場主と、そうではない小規模農家がいました。このため南北戦争で忠誠心は二分され、北軍自由州に属しながら、親南軍の人々も大勢いました。むしろ州民意識は南軍寄りで、戦後になると北部州との経済競争を戦います。

❶ フォートノックス　金保管庫

アメリカ財務省が管理しており、国の準備「金」が額にして二千億ドル以上分も眠ります。昨今のインフレで価値がさらに上昇中です。

❷ ケンタッキー・ダービー

ルイビルのチャーチルダウンズ競馬場で開催されるクラシック三冠レースの初戦。サンデーサイレンスが1989年に勝利しています。アメリカでは1973年に勝利したセクレタリアトが語り草。

❸ バーボンの街

麦とトウモロコシの原酒を使うウイスキーで、バーズタウンに蒸留所が集まっています。なおこの州は酒販売を禁止する郡もあります。

❹ リンカーンの生家

リンカーン大統領が仕事をしていたのはイリノイですが、生まれはこの州のホーゲンビルの街です。幼少期は丸太小屋で暮らしていました。

★ 州の鳥 ★
Cardinal
ショウジョウ
コウカンチョウ

❺ ジェファーソン・デイビスの生家

南軍の大統領を務めた彼が、北軍総大将リンカーンと同じ州に生まれたのは運命の皮肉でしょうか。生地は南西部フェアビューです。

❻ マンモスケイブ

全長650kmに達する世界遺産の洞窟群。行方不明になったネイティブ・アメリカンの魂がいまだ彷徨っているなど怪談話の宝庫でもあります。

❼ レンフロバレー・バーンダンス

バーンダンスという村祭りの素朴な踊りから発展したカントリー音楽のラジオ番組で、アメリカで2番目に長い歴史を持つとされます。

❽ KFC初号店

最初はガソリンスタンドに併設されたレストランでした。「カーネル」はおじさんの名前ではなく、州から与えられた立派な称号です。

❾ カンバーランドギャップ

険しいアパラチア山脈の切り通しで、ここを通りケンタッキーに入植したのが、伝説の開拓者ダニエル・ブーンの一行といわれています。

17世紀	18世紀初頭	1750年	1769年	1792年	19世紀後半
古代から先住民が住んでいたこの地に、フランスやスペインの探検家が訪れた	カンバーランドギャップを通った商人らがアメリカ東部から来るも入植せず	医師トーマス・ウォーカーがこの地の南の境界「ウォーカーライン」を設定	開拓者ダニエル・ブーンとその家族らがカンバーランドギャップを通り入植	バージニアから分離独立する形でケンタッキー州が成立し連邦の仲間に	南北戦争後に人心が荒れ、ハットフィールド家とマッコイ家の抗争が起きる

1章 東海岸
2章 南部
3章 五大湖 中西部
4章 西部、西海岸 海外領土
5章 アメリカはどんな国？
巻末資料

主要都市 ルイビル

18世紀後半に設立された州第一の都市です。オハイオ川の水運にめぐまれ、タバコと奴隷貿易とバーボン産業で発展しました。やがて製造業や医療分野も伸長していき産業が多角化。毎年開催されているケンタッキー・ダービーが国内外の競馬ファンを集めています。

州都 フランクフォート

開拓者フランク氏が浅瀬（フォード）で小競り合いに巻き込まれ死んだ事件があり、フランクズ・フォードが転じて街の名になりました。議事堂が2度焼失、南北戦争で南軍が占領、1937年の洪水で被害を受けましたが、ブルーグラス地域の中心としてタバコとトウモロコシと馬、自動車部品とバーボンを作ります。

ケンタッキーの地理的な区分

アメリカでも少数派である横長の州ケンタッキーは5つの地勢に分かれています。歴史的、地理的なケンタッキーの中心は「ブルーグラス」で、ここに都市が点在しています。その周辺の「ペニーロイヤル」は森に覆われた自然豊かな丘陵で、マンモスケイブもここにあります。

西部「ジャクソンパーチェイス」はミシシッピ川沿いの低地。東と西の「コールフィールド」は、その名の通り州経済を支えた石炭が出る土地です。

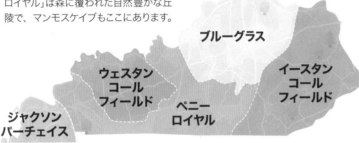

ブルーグラス
ウェスタン コールフィールド
イースタン コールフィールド
ペニー ロイヤル
ジャクソン パーチェイス

ケンタッキーの偉人たち

先住民は強かったな、いや本当に

伝説の開拓者 ダニエル・ブーン

先住民による攻撃を耐え忍んでこの州で最初の町「ブーンズボロ」を作った開拓の父です。

想像力のないやつに翼は持てない

不屈の闘志 モハメド・アリ

幼い頃から差別にさらされ、それとも闘った偉大なヘビー級ボクサー。ルイビル出身です。

女だからって馬鹿にしないでよね

反骨の歌姫 ロレッタ・リン

炭坑労働者の家庭に生まれたシンガーで、カントリー音楽に社会派の歌詞を取り入れました。

古き良きケンタッキーの産業

伝統的に農業が強く、特にタバコが中心でした。この州を象徴する「ブルーグラス」が初夏に青い花をつける牧草地は、馬の繁殖の中心地となります。18世紀に造られ始めたバーボンウイスキーは、主要産業にまで成長し、地元消費だけでなく世界中に輸出されるようになりました。19世紀に入ると、東部のアパラチア地方を中心に石炭採掘が盛んになります。しかしこの黒いダイヤは、労働争議や環境問題にも火をつけました。一方で、近年は自動車製造やヘルスケアへの投資も盛んで、産業多角化が進んでいます。

COLUMN

減りゆく緑の畑 ケンタッキーのタバコ

郊外の農地でかつてよく目にした黄色のタバコの葉

紙巻きタバコ用のバーレイ、葉巻用のダークはケンタッキー農業の中心でした。しかし現代では、健康への懸念、国際競争激化、そして連邦政府の政策転換により農場が減少しています。農家はマリファナなど代替作物を作付けしていますが、牧歌的なタバコ納屋に人々が心を動かされるように、その歴史的価値は依然として影響力を持っています。

南北戦争

後の歴史に多大な影響を及ぼすことになる内戦

19世紀半ばのアメリカは、奴隷を必要としない北部と、奴隷制を維持する南部の間の対立に悩まされるようになります。北部にも植民地時代は奴隷制がありましたが、独立後に工業化が進み、国内外から近代的な工場労働者を求めるようになりました。一方の南部は綿花輸出が主力で、大規模なプランテーションは奴隷なしでは立ち行かない状況でした。

アメリカの独立以来続く、州の独立性を重視する反連邦派と、連邦政府の権限拡大をめざす連邦派の反目も、意見が合わない両者の対立が激化した背景になっています。そうしたなか、奴隷制を告発する小説『アンクル・トムの小屋』がベストセラーになり、奴隷制に批判的な共和党のリンカーンが大統領に当選すると、ついに南部の諸州は合衆国からの脱退を決めます。北部はこれを認めず、南北戦争が勃発しました。

緒戦では士気の高い南軍が勝利したものの、最終的に人口や産業基盤で優位に立つ北軍が南軍を打ち破りました。

リンカーンが果たした役割

リンカーンは南部の分離独立を許さず、合衆国はひとつという姿勢を保ち続けました。また奴隷解放宣言により、南北戦争の大義が奴隷制の廃止であることを明確に示しました。こうした彼の理念は、北軍を勝利に導くだけでなく、その後のアメリカ人の国家観にも影響を与えました。

リンカーンの名演説

分かれたる家は立つこと能わず。
A house divided against itself, cannot stand.

人民の人民による人民のための政治。
Government of the people, by the people, for the people.

アメリカ南北戦争地図

NH : NEW HAMPSHIRE
VT : VERMONT
MA : MASSACHUSETTS
RI : RHODE ISLAND
CT : CONNECTICUT
NJ : NEW JERSEY
DE : DELAWARE
MD : MARYLAND

北部自由州（アメリカ合衆国）

境界州
地理的に南北の境にあり、少なからず奴隷がいたものの北部自由州の側に立った州です。州内が北軍派と南軍派に分かれ、闘争したり両派に出兵したりしました。

ネバダ
金と銀を欲した合衆国政府の働きかけにより1864年に北軍自由州に加盟しました。

州として加盟していない地域

南部奴隷州（アメリカ連合国）

🅐 サムター砦の戦い（1861）
北軍が駐屯していたサウスカロライナ州チャールストン沖合のサムター砦を、南軍が砲撃。この戦いを契機に南北戦争が勃発しました。

🅑 第1次ブル・ランの戦い（1861）
初めて大規模な戦闘が行われ、激戦の末に南軍が勝利。首都ワシントンD.C.の至近距離での敗北は、北部諸州に衝撃を与えました。

🅒 アンティータムの戦い（1862）
半島作戦で勝利し、勢いに乗る南軍は北部へ侵攻しますが、アンティータムで北軍に阻まれて撤退。戦局は大きな転換点を迎えます。

🅓 ゲティスバーグの戦い（1863）
両軍の主力軍同士による激戦を北軍が制し、北軍の優位が決定的となりました。戦いの後、戦没者墓地の落成式で、リンカーン大統領は有名なゲティスバーグ演説を行います。

東海岸 1章
南部 2章
五大湖・中西部 3章
西部、西海岸・海外領土 4章
アメリカはどんな国？ 5章
巻末資料

無条件降伏したまえ！

ユリシーズ・グラント

ゲティスバーグの戦いの後にリンカーンによって総司令官に抜擢され、南下作戦を指揮。北軍勝利の立役者となりました。戦後の1869年には大統領に就任しますが、汚職事件により人気は急落しました。

北軍総司令官

致し方なし…

ロバート・リー

バージニア州出身。もともと南部の分離独立に反対していましたが、州から要請を受けて南軍への参加を決意します。兵力で劣る南軍を率いて何度も北軍に勝利を収め、名将としてその名を轟かせました。

南軍司令官

薙ぎ払え！

ウィリアム・T・シャーマン

北軍の西部方面司令官としてアトランタへ侵攻。産業施設や鉄道、港を破壊する「焦土作戦」を実施して南軍に大打撃を与え、戦争の終結を早めたとされています。近代戦の創始者として歴史に名を残しました。

北軍司令官

戦争の結果❶：北軍勝利

　ゲティスバーグの戦いの後、南軍は1年半以上抗戦しましたが、北軍のシャーマン司令官による焦土作戦で次第に追い詰められます。1865年、南軍のリー将軍はアポマトックスの戦いで追い詰められ、降伏しました。グラント将軍はリー将軍と面会し、南軍兵士への寛大な処置を約束します。なお、その後も小規模な抵抗は続きました。

4/9

米墨戦争では一緒に戦いましたね…

昔の話はよしましょう…

兵を捕虜にはしません、どうぞ故郷へ戻ってください

ありがたい

兵は馬を連れて帰っても？

わかりました。農場では馬が必要でしょうから

戦争のその後：南部のリコンストラクション（再建）

　戦後処理と再建は、南部に配慮した形で行われました。やがて旧来の政治家が復権し、黒人差別はその後も根強く残ることになります。

分断が続いてはいけない	南部ともよろしくやろうよ	南部を厳しく罰せよ	どうせ南部人は黒人の権利を認めない

対立

亡きリンカーン（北部育ち 共和党 ハト派）
奴隷制の廃止と自由の権利を認めます。南部とも和解する方針で、南部が連邦に戻ることを切望しました。

後任のアンドリュー・ジョンソン（南部出身 民主党 ハト派）
南部に強い自治を認めます。このため復権した南部の政治家が黒人の自由と権利を認めない方向に走ります。

急進的共和党（激怒 タカ派）
南部の政治力を弱めるため、南部に連邦軍を駐留させて実権を握ります。黒人の権利を認める憲法修正14条を推し進めます。

だがしかし…

1877年の妥協
大統領選挙で北側の候補を勝たせるために、北は南から手を引くという政治取引が行われます。

南部の政治家が本格的に復権し、黒人差別が復活します。合法化された差別は百年弱続きます。撤廃されたのは1960年代です。

戦争の結果❷：リンカーンの暗殺

　リー将軍の降伏からわずか5日後にリンカーンは劇場で狙撃され、亡くなりました。撃ったのは南部の独立を支持する俳優、ジョン・ウィルクス・ブースでした。アメリカの大統領が暗殺されたのは初めてのことで、国民に衝撃を与えました。副大統領のアンドリュー・ジョンソンが後任の大統領となりました。

4/14

大統領の暗殺を伝えるフィラデルフィア・イブニング・テレグラフ紙。狙撃犯ブースの似顔絵が掲載されています。

南部貴族社会が風と共に去った州
ジョージア州

基本情報		
人口	1091万2876人（第8位）	
面積	15万3910km²（第24位）	
GDP	5912億5700万ドル（第8位）	
州名	イングランド王ジョージ二世が名付ける	

ジョージアの戦後復興

アトランタ出身のマーガレット・ミッチェルは『風と共に去りぬ』で、南北戦争敗北による南部貴族社会の崩壊を書きました。彼女自身は続編を書かず主人公らの後日談は不明ですが、歴史をたどると孫の代あたりで報われたように想像できます。

南北戦争後は交通の要衝アトランタを中心に工業化と復興の道を歩みます。特に第二次世界大戦特需がこれを加速させました。さらに金融や不動産、建設や運輸、公共事業などのサービス業が育ち、20世紀末にアトランタ五輪を開催、南部きっての経済成長を果たします。途中1960年代はアフリカ系が公民権運動を展開しており、熱い血潮の『風と共に去りぬ』の孫たちなれば常識を破り、果敢に運動に関わったかもしれません。

★ 州のモットー ★
"Wisdom, justice, and moderation"
「知恵、正義、節度」

❶ ジョージア・ゴールドラッシュ
北部の街ダロネガの名は先住民の言葉で黄金を意味します。ここで1828年に金が発見されアメリカ最初の狂騒が起き、すぐ収束しました。

❷ ストーン山の南軍英傑レリーフ
南軍を象徴するリー将軍らが山肌に彫られた史跡です。1972年からここにありますが、近年は南軍のシンボルだとして批判を集めています。

❸ オーガスタ
毎年4月にゴルフの祭典「マスターズ」が開催されます。そのゴルフクラブは格式が高く、キャディーは白いつなぎを着る決まりがあります。

❺ シャーマンの進軍
南北戦争で北軍シャーマン将軍はアトランタ・サバンナ間を焼き尽くす焦土作戦を決行。戦争終結を早め、戦後復興を困難にしました。

❻ ビダリア玉ねぎ
ビダリア近郊でたまたま見つかった甘い玉ねぎで、アメリカンテイストなマスコットキャラが4月の玉ねぎ祭りで宣伝を担当します。

❹ フラナリー・オコナー
南部の田舎に住む善人が大体ひどい目に遭う話を書いた短編小説の名手。アンダルシアにある母親の農場で療養しながら執筆しました。

❼ オケフェノキー湿地
フロリダまで広がる泥炭で満たされた湿地帯。公園になっていて豊かな生態系を肌で感じつつ、よく見るとかわいいワニに出合えます。

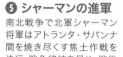

❾ ジミー・カーター
ピーナッツ農家から出世した第39代大統領。中東和平に貢献するも穏健ゆえ共和党から弱腰と非難されました。2023年10月時点で99歳。

❽ 旧フォート・ベニング
10万人以上が暮らす全米最大級の陸軍基地。南軍の将軍の名から取られていたため、人種差別的とされ近年改称。今の名はムーア基地です。

★ 州の鳥 ★
Brown Thrasher
チャイロツグミモドキ

Alpharetta
Marietta
Athens
Atlanta
Augusta
Macon
Columbus
Savannah
Brunswick
Atlantic Ocean

1章 東海岸

2章 南部

3章 五大湖・中西部

4章 西部・西海岸・海外領土

5章 アメリカはどんな国？

巻末資料

年表

1733年
英国人ジェームス・オグルソープが困窮者の新天地としてジョージア植民地設立

1861年
アメリカから離脱し、南軍奴隷州の一員として南北戦争に突入。初戦は勝っていた

1864年
北軍のシャーマン将軍がジョージアで焦土作戦を実施。民間施設までもが焼失

1886年
アトランタの薬局でコカ・コーラが発売される。値段はたったの5セントだった

1937年
マーガレット・ミッチェルが『風と共に去りぬ』でピューリッツァー賞を受賞

1996年
アトランタで夏季五輪が開催。200万人の見物客が訪れて盛り上がる

主要都市 サバンナ

ジョージア植民地の創設者が1733年に設立した港町です。奴隷農場発展とともに成長しますが南北戦争で占領下に。シャーマン将軍は降伏したサバンナを破壊せず、「クリスマスプレゼントとして贈る」とリンカーンに打電、このため今も古い街並みが残り観光客に人気です。

州都 アトランタ

ジョージア州第一の都市です。アパラチア山脈南端に位置していたため、19世紀前半から半ばにかけ鉄道のハブとして発展しました。南北戦争で焼き払われますが、戦後の再建期には行政の中心地となり、3つの国際博覧会開催を契機に商業都市として復活。20世紀末には夏季五輪が開催され、南部復活の希望の星として輝きました。

南部の文化といえばこれ

自分の家だと思ってゆっくりしてね！

"Hey, y'all"（あんたさんら）、"Let's get goin"（行くで〜）

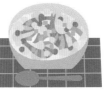

プレーンのほかにエビや野菜を入れることもあります

サザン・ホスピタリティ

人情と温もりにあふれる「南部のおもてなし」。「一見さんお断り」の対義語といえそうです。

南部なまり

アメリカ英語の方言で母音が長いなどの特徴があります。まるで関西弁のような温もり。

グリッツ

南部料理の代表格の1つです。トウモロコシ粉を煮込んだお粥で朝ご飯に出たりします。

アトランタの有名大企業

コカ・コーラ

19世紀末に薬剤師ペンバートン博士が発明しました。アトランタは創業地で本社があります。

CNN

1980年に24時間放送局としてできたケーブル・ニュース・ネットワーク（頭文字はCNN）。

ホームデポ

1978年創業の世界最大手のホームセンターチェーンで、本社があるのがアトランタです。

世界を変えたキング牧師

1929年にアトランタで生まれました

重要なことに沈黙した日に人生は終わり始めます

憎しみで憎しみを払うことはできません

自由は与えられるものではありません

キリスト教とガンジーの教えに触発されて非暴力抵抗を唱え、持ち前の巧みな弁舌で公民権運動の旗手に。一連の活動の末にワシントンD.C.で行った大行進と、「I Have a Dream」の演説で国民の心に火を付け、1964年の公民権法と翌年の投票権法でアフリカ系黒人は奪われていた権利を取り戻しました。その後1968年に暗殺されますが、今も毎年キング牧師記念日が祝われています。

COLUMN
オコナーの短編に登場 ローン・ジョッキーとは？

写真はローン・ジョッキーの白人像

ローン・ジョッキー（芝生の騎手）は馬を留め置くため前庭に置かれた像。白人像もありますが、当初はアフリカ系黒人像が大半でした。あまりに誇張された姿は、人種差別的な意図はないと言われても無理があり、根深い差別の象徴として今は博物館などで展示されています。アトランタが舞台のオコナーの短編『人造黒人』のラストに登場します。

フロリダ州

基本情報		
人口	2224万4823人（第3位）	
面積	17万312km²（第22位）	
GDP	1兆709億3000万ドル（第4位）	
州名	スペイン人探検家がスペイン語で「花の咲く復活祭」と名付ける	

もはや国家規模の人口と経済

　アメリカ本土における南のリゾート「バケーションランド」と位置付けられます。旅行者に加え多くの移住者が集まり、今や人口が二千万を超えます。GDPは1兆ドルを超え、国家規模の巨大さです。

　最大の収入源はイメージ通り観光業。ディズニーワールドに代表されるテーマパークや白砂のパームビーチだけでなく、ヘミングウェイもはまった釣りや狩猟など、あらゆる遊びが楽しめます。観光は20世紀初頭の不動産ブームに端を発しており、16世紀のスペイン入植まで遡る柑橘類の栽培ほどではないにせよ、百年の歴史を持つ分野です。ほかに州北部の林業や、近隣南部州ほど早い成長を見せてはいないものの、ハイテク製造業も雇用を生んでいます。

★ 州のモットー ★

"In God We Trust"

「我らは神を信じる」

❶ サンマルコス砦

スペイン人が17世紀後半に造ったアメリカ最古級の砦。複雑なフロリダ史を反映し主人を数度変え、一時は監獄にすらなりました。

❸ ケープ・カナベラル

地球の自転の力をうまく利用できる赤道に近いためミサイル発射場となりました。その後ケネディ宇宙センターができてロケットを発射した砂洲。

❻ ウェストパームビーチ

この有名なリゾートの開発者はフロリダの鉄道とホテル事業を主導したヘンリー・M・フラグラー、スタンダードオイル共同創設者です。

❷ デイトナ500

ストックカー（市販車を模した車）で競うNASCAR（ナスカー）レースです。名作ゲーム「デイトナUSA」で馴染みがある人もいるでしょう。

❹ ディズニーワールド

オーランド市郊外にある山手線の内側よりでかい遊園地群。テーマパークのほか、ゴルフ場や野球場やサーキットなどもあります。

❼ マイアミビーチ・コロニーホテル

20世紀前半に流行したモダンなアールデコ様式のホテルで、マイアミ市街に近いマイアミビーチにあります。価格は割とリーズナブル。

❺ タンパ市海賊祭り

18世紀後半から19世紀にかけ暴れたカリブの海賊ホセ・ガスパールが、タンパ市を侵略するという設定のお祭り。普段は真面目な会社員もこの日は海賊に扮して街を練り歩きます。

❽ ヘミングウェイ

キーズ諸島をつなぐ約180kmの洋上道路の先はこの州最南端のキーウェスト。ヘミングウェイが『武器よさらば』を執筆した小さな楽園です。

❾ ペンサコーラ

スペイン、フランス、イギリス、再びスペイン、アメリカと5つの旗が翻った歴史ある美しいビーチの街。近くに海軍基地があります。

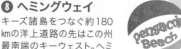

★ 州の鳥 ★
Mockingbird
モッキンバード

（地図中の地名）
❾Pensacola　★Tallahassee　Jacksonville
St. Augustine ❶
Daytona Beach ❷
Orlando
❹　❸ Cape Canaveral
Clearwater　❺ Tampa　Atlantic Ocean
Sarasota
Gulf of Mexico
West Palm Beach ❻
Naples
Miami
❼
Pensacola Beach
Key West ❽

東海岸	1章
南部	2章
五大湖・中西部	3章
西部・西海岸・海外領土	4章
アメリカはどんな国？	5章
巻末資料	

1944年
薬剤師のグリーン氏が日焼け止め（後のコパトーン）をマイアミで開発する

1962年
ジョン・グレンがマーキュリー計画で宇宙へ、アメリカ人初の軌道宇宙飛行を達成

1971年
5年にわたる建設期間を経てウォルト・ディズニー・ワールド・リゾートが開園

1980年
キューバからフロリダに大勢の難民が押し寄せる（マリエルボートリフト事件）

2000年
共和党のブッシュと民主党のゴアが法廷闘争に及ぶ熾烈な大統領選を繰り広げる

2017年
ハリケーン・イルマが9月に来襲し、フロリダ史のなかでも最悪の被害が出る

昔はここにセミノールという先住民がいてアメリカに抵抗したんだ

私は軍を率いて彼らと戦ったことがあるぞ

アンドリュー・ジャクソン

大先輩の活躍があったから現在のフロリダがあるわけなんですね

私の名前が付けられた宇宙センターがあります

ジョン・F・ケネディ

我がフロリダが宇宙へつながるとは驚きだ

実は私はフロリダ準州の最初の知事になった、一時的だがね

アンドリュー・ジャクソン

![主要都市の写真]

（主要都市）ジャクソンビル
先住民が住んでいた所へ16世紀半ばにフランス人が砦を造り、そこをスペイン人が攻略した後アメリカ領になった古い歴史を持つ港街。名前はアンドリュー・ジャクソン大統領から取られています。重要な軍港でもあり第二次世界大戦ではドイツのUボートに攻撃されました。

（州都）タラハシー
当時のフロリダの二大都市、東のセント・オーガスティンと西のペンサコーラの中間地点を、1824年に準州の州都と決めて設立された街です。南北戦争では、この地が前線から離れていたため一時的に南軍の首都に選ばれました。戦後、20世紀に入ると州立大学などが設立され、地域の教育、産業、行政の中心になりました。

フロリダの特産品と産業

グレープフルーツ
中央部と東海岸はオレンジやグレープフルーツの栽培が盛んな所（シトラスベルト）です。

リン鉱石
化学肥料になるリンが中央部の西寄りで採掘。生産量は減少中ですがまだまだ重要です。

旧サイプレスガーデン
1936年に開園した庭園でフロリダ最古参のテーマパーク。レゴランドが買収し一部が存続。

変化するフロリダ州民のバランス感覚

●近年の州知事の所属政党

5対5で拮抗している。近年はやや共和党が多い

37代　38代　39代　41代　42代

40代　43代　44代　45代　46代

民主党　　　▲　　　共和党

俺はネットミームのフロリダマン。多様なフロリダは変わり者も受け入れるぜ。

ENQUIRER

地理的に近いためヒスパニックやラティーノ（中南米出身者）が多く、特に19世紀半ばに押し寄せ一定数根付いたキューバ系が割と保守とされます。一方都市に流入中のラティーノは民主党支持派も少なくありません。人種多様性が高いフロリダは両党の接戦が起こりやすい州です。

反デサンティス知事の若者 LGBTQ+と抗議活動

2019年から現職で、2024年大統領選挙への出馬が話題となった共和党デサンティス知事はごりごりの保守派。中絶禁止法、「ゲイと言うな法」と揶揄されるLGBTQ+教育規制で知られ、性的少数派に寛容だとしてディズニーと大げんかをしました。リベラル寄りの大学生からは不人気で彼と彼の主張に対し抗議活動が展開されました。

デサンティス州知事に抗議する学生（タンパ、2023年3月）

知られざる激闘
フロリダ開拓史

引退者が集まってくる南の楽園は、
探検家と戦士たちが眠る土地。
豊かで暖かゆえに貴族が欲し、
多くの血が流れたのは定めか、代償か。

ジャクソンビルを見守るアンドリュー・ジャクソン像

古都セント・オーガスティン

　ポンセ・デ・レオンやパンフィロ・デ・ナルバエスの後もスペイン探検家たちは果敢に遠征や入植地建設に挑みますがいずれも失敗。そして1564年、フランスがセントジョンズ川河口近くにキャロライン砦を建設します。しかしスペインがこれを脅威とみなし遠征隊を編成。彼らは1565年にセント・オーガスティンを設立し、フランス人入植者を虐殺しました。このセント・オーガスティンはアメリカで最も古いヨーロッパ人入植地です。

ポンセ・デ・レオンの冒険

　若返りの泉を求めるスペイン人探検家ポンセ・デ・レオンがフロリダ半島に上陸したのは1513年。満開の花を見たからか、復活祭（花の季節）だったからか、ここをラ・フロリダ（花咲き乱れる所）と名付けます。早々に帰還した彼は8年後にフロリダを再訪、しかしネイティブ・アメリカンのカルーサ族に襲われ退却、同年この時の傷によりハバナで没します。マイアミのベイサイドにはポンセ・デ・レオンの像が立ち、今日も街を見守っています。

ニュー・スマーナ・コロニー

　セント・オーガスティンが設立されてからもフロリダは各国の入植者による衝突で荒れます。そこを1763年の戦争勝利でイギリスが掌握。この頃ギリシャ人らを率いたスコットランド人医師が現在のニュー・スマーナ・ビーチに植民地を建設しますが、結局内紛や疫病で放棄されます。その後フロリダはイギリス勢としてアメリカ独立勢力に対抗し敗れ、戦後スペインに返還されますが情勢は不安定でした。

パンフィロ・デ・ナルバエス遠征

　フロリダ遠征で再起を図ろうとした元軍人の探検家パンフィロ・デ・ナルバエス。1527年に約600人の部隊を編成しスペインを出航しますが、嵐や脱走で1528年にタンパ湾についた頃には400名に減っていました。彼らはネイティブ・アメリカンと戦いつつメキシコ湾岸を探検。しかし隊長は同年冬に消息を絶ち、メキシコまで帰還できたのは4人でした。ナルバエスが降り立ったセントピーターズバーグに業績を伝える石碑があります。

セミノール戦争

　ヨーロッパ人が荒らしたこの地には各地のネイティブ・アメリカンが集まりセミノールと呼ばれる人々が住むようになりました。彼らと新生アメリカは衝突し1817年第一次セミノール戦争が勃発、後の大統領アンドリュー・ジャクソン将軍が参加します。2年後スペインはこの地をアメリカに売りますがセミノールは残り、合計3度アメリカと戦いました。近郊が戦場となったジュピター市にはセミノール戦争を再現した催しがあります。

❶マイアミビーチ　❷州間高速道路95号線沿いの標識。サンシャインステートは州の愛称　❸引退者が老後に住むリタイアメントタウン「ザ・ビレッジ」。高齢者がよく使うゴルフカートが街の象徴に　❹州最南端キーウエストへと続く洋上高速道路　❺マイアミのリンカンロードで販売されているマリファナ製品（2021）　❻タンパ市で開催されたコミコンに出かけるコスプレイヤー　❼エバーグレーズ国立公園のアリゲーター。口先が丸みを帯びる　❽エバーグレーズ国立公園のクロコダイル。口が細長く尖っている

長き戦いの末の繁栄

　フロリダの州昇格は1845年。10年後に州内最後のネイティブ・アメリカンの戦い、第三次セミノール戦争が起きてアメリカが勝利します。ですがこれがフロリダ戦国時代の終わりではありませんでした。温暖なこの地には多数のアフリカ系奴隷がおり、南北戦争（1861〜1865）を南部奴隷州の一員として戦ったのです。1864年オラスティの戦いで北軍に勝利するも最終的には南軍は敗れ、連邦軍に占領されます。連邦軍が駐留していた再建期が終わると、他の南部州同様に旧南軍勢力が復活し、人種差別政策が復活しました。

　以降は19世紀後半のリン鉱石の発見、キューバ発祥の葉巻メーカーの進出で成長します。20世紀初頭には観光開発と不動産バブルを経験し（同時に密造酒を売り捌くギャングがのさばり）、第二次世界大戦後は防衛産業と航空宇宙産業、そして観光業が州経済を盛り上げていきました。国内外から人が流入したため人口は全米上位に。ヒスパニックを多く受け入れたため、スペイン語の通りがよい地域もあり、多様性が高い所になります。

1章　東海岸

2章　南部

3章　五大湖 中西部

4章　西部、西海岸、海外領土

5章　アメリカはどんな国？

巻末資料

アラバマ州

基本情報		
人口	507万4296人（第24位）	
面積	13万5767㎢（第30位）	
GDP	2132億6500万ドル（第27位）	
州名	クリーク連合のネイティブ・アメリカン部族とこの地の川の名前	

試されるアラバマ、その1

　オールドサウスと呼ばれる貴族趣味が混じった南部の息吹が、料理やサザン・ホスピタリティと呼ばれるおもてなし文化から感じられる温暖で土が豊かな州です。反面、経済や教育や世帯収入は50州でも順位が低い方に入ります。豊かになるための努力以前に、アラバマにはやらなければいけないことが多すぎました。

　19世紀初頭にはネイティブ・アメリカンと、アンドリュー・ジャクソンが率いるアメリカ軍がクリーク戦争で衝突。その勝利によって開拓は進みますが、1861年には南北戦争が勃発し、たくさんの兵士と資源を投入しましたが敗北、農地やインフラが破壊されます。戦後は緩やかに回復しますが、アフリカ系への人種差別が復活し長く続きました。

> ★ 州のモットー ★
> **"We dare defend our rights"**
> 「敢然と権利を守る」

❶ マッスル・ショールズ・スタジオ

シェフィールド市のローリング・ストーンズらがレコーディングした伝説的なスタジオで、隣町にヘレン・ケラーの家がありました。

❷ ハンツビル市宇宙ロケットセンター

人類を月へと導いたサターンVロケットや訓練マシンがあり体験できます。隣接するマーシャル宇宙センターは現役の研究機関です。

❹ タスキギー・エアマン

第二次世界大戦で活躍したアフリカ系兵士の部隊。当時は公民権運動前の時代で、彼らは軍隊でも差別されましたが負けませんでした。

❺ アラバマ大アメフト部

人気チーム「クリムゾンタイド」の応援係は象のビッグ・アル。1930年代に「象のように大きい」と畏怖された選手たちが由来です。

❼ 勇者 ローザ・パークス

1955年、白人にバスの席を譲れと言われたが応じず逮捕。アフリカ系市民はバス会社をボイコットして抗議し、公民権運動へと発展しました。

❽ ギーズベンド、魂のキルト

地元アフリカ系住民が作った伝統的な織物で、カラフルさで知られています。彼女らの才能が発揮されるのは音楽だけではありません。

❸ タラデガ・スーパースピードウェイ

自動車産業の街タラデガにあって、NASCAR（ナスカー）主催のレースで盛り上がります。スピードが出やすく事故も多く発生します。

❻ セルマ・モンゴメリー大行進

キング牧師の指導の下、1965年に平等な選挙権を求めてアフリカ系市民が約90kmを行進し、公民権運動を全米に知らしめました。

❾ ワニ出没注意

州南部は温暖な湿地で、5つの川が集まる三角州地帯でワニが暮らし、何を思ったか稀に間違えてモービル市の側溝などに現れます。

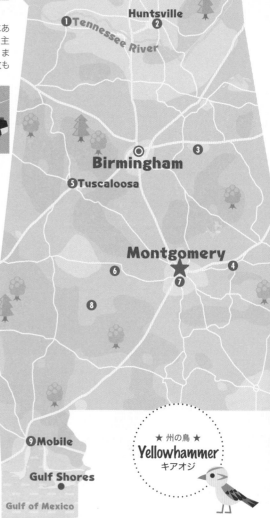

> ★ 州の鳥 ★
> **Yellowhammer**
> キアオジ

1章 東海岸
2章 南部
3章 五大湖・中西部
4章 西部・西海岸・海外領土
5章 アメリカはどんな国？
巻末資料

1500年代	1702年	1800年代初頭	1814年	1861〜1865年	1910年
スペイン人の探検家がアラバマに到達するも、恒久的な入植は為されず	フランス人が入植する。以降フランス、イギリス、スペインが領有権を争う	イギリスから独立した新生アメリカがアラバマ一帯を手中に収めることに成功	ホースシューベントの戦いでアンドリュー・ジャクソンがクリーク族に勝利する	南北戦争が勃発。アラバマは南軍として戦い敗北。長い敗戦後の時代が始まる	ライト兄弟が初となる民間航空学校を綿花プランテーションの跡地に建設

主要都市 バーミンガム

以前から定住者はいたものの、街として設立されたのは南北戦争後の1871年。鉄道会社の支援を受けた土地開発会社が設立し、イギリスの街にちなみ命名されました。以降は州内の地下資源を使った鉄鋼業で栄え、1960年代には公民権運動の中心地の1つになっていきます。

州都 モンゴメリー

ネイティブ・アメリカン、スペイン人探検家、フランスの入植者、そしてアメリカ人とさまざまな人種が現れた土地です。設立は1819年で、独立戦争で亡くなったリチャード・モンゴメリから名前が取られています。南北戦争では南軍の最初の首都であり、その後は行政施設と農産物市場として発展し、公民権運動の中心地に。

アラバマ名物の南部料理

フライド・グリーン・トマト

文字通り未熟な青いトマトをスライスしてから揚げたものです。サンドイッチにも入ったりします。

アラバマ式BBQ

マヨネーズを使ったホワイトソースでチキンを味付けします。ポークも好まれています。

ピーカンパイ

細長い形のピーカンナッツを敷き詰めたスイーツで、いわゆるグランマの味です。

20世紀の人口流出、アフリカ系大移動

ジム・クロウ法

南北戦争後の19世紀後半に南部で成立した人種差別法の総称。南部を脱出する人が出ます。

ワタミハナゾウムシ大発生

1915年にこの害虫が大発生して農業が大打撃を受けます。人々は仕事を求めて北へ。

グレイトマイグレーション

20世紀前半の南部アフリカ系の北部への大移動のこと。南部の人口比率が激変しました。

試されるアラバマ、その2

大恐慌の傷が第二次世界大戦の戦争特需による工業化で癒やされ、市民経済や教育が安定してきた1950年代半ば、我慢を続けていたアフリカ系市民らが声をあげ始めます。州都モンゴメリーで、仕事帰りのローザ・パークスが白人にバスの席を譲ることを拒否、そのために逮捕されます。それを不当としたキング牧師らが抗議運動を展開、公民権運動が全米に拡大していくのです。この活動は1964年の公民権法制定と翌年の投票権法で実ります。これで足元が固まったアラバマは、豊かさを求める戦いに本格参加できます。

COLUMN

2007年に公式謝罪 アラバマの奴隷制度

ロバーツデールの州間高速道路10号線にある看板

かつての奴隷制について、アフリカ系市民に対して州議会が公式に「深い遺憾の意」を示したのは21世紀に入ってからでした。南部の州として公式に謝罪したのは、メリーランド、バージニア、ノースカロライナに次いで4番目です。謝罪は賠償請求につながらないものとしていますが、北部の州では賠償についての議論があります。

ミシシッピ州

基本情報	
人口	294万57人（第34位）
面積	12万5438km²（第32位）
GDP	1045億3500万ドル（第36位）
州名	先住民の言葉で「偉大な川」「全ての水を集める」「水の父」などの意味

マイペースに我が道を歩む

　アメリカで貧しい方の州であり、世帯収入など指標によっては最も貧しい州に位置付けられます。しかし南北戦争前は最も豊かな所でした。西の境界を流れるミシシッピは時に氾濫し、栄養たっぷりの暖かい土をもたらしました。そこを黒人奴隷が汗水流して綿花農場に変えたのです。

　大農場は南北戦争（1861〜1865）で徹底的に破壊され、戦後は奴隷から解放された人々の多くが小作人になり、古い時代を引きずりました。工業の発展も期待ほど進みませんでした。のんびり保守的で、過去が忘れられず変化を嫌うといわれがちですが、21世紀は企業誘致や観光開発が一定の成果を上げています。他所と比べるとスローペースですが、着実にマイペースに前進しているのです。

★ 州のモットー ★

"By valor and arms"

「勇気と武器によって」

❶ プレスリーの生家
テューペロの街にある二部屋しかない木造の家です。ここで彼は生まれ、やがてブルースとカントリーを融合させロックを編み出します。

❹ 中国からの移民たち
アフリカ系黒人のイメージが強いミシシッピデルタには、忘れられた中国系移民のコミュニティがあり大学で研究されたりしています。

❼ ビロクシ灯台
白砂のビーチが美しい浜辺のランドマークでよく絵葉書になっています。長く女性の灯台守が管理していたことでも知られています。

★ 州の花 ★
Magnolia
マグノリア

❷ ウィリアム・フォークナー
オックスフォードの街に暮らし、短編『孫むすめ』などでドロっとした南部社会を描き続けました。日本では中上健次が影響を受けています。

❺ B.B.キング
伝説のブルースシンガーにしてギタリストです。生まれはもちろんミシシッピデルタ。彼の曲をYouTubeで聴ける時代になりました。

❽ ナマズ養殖場
ミシシッピの大事な地場産業です。ミシシッピデルタの生暖かい沼地がナマズに最適で、毎年世界ナマズ祭りが開催され、ナマズ料理が振る舞われます。

❸ 名物ホットタマレス
ディープサウス中のディープサウス「ミシシッピデルタ」の名物。コーン生地で肉、チーズ、フルーツを包んで蒸したり茹でたりします。

❻ ゴールデンムーン・カジノ
ネイティブ・アメリカンのチョクトー族が運営するカジノで、毎年開催するチョクトー文化祭りの期間は駐車場として使えるとか。

❾ メルローズ・マンション
フランス人が切り拓き、スペイン人が征服し、アメリカ人が乗り込んだ街ナチェスにある、奴隷の汗水を吸ってできた白人貴族の館です。

1800年代後半	ミシシッピデルタ地帯で奴隷労働が始まり、故郷の音楽に基づくブルースが誕生
1911年	『欲望という名の電車』を書いたテネシー・ウィリアムズがコロンバスで誕生
1954年	連邦最高裁がブラウン事件判決で学校での人種隔離を違憲とし、ミシシッピは動揺
1964年	KKK（クー・クラックス・クラン）による公民権活動家殺害事件が発生
1965年	公民権運動が実り投票権法が成立。ようやく選挙における人種差別が禁止される
1982年	ミシシッピ川大洪水が発生し、アメリカでも最悪レベルの被害が出てしまう

★州都 **ジャクソン**

フランス系カナダ人の交易商が1792年に入植し、英雄アンドリュー・ジャクソンの名が取られた州都です。南北戦争で焼き払われた後、1880年代の鉄道開通で復興が加速。1930年代にはガス田が発見され、物流、通信、工業が発展します。60年代は公民権運動が活発でメドガー・エヴァースが暗殺されました。

主要都市 **ガルフポート**

実業家ウィリアム・H・ハーディーが1887年に設立した港湾の街です。20世紀初頭から断続的に観光開発が行われましたが、1969年のハリケーン・カミールで壊滅。2005年のハリケーン・カトリーナでも大きな被害を受けました。バナナの輸入基地としても知られます。

ミシシッピ農業の移り変わり

南北戦争（1861～1865）以前は奴隷を使役した綿花農場が主体でしたが、20世紀後半から農業への依存度が下がり、州経済に占める割合はわずかになっています。綿花の栽培も行われていますが、その他の生産性と換金性が高い農産物や鶏やナマズが、綿花と地位を分け合っています。

昔は綿花が主役

今はナマズ養殖、養鶏、大豆も栽培中

公民権運動をめぐる事件

エメット・ティル事件（1955）

14歳で白人夫婦に無残に殺害されますが犯人は無罪。良識ある市民の心に火をつけます。

ミシシッピ大学暴動（1962）

黒人学生の入学を阻止しようとした白人が暴れた暴動。当時の州知事までがこれに加担。

フリーダムサマー（1964）

黒人の投票登録率が全米最低のこの州で、有権者の登録数を増やそうとした運動です。

東海岸 1章

南部 2章

五大湖 中西部 3章

西部、西海岸、海外領土 4章

アメリカはどんな国？ 5章

巻末資料

私が大統領になったのは公民権運動が実った後の1969年でした

でも法律で人々の差別意識は変わらなかった

ニクソン 37代大統領

ケネディ君の後を継いでから私の時代に公民権法が成立しました

これで世の中が良くなると思ったのですが

ジョンソン 36代大統領

その公民権法に不満を持つ南部白人を私たちの共和党が取り込んだ

昔の共和党は奴隷禁止の党、皮肉なものです

ニクソン 37代大統領

C O L U M N
南北戦争の激戦、ビックスバーグ包囲戦

この1863年の戦いはゲティスバーグと並び南北戦争の転機でした。北軍のグラント将軍は要塞都市ビックスバーグで撃退されると包囲戦に切り替え、ひと月以上かけて干上がらせ陥落させます。これにより北軍はミシシッピの水運を支配します。

現在は公園になっているビックスバーグ古戦場

アメリカ南部で隅っこ暮らしをする州
アーカンソー州

基本情報	
人口	304万5637人（第33位）
面積	13万7732km²（第29位）
GDP	1265億3200万ドル（第34位）
州名	州名の由来はよくわかっていないが何らかの先住民語だと考えられている

ゆっくりだっていいじゃない

90年代のハイテク振興に一役買ったクリントン第42代大統領の出身州です。紆余曲折あったこの州にとって、地元出身の大統領誕生は大いに勇気付けられるできごとでした。

南部の一員らしく初期の経済基盤は奴隷労働に依存した綿花プランテーション。それが南北戦争敗北と再建期の打撃を経て、前の時代を引きずるかのような小作人による農業が支配的になります。第二次世界大戦後にようやく軽工業が発展すると公民権運動の時代に突入。20世紀後半に産業が工業からサービス業へ移行する流れのなか、小売りのウォルマートが急拡大しました。ほかにも国際企業や全国区の企業がいくつか育っており、ゆっくりながら21世紀も着実に成長を続けています。

★ 州のモットー ★
"The people rule"
「統治するのは人民」

❶ チョコレートグレービー

南部グランマの味。チョコソースでビスケットを食べます。家庭の味ですがジャスパー市のオザークカフェなど朝食として出す所も。

❷ 歌手ジョニー・キャッシュ

カントリー音楽の巨匠は子ども時代をダイエスに暮らしました。この街はニューディール政策の失業対策として仕事斡旋を行いました。

❸ リトルロック9

公民権運動前夜にアフリカ系として初めてリトルロック高校入学に挑んだ伝説の9人です。当時は州知事すら彼女らを認めませんでした。

❹ お米の父 W・H・フッラー

米どころアーカンソーの礎を築いた偉人。1896年にルイジアナから米を持ち込み広めました。ロノーク郡にたくさん水田があります。

❺ アヒル笛吹き世界王者決定戦

狩猟技術「アヒルの鳴きマネ笛」の腕前を競う世界大会。各地の大会を制した猛者が一堂に会します。シュトゥットガルトで毎年開催中。

❻ アメリカ温泉

ホットスプリングスの街はアメリカン・スパの異名を持つ温泉リゾートで、混浴可ではありますが悲しいかな水着を付けないとダメです。

❼ マグネットコーブ市

名前から察せられる通り、クォーツやチタンの素といった鉱物が出る街です。この州ではその昔ボーキサイト市でボーキを採り、アルミを精製していました。

❽ クレーター・オブ・ダイヤモンド州立公園

ダイヤモンドが採れる露天掘り鉱山は現在州立公園になっています。稀に大粒ダイヤが取れて幸運な人を公式サイトで称えています。

❾ エルドラド油田

現在は枯渇していますが黄金郷の名を持つここで石油が出ました。同市にある石油博物館の蝋人形が当時の様子を今に伝えています。

★ 州の鳥 ★
Mockingbird
モッキングバード

（地図）Bentonville / Rogers / Springdale / Fayetteville / Siloam Springs / Harrison / Mountain View / Jonesboro / Blytheville / Fort Smith / Arkansas River / Conway / Little Rock / Hot Springs / Pine Bluff / Mississippi River / Hope / Texarkana / El Dorado

500年〜	1686年	1803年	1861年	1921年	1946年
狩猟採集で暮らした先住民がおり、時代が下ると大きな古墳を残すようになる	フランス人のヘンリー・デ・トンティがアーカンソー川沿いに居住地を造る	ルイジアナ・パーチェイス（購入）で一帯がフランス領からアメリカ領に	南北戦争勃発。南部奴隷州として戦うが州北部に北軍側についた人々もいた	エルドラド近郊で石油が発見される。これにより一時的に石油ブームが到来する	上院議員のウィリアム・フルブライト氏が国際的な奨学金制度を創設する

主要都市 フェイエットビル

域内でトップレベルとされるアーカンソー大学を擁する州北部の重要な街です。学園都市であることに加え、農業が盛んな地域だけあって食品加工、それにアルミ精製や製造業が発展しています。南北戦争では近郊で戦闘が行われ、終戦まで北軍の占領下にありました。

州都 リトルロック

アーカンソー川沿いに位置する行政と地元農業・製造業の中心地です。1722年にフランス人探検家が設置した交易所が元になってできた街とされます。1957年にアフリカ系アメリカ人の高校生の入学を拒否しようとしたリトルロック高校事件や、ビル・クリントン第42代大統領の出身地（記念館がある）として知られています。

アーカンソーの地理区分

アメリカ南部でかつて綿花産業が勃興した平野部が、州北部のオザーク台地と州西部ウォシタ山地にぶつかって終わる土地です。北部と西部の山間地はプランテーションに不向きで、20世紀半ばまで農村の孤立した生活が続いていました。一方で州東部と南部の平野部ではプランテーションとその後の小作農による農業が発展し、20世紀に入ると機械化が進みました。

オザーク台地
アーカンソー川流域
ウォシタ山地
ミシシッピ川堆積平野
ウェストガルフ海岸平野

アーカンソー経済を支える地元大企業

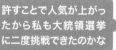

ウォルマート
北西部ベントンビルで創業し全米を制した小売チェーン。小さな街は企業城下町に変貌しました。

タイソンフーズ
養鶏が盛んなこの州で世界企業に成長した食肉加工多国籍企業です。牛肉と豚肉製品も扱っています。

J.B.ハント運送
ベントンビル近くのローウェルの巨大運送会社。気前のいい名物社長ハント氏が創業しました。

まさかホワイトハウスでインターンに手を出してさらに暴露されるとは

泣いて謝られたけど本当は許してないんだから

ヒラリー・クリントン

すいませんでした。君だけじゃなく、テレビで国民にも嘘をつきました

別れないでくれて本当にありがとうございます

ビル・クリントン

許すことで人気が上がったから私も大統領選挙に二度挑戦できたのかな

本当の結婚相手はあなたじゃなくて民主党よ

ヒラリー・クリントン

COLUMN

全米で最も厳しいレベル 中絶禁止法の問題

有名なソーンクラウン（棘の冠）チャペル

この州は保守的なプロテスタントが力を持ち、いわゆる「バイブルベルト」に属します。彼らはローマ・カトリックとは異なるものの中絶禁止では見解が一致。2022年6月には、母体の命が危険な場合のみ中絶を認める全米でも厳しい中絶禁止法が施行されました。しかし法改正を求める動きが活発で州内でも意見が揺れています。

ルイジアナ州

南北戦争に敗れるも文化が残り、石油が出た

基本情報

人口	459万241人（第25位）
面積	13万5659km²（第31位）
GDP	2171億5600万ドル（第26位）
州名	この地を最初に開拓したフランス人がルイ14世にちなんで名付けた

7つの旗が掲げられた州

　南北戦争に敗れた宿痾を背負うルイジアナですが、ニューオーリンズで花開いた異国情緒溢れるジャズと料理と街並みが、過ぎた時代の文化の名残として、州民を支えています。

　米英以外ではフランスを筆頭に、「7つの旗」が翻ったといわれるこの地で、南軍旗が掲げられた期間は、そう長くなく1年あまりです。奴隷を使って豊かになった農家が力を持ったため、1861年にアメリカから離脱し、アメリカ連合に加盟。しかし翌年5月には北軍に占領され、リンカーンが新州政府を作ります。終戦後に合衆国に復帰しますが、監視のために連邦軍が駐留。その後1877年に政治取引が行われると軍は撤退し、重石が取れた旧奴隷容認勢力が州政を奪還しました。

> ★ 州のモットー ★
> "Union, justice, confidence"
> 「連帯、正義、信頼」

❶ 政治家 ヒューイ・ロング

世界恐慌の1930年代に庶民の支持を巧みに得てバラマキ政治を行い、権力を手にしたが暗殺された大衆派は、中部ウィンフィールド出身。

❷ ローズダウン・プランテーション

南北戦争前の19世紀前半に建造された綿花農場主の邸宅です。南北戦争の戦火を免れ、ギリシャ復興様式の豪奢を今に伝えます。

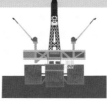

❸ メキシコ湾 沖合油田

ルイジアナに富をもたらしている源泉です。ハリケーン・カトリーナやメキシコ湾原油流出事故もありましたが、早期に復旧しています。

❹ マルディグラ

初期開拓者のフランス人が持ち込んだ古いカトリック行事で、断食期間前の無礼講の祭りがカーニバルに発展。毎年2月下旬開催のニューオーリンズのものが有名です。

❺ フレンチクォーター

ニューオーリンズの古い町で18世紀初頭にフランス人が造りました。ジャズの発祥地としても知られますが周辺の治安には要注意。

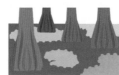

❻ アチャファラヤ 湿地帯

内陸から海に向かって広がる鬱蒼とした湿地（バイユー）で、ルイジアナ、ひいては南部らしい地勢・景観です。ワニがたくさんいます。

> ★ 州の鳥 ★
> **Brown Pelican**
> カッショク
> ペリカン

❼ タバスコ

南部沿岸にあるエイブリー島で採れる岩塩を使い、マキルヘニー社が150年以上作っています。世界中のタバスコはここで作られたものです。

❽ 郷土料理ガンボ

フランスの調理法、ネイティブ・アメリカンの野菜、アフリカ系がもたらしたオクラが合体した多民族国家の結晶で、個性的な味の逸品です。

❾ クレオール・トレイル

レイク・チャールズ市から延びる政府推薦の観光道路「オール・アメリカン・ロード」の1つです。ワニが道を塞いでいることも。

Monroe

Shreveport

❶Winnfield

●Natchitoches

Mississippi River

Sabine River

Saint Francisville ❷

Baton Rouge

❾ Lake Charles　❽ Lafayette　❻

❼

◎❹❺
New Orleans

●Houma

Gulf of Mexico

1868年	1898年	1960年代	1970年代〜	2005年	2010年
南北戦争が終わり、その後の再建期に入って離脱していたアメリカ合衆国に復帰	新しい州憲法を制定し、アフリカ系アメリカ人の権利をほぼ全て剥奪する	豊かな中産階級の出現も手伝い公民権運動の機運が高まり、運動が実を結ぶ	オイルショックによる石油価格の高騰と暴落に石油依存型の州経済が翻弄される	ハリケーン・カトリーナが来襲し、ニューオーリンズを破壊、深刻な被害が出る	メキシコ湾で海底油田掘削中に事故が発生し、大量の原油が海へと流出してしまう

ニューオーリンズ

主要都市

ミシシッピ川がメキシコ湾に注ぐ所にあり、フランス人が要衝と位置付け1718年に建設。一時的にスペインに割譲されますが再びフランスが手にし、やがてアメリカ領となりました。彼らが連れてきたアフリカ人とカリブ人も混ざって、ほかに類のない文化が醸成されたのです。

バトンルージュ

州都

先住民が土地の境目を示す「赤い棒」を発見したフランス人探検家が名付けました（諸説あり）。20世紀初頭にスタンダードオイルが製油所を建設して工業が発展、ヒューイ・ロング州知事が建てた展望塔付きの州庁舎がランドマークになっています。アフリカ系に対する差別が激しかった地の1つと語られることがあります。

ルイジアナの産業の変遷

綿花 かつての農業の主役、今は数ある作物の1つ。

木材 19世紀後半から成長、今は一大木材生産地。

石油 20世紀に入り開発、メキシコ湾でも採掘中。

工業 石油製品、化学製品の製造が大きな産業に。

18世紀から19世紀における州経済の主役は農業でした。州北部では綿花、南部ではサトウキビが作られました。しかし時代が下ってくると、一次産業から二次産業へ移り変わり、現代はサービスや観光など三次産業が花形です。

「私が生きたのは石油と工業の時代！」

ルイ・アームストロング

ルイジアナのフランス系住民

ルイジアナで特徴的なのは、フランス系の人々が作ったクレオール文化とケイジャン文化です。クレオールは最初期の入植者であるフランス人らがさまざまな人種と混ざっていった子孫のことで、ケイジャンはカナダのフランス入植地（アカディア）から南下して州南部に定住したカナダ系フランス人の子孫です。

「ビヨンセです」

クレオール
褐色の肌を持つ歌姫ビヨンセにはクレオールの血が流れています。郷土料理ガンボにはトマトを入れる派です。

「ポールです」

ケイジャン
料理人ポール・プルドームはケイジャン。料理にトマトを入れない派で、言葉はクレオールのフレンチと少し違います。

石油が出る強みと弱み

アメリカ復帰後の19世紀後半から、木材産業や石油発見で経済が色めきます。そして狂騒の1920年代と、世界恐慌の1930年代に登場したのが、大衆をあおった政治家ヒューイ・ロングでした。彼は社会福祉を拡充し、公共事業を乱発。しかし強引さと汚職疑惑、左派的な政治が嫌われ、1935年に暗殺されます。その後ルイジアナは石油化学工業が発展し豊かになり、中産階級が公民権運動に邁進。ただし石油依存型経済は、好不況の影響を受けやすい弱さを持ちます。そこを補うためゆっくり脱工業化を進めています。

COLUMN
ハリケーン・カトリーナ 浮き彫りになった格差

2005年の夏、ニューオーリンズは壊滅的被害を受けました。特に車を持たない貧困層が避難できず被害が大きかったといいます。堤防の欠陥や、ブッシュ政権のコストカット策で、緊急事態への備えや発生後の対応に不備があり、人災の側面もあったようです。復興は進みましたが戻らない人もおり、完全に元通りとはいきません。

カトリーナ直撃から三カ月後の様子

テキサス州

現代アメリカにおける屈指の成長株

基本情報		
人口	3002万9572人（第2位）	
面積	69万5662㎢（第2位）	
GDP	1兆8763億2800万ドル（第2位）	
州名	ネイティブ・アメリカンの言葉で「友人」「同胞」を意味するテハスに由来	

大きいことは良いことだ

テンガロンハットの荒くれ者が投げ縄を飛ばし、荒野を馬で駆けるイメージは過去のもの。現代テキサスは面積と人口とGDPが50州のなかでオール2位を誇る経済大国です。

成長の原動力は、温暖な気候、法人税ゼロをはじめとする税制優遇措置、企業活動に対する規制の緩やかさ。さらにニューヨークやカリフォルニアと比べ割安な生活コストが新興企業を吸い寄せています。イーロン・マスク率いるテスラ社も、カリフォルニアの本社をテキサスのオースティンに移転させました。

新参者の増加はエネルギーと同時に摩擦をもたらします。ですが、かつて独立した国を造ったテキサス人の強い自立心と、持ち前の広い心にとって、それは小さいことのようです。

★ 州のモットー ★
"Friendship"
「友情」

❶ スピンドルトップ油田
執念の採掘が実り20世紀初頭に噴出、石油ブームが起きます。現在は博物館に移築された鉄塔が水を噴出させて観光客を喜ばせています。

★ 州の鳥 ★
Mockingbird
モッキングバード

❷ ジョンソン宇宙センター
NASAの宇宙管制基地で宇宙飛行士の訓練や観光客の受け入れをしています。半世紀前に月面着陸した宇宙船と交信したのはこの場所。

❹ サウスバイ サウスウェスト
州都で毎年3月に開催されている一大芸術祭で、新進気鋭の音楽・映像・映画製作者が集まります。日本の業界人や官僚も視察するとか。

❻ パドレ島
約180km続く細長い沿岸の島で、南側のビーチでは大学生らが騒いでいますが、北側の保護区では絶滅が危惧されるウミガメが生息。

❼ フレデリックス バーグ
ドイツ人移民が造った街で古い建物が残ります。第二次世界大戦で活躍したニミッツ将軍の故郷で、太平洋戦争博物館もあります。

❽ デビルズロープ博物館
州北部の街にある有刺鉄線の博物館。有刺鉄線の改良と普及によって西部開拓地での牧場と農場の建設が一気に拡大したといわれます。

❸ JFK
ケネディ大統領が1963年11月12日に暗殺されたのはダラス。ジャクリーン婦人は1994年に亡くなり、夫の墓の横に埋葬されました。場所はアーリントン国立墓地です。

❺ アラモの戦い
1836年のテキサス独立戦争中にメキシコ軍がアラモ砦のテキサス兵を殲滅。ひと月後「リメンバー・アラモ」を合言葉にリベンジを果たす。

❾ アートの街マーファ
ミニマリズムの芸術家ドナルド・ジャッドが彫刻を残した街が、現代アートの街になっています。ぽつんとあるプラダも作品の1つです。

Amarillo
Lubbock
Dallas
Fort Worth
Tyler
Odessa
Waco
Nacogdoches
Fredericksburg
Austin
Beaumont
Houston
San Antonio
Galveston
Corpus Christi
Laredo
Brownsville
Rio Grande River
MEXICO
Gulf of Mexico

東海岸 1章

南部 2章

五大湖 中西部 3章

西部 西海岸 海外領土 4章

アメリカはどんな国？ 5章

巻末資料

18世紀前半	1821年	1821年	1836年	1845年	1861年
スペインが遠征隊を現在のテキサス一帯に向け何度も派遣、フランス人も来訪	メキシコがスペインから独立して、テキサス一帯がメキシコの領土となる	メキシコ側がアメリカ人スティーブン・オースティンのテキサス入植を承認	テキサス入植者がメキシコとの戦争の末にテキサス共和国の独立を宣言する	テキサス共和国がアメリカ合衆国に併合され28番目の州となる	南北戦争が勃発する。テキサスは南部奴隷州の一員として戦う道を選んだ

テキサスの伝統産業

南北戦争前から栽培している綿花、19世紀に内陸部で拡大した牛（と羊と山羊）の飼育、そして石油が20世紀半ばまで州経済の主役でした。20世紀後半は製造業や観光業が成長しつつあったものの、石油への依存度が依然として高く、価格変動の影響を受けました。その状況が産業多角化で近年は変わりつつあります。

下のイラストはコーパス・クリスティの石油施設群です

主要都市 **ヒューストン**

メキシコ湾へつながる運河が流れる内陸の港町でテキサス第一の都市です。テキサス共和国建国の立役者サム・ヒューストンの名前が取られています。航空宇宙と石油・石油化学工業が発展していることに加え、コメ、綿花、牛といった農畜産物も街にとって重要です。

州都 **オースティン**

メキシコ湾へ注ぐ小さいコロラド川沿いの村として1835年に設立。1839年にテキサス共和国の首都となり、テキサス開拓の父スティーブン・オースティンの名前が取られました。1871年に鉄道と橋が開通すると農畜産物が集まり、1900年の大洪水を乗り越え、1990年代以降はハイテク・バイオ産業で急成長しています。

変化するテハスの人たちのバランス感覚

●近年の州知事の所属政党

5対5で拮抗している

39代 40代 41代 43代 45代

42代 44代 46代 47代 48代

民主党 ▲ 共和党

州旗の柄のシャツです

メキシコ系です

長いスパンで見ると両党が拮抗していますが、20世紀末からキリスト教福音派が隆盛し、保守傾向を持つエネルギー、不動産、一部テック企業の成長により近年は保守寄り。しかしメキシコ系ヒスパニックや大卒者といったリベラル層も増えており、多様性が高まっています。

私たちが大統領になれたのは、心の故郷テキサスのおかげです

そうですよね、天国にいる我がお父さん

ジョージ W.ブッシュ

その通りだ、今はダラスに住む我が息子よ

私が議員となり、お前を知事にしてくれたのはテキサスの人たちだ

ジョージ H.W.ブッシュ

少し前にダラスに私の業績を讃える図書館・記念館ができましたね

一緒に開館記念式典に出たのが懐かしいです

ジョージ W.ブッシュ

COLUMN
厳しい中絶禁止法 抗議の行方はいかに!?

2021年に妊娠6週目以降の中絶を禁止する法律が施行されました。犯罪に巻き込まれた場合も例外ではなく、事実上の中絶禁止法とされます。命を失う危険がある場合の中絶は認められますが、それに消極的な医師が増えているとの報道があり、比較的中絶に寛容なコロラドに引っ越す人が出ています。

中絶禁止法への抗議活動（オースティン、2021年）

ここがすごいよ
I♥テキサス

経済規模だけでなく人の心も広く大らか。
その割には東海岸や西海岸と比べ、
メキシコ湾岸は素通りされがち。
だが一度知ってしまうと好きになる。

州議事堂にあるテキサスの父、
スティーブン・オースティン像

熱狂的カレッジスポーツ

いくつもプロスポーツチームがあるなか学生スポーツ人気が高いのは地元愛の賜物で、アメフトこそ王道といわんばかりの熱気です。高校生の試合でスタンドがいっぱいになり、テキサス大やテキサスクリスチャン大、テキサスA&M大といった強豪大学が週末の夜に戦います。そしてダラスのコットンボウル、エルパソのサンボウル、サンアントニオのアラモボウルといった権威ある試合の開催時期ともなれば街中を歩く人の数が減ります。

クセになるテクスメクス料理

テクスメクスとはアメリカとメキシコの味が融合した料理のこと。チーズ、牛肉や豚肉、豆、トウモロコシ生地のトルティーヤがよく使われます。味付けの決め手はトウガラシで、暑さを吹き飛ばす辛さが特徴ですが、そこまで辛くない物もあります。トルティーヤチップスに溶けたチーズをかける「ナチョス」、ひき肉や玉ねぎや豆のピリ辛煮込み「チリコンカン」、メキシコ湾のエビと黒豆などをトルティーヤで挟む「タコス」などが定番メニューです。

郷土愛の祭典ステートフェア

毎年秋にダラスで開催される「ステートフェア・オブ・テキサス」。開催期間は約1カ月間に及びます。主なイベントは家畜の展示と品評会、モーターショー、カントリーやロックのライブなど。もちろんアメフト人気も高く因縁のライバル、テキサス大とオクラホマ大がぶつかります。食べ物も魅力で一方の手にクラフトビール、もう一方に揚げバター、揚げオレオ、揚げ桃など人気B級フライグルメを持つのがテキサスのお祭りスタイルです。

魂の旋律、テハノ音楽

バホ・セスト（12弦ギター）を鳴らし歌うリディア・メンドーサは、20世紀半ばにテハノ音楽をヒットさせた伝説の歌手。メキシコ系アメリカ人（テハノ）たちはバホ・セスト、アコーディオン、ウッドベースのバンド（コンフント）で、メキシコのスペイン系の歌や音楽と、チェコやドイツ系の舞曲ポルカなどが融合した陽気なテハノ音楽を生み出しました。できれば本場で聴きたいところですが、現代はYouTubeでもテハノを試聴できます。

全米2位を誇る経済

テキサスにはアメリカン航空の本拠地があります。伝統的な綿花、牛、石油だけが稼ぎ頭ではないのです。航空宇宙、ハイテク、IT、防衛産業、ヘルスケア、そして観光といった種々の産業が成長するテキサス経済は堅調。活気に魅せられる人々が多く、アップルが工場を建設したり、日本からはトヨタ自動車やくら寿司が進出したりするほどの上げ潮ぶりです。ピザやパスタを宅配してくれるピザハットも現在の本社はテキサスです。

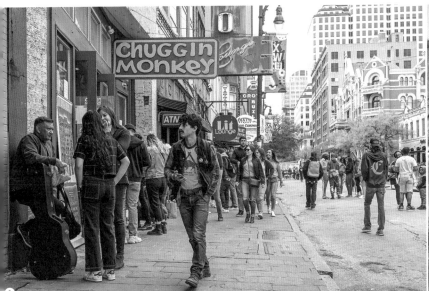

テキサスの戦国時代

　ネイティブ・アメリカンの緩い連合があった所へ16世紀にスペイン人が入り、続いてフランスが進出するも、結局スペイン領となります。1821年にメキシコがスペインから独立を勝ち取ると、テキサスはメキシコの一部になりました。ただメキシコにとってテキサスは北の辺縁、アメリカ人開拓者スティーブン・オースティンに土地譲渡の承認を与えます。開拓者のテキサス入りでアメリカ人がどんどん増えていきました。

　この状況は1833年のメキシコ動乱で一変します。クーデターで成立した新政権はオースティンらと対立。テキサス人たちは土地を守るため1836年にテキサス共和国の独立を宣言。これを認めないメキシコが攻め込み、有名なアラモ包囲戦でテキサス軍を殲滅しました。激怒したテキサス人はサム・ヒューストン司令の指揮のもとに奮戦し勝利します。

　しかし大国間の小国という立場は厳しく、テキサスは1845年にアメリカに合流しテキサス州となります。この後の米墨戦争でアメリカがメキシコに勝利したことで、ようやく一帯のアメリカ支配が固まりました。

❶文化の見本市SXSWフェス開催中の州都オースティンのにぎわい（2019）　❷ステートフェアの名物「ビッグテクス像」　❸亡命しようと国境のワイヤーをくぐり抜け保護を求めるメキシコ人グループ　❹国技に等しいロデオ（フォートワース）　❺この建物の6階にケネディ狙撃犯がいた。いまは博物館　❻米墨戦争（1846）のパロ・アルト古戦場　❼メキシコとの国境であるリオ・グランデ川　❽コースターの過激さで有名なシックス・フラッグス遊園　❾地元メーカー・ブルーベル社のアイスクリーム

1章　東海岸
2章　南部
3章　五大湖、中西部
4章　西部、西海岸、海外領土
5章　アメリカはどんな国？
巻末資料

南部11州の主な世界遺産、国立公園紹介

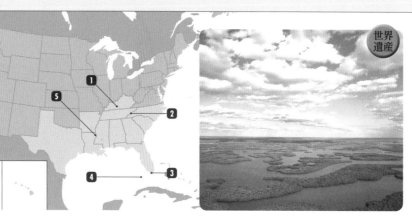

③ エバーグレーズ国立公園

アメリカでも数少ない亜熱帯の自然が広がっている世界遺産です。敷地面積は60万ヘクタールで東京ドーム約13個分の広さ。亜熱帯らしい沼地と湿地とマングローブで形成されており、ここにワニやマナティー、フロリダパンサーなどの絶滅危惧種が生息しています。観光客にとってはボートやカヌーが楽しめる絶好ポイントですが、近年は度重なるハリケーンと流れ込む水の流量の変化、そして環境汚染のため世界危機遺産に登録されました。

① マンモスケイブ国立公園

世界で最も長いといわれる洞窟の1つで、アメリカでも名の知れた世界遺産です。狭い横穴があったと思いきや、突然地下空間や地底湖、そして鍾乳洞が現れ、正確な総延長はわかっていませんが少なくとも650kmはあると考えられています。内部で目のない魚や目のないザリガニなどが暮らし独自の生態系が育まれています。そこが1812年の第二次独立戦争の頃は火薬の素である硝酸塩の採掘場となり、後には結核病棟としても使われていました。

④ ドライ・トートゥガス国立公園

フロリダ州最南端のキーウエストから、西のメキシコ湾へと延びる7つの島々です。1513年にスペイン人探検家ポンセ・デ・レオンが発見し、彼が見つけたカメ(スペイン語でトートゥガス)にちなんで名前が付けられました。ボートか水上飛行機でしかたどり着けないため人の手で自然があらされず、希少なウミガメや渡り鳥の楽園になっています。そこに人間は19世紀前半に灯台と砦を建設し、南北戦争の時代は刑務所として使われていました。

② グレートスモーキーマウンテンズ国立公園

チェロキー族が青くけぶる所と呼んだ、テネシーとノースカロライナにまたがって2100㎢にわたり広がる世界遺産です。グレートスモーキーマウンテンズはアパラチア山脈の一部を構成しています。鬱蒼とした森の王はアメリカグマですが、約30種のサンショウウオが生息しており、「世界のサラマンダーの首都」といわれます。元はチェロキー族が住む地でしたが、18世紀後半に白人が入植し、国立公園に指定されるまで製材業が盛んでした。

⑤ ポバディーポイント

ネイティブ・アメリカンの都市の跡である世界遺産です。半円型の広場の外側に街があり付近に墳丘がありました。紀元前1700年頃から紀元前700年頃まで、人口4000人から5000人が暮らした大規模な都市であったと推定されています。ここから石器や粘土の器が発見されており、それにはオハイオ川流域でとれる材料で作られた物もあるため、当時すでに広い範囲で交易ネットワークが構築されていたと考えられています。

五大湖、中西部13州

第**3**章

五大湖周辺は湖と運河の水運、鉄鉱石と石炭に恵まれた工業地帯。
中西部はどこまでも平らなプレーリーで、トウモロコシや大豆を作っている農業地帯です。
工業と農業の地位はかつてほど強くありませんが今もなくてはならない産業です。

★ : WASHINGTON, D.C.
NH : NEW HAMPSHIRE
VT : VERMONT
MA : MASSACHUSETTS
RI : RHODE ISLAND
CT : CONNECTICUT
NJ : NEW JERSEY
DE : DELAWARE
MD : MARYLAND

イリノイ州

基本情報	
人口	1258万2032人(第6位)
面積	14万9995km²(第25位)
GDP	7979億6900万ドル(第5位)
州名	「男性」「戦士」を表す先住民イリニ族の言葉に、仏語の語尾がついた

名物はシカゴとトウモロコシ

　北東部のシカゴを中心とする巨大都市圏・経済圏には、製造・金融・食品・サービス・運輸などあらゆる産業が栄え、仕事を求めて国内外から人が集まりました。このため人種的な多様性も高く、皆が暮らしやすいよう進歩的な社会福祉制度と政治行政が整えられました。

　しかしいくら影響力が大きいとはいえ、シカゴはイリノイの一部であって、全てではありません。都市以外の地方にも強みと魅力があります。中部は広大なトウモロコシ畑や大豆畑が広がる農業地帯。豚や乳牛など畜産酪農も盛んです。シカゴと比べ保守的で、政治理念はほかの中西部の農業地帯に近いといわれます。また、南部はかつて石炭採掘などで栄えた土地柄です。

★ 州のモットー ★

"State sovereignty, national union"

「州の主権、万民の団結」

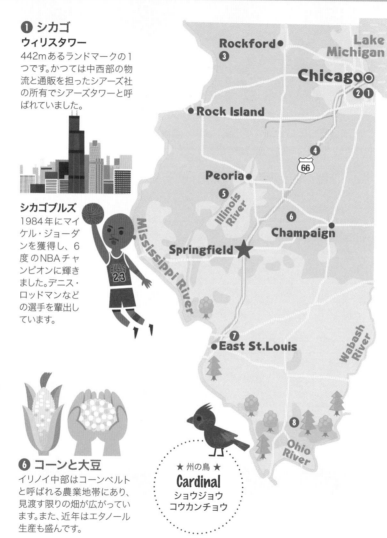

❶ シカゴ ウィリスタワー
442mあるランドマークの1つです。かつては中西部の物流と通販を担ったシアーズ社の所有でシアーズタワーと呼ばれていました。

シカゴブルズ
1984年にマイケル・ジョーダンを獲得し、6度のNBAチャンピオンに輝きました。デニス・ロッドマンなどの選手を輩出しています。

❻ コーンと大豆
イリノイ中部はコーンベルトと呼ばれる農業地帯にあり、見渡す限りの畑が広がっています。また、近年はエタノール生産も盛んです。

★ 州の鳥 ★
Cardinal
ショウジョウ
コウカンチョウ

❷ オーク・パーク
シカゴの西隣の街で、フランク・ロイド・ライトが手がけた建築物が点在し、作家ヘミングウェイの生家もある人気観光地です。

❹ ルート66
かつてシカゴから西海岸のカリフォルニア州サンタモニカまでを結んでいた道。沿線一帯でアメ車文化が栄え、多くの人が憧れました。

❼ カホキア墳丘
9世紀から14世紀にかけて栄えたとされるアメリカ先住民の集落の跡地です。現在は約70ある墳丘が世界遺産に登録されています。

❸ ガリーナ
美しい歴史的建造物が残る小さな街で、後に大統領にもなった南北戦争における北軍の総司令官、グラント将軍の住んでいた家が有名です。

❺ イリノイの運河
ミシシッピ川とミシガン湖をつなぐ運河が19世紀半ばに建設されたことで多くの人と物が運ばれ、イリノイ発展の起爆剤になりました。

❽ 血塗られた ウィリアムソン郡
19世紀半ばに5つの家族が抗争を繰り広げ、シカゴのギャングが暴れた20世紀前半には暴力地帯として全米に悪名が轟きました。

地図内ラベル: Rockford、Lake Michigan、Chicago、Rock Island、Peoria、Illinois River、Champaign、Springfield、Mississippi River、East St.Louis、Wabash River、Ohio River、ROUTE 66 PONTIAC, ILLINOIS

イリノイ南部でアメリカの先住民によるパレオ・インディアン文化が栄えた

フランスの探検家らがミシシッピ川を遡ってイリノイを探検する

フランスとイギリスがアメリカの支配をめぐって争い、イギリスが勝利する

アメリカ独立戦争後の地域再編を経て、この年にイリノイが州に昇格する

ヨーロッパ人の入植が進む。以降、運河・鉄道・街道の整備が進むと人が流入

南北戦争の勝利後、奴隷解放をうたう憲法に批准した最初の州となる

1章 東海岸
2章 南部
3章 五大湖、中西部
4章 西部、西海岸、海外領土
5章 アメリカはどんな国？
巻末資料

主要都市 シカゴ

大都市シカゴの威風は今も健在。野球のカブスなど4大スポーツがすべてあり、ディープディッシュピザなどの名物に事欠きません。名前の由来は諸説あるものの、先住民の言葉で「野生のネギ」を意味するというものがよく知られています。

州都 スプリングフィールド

南北戦争を主導し、奴隷解放の立役者となったリンカーン大統領が、弁護士や州議会議員活動を行った地です。ここでリンカーンは「分かれたる家」演説を行い、アメリカが奴隷と自由人に分断されることに異を唱えました。スプリングフィールドにはリンカーンの墓があり、見学者が絶えません。

高い人種的な多様性

アメリカ先住民と、最初期のフランス人探検家らの後でイギリス人が渡来。その後は製造業が成長中の19〜20世紀に、ドイツ人とアイルランド人、アメリカ南部のアフリカ系、東欧や南欧の移民が集合。脱工業化時代の今は、アジア系やヒスパニックが流入し、あらゆる職場であらゆる人種が活躍しています。

リベラルと保守で揺れるイリノイ

●近年の州知事の所属政党

5対5で拮抗している

| 36代 | 38代 | | 37代 | 39代 | 40代 |
| 42代 | 43代 | 45代 | 41代 | 44代 |

民主党　　　　　▲　　　　　共和党

シカゴ都市圏で働く人は人種的な多様性も高く、リベラルで民主党の支持者が多いとされます。地方に住む人たちは中部の農家に代表されるように、保守的で共和党支持者が多いようです。大統領選では2020年に民主党、2016年に共和党候補を選び、州知事は青と赤が入れ替わります。

産業の多様性も高いイリノイ

当初はイリノイ南部に人が集まりました。そこへ19世紀半ばにミシガン湖とミシシッピ川が運河でつながり、鉄道もできるとアメリカ東海岸から人が押し寄せ急発展します。

19世紀後半から20世紀初頭にかけては、近隣州で採れる鉄鉱石と石炭が集まり、五大湖の水運にもめぐまれて製造業が急成長。この頃シカゴは繁栄を極めました。その後の製造業は大恐慌と第二次世界大戦の影響を受け、1970年代以降に国際競争が激化し、2008年頃のリーマンショックで衰退しました。しかし代わりにサービス業やハイテク産業が新興し、粘り強さを見せています。

COLUMN
今もなお続く政治家の汚職事件

清濁併せ呑むシカゴとイリノイは昔から汚職事件が絶えません。近年も過去10人の知事のうち4人が逮捕。2006年に再選した民主党のブラゴジェビッチ元イリノイ州知事は、オバマ大統領の誕生で生じた空席を埋める汚職事件で逮捕され、弾劾された初の州知事です。なおトランプ氏が大統領時代に彼に恩赦を与えています。

2008年撮影のブラゴジェビッチ元イリノイ州知事

インディアナ州

基本情報	
人口	683万3037人（第17位）
面積	9万4326㎢（第38位）
GDP	3529億5600万ドル（第19位）
州名	オハイオ川沿いにインディアン（ネイティブ・アメリカン）がいたから等

南から北に移った経済

　歴史を遡ると先に入植が進んだのは州の南側でした。19世紀前半は、オハイオ川を船底の浅い船で進むのが主要な交通手段だったからです。南から来た初期入植者たちはすぐに肥沃な土を耕してトウモロコシを育て、石炭を採掘するようになります。それが19世紀半ば以降、特に南北戦争後になると、州経済の主役は北の工業へ移ります。北のミネソタからメサビの鉄、南のケンタッキーからアパラチアの石炭、そしてアメリカ東海岸からの移民と、南部から解放奴隷であるアフリカ系アメリカ人が集まり、自動車産業をはじめとする工業を育てたのです。そのレガシーは脱工業化が潮流の現代にあっても健在で、発達した交通網を生かして、自動車と鋼鉄を造り運んでいます。

> ★ 州のモットー ★
> **"The crossroads of America"**
> 「アメリカの十字路」

❶ マイケルの故郷
ゲーリーはアフリカ系が多い重工業の街です。音楽と縁が深くマイケル・ジャクソンの故郷であり、ハードロック社のカジノがあります。

❹ ワワシー湖
この州に千以上ある湖の1つです。休日はレイクハウスに泊まり、ボート遊びに興じるのが、インディアナ州民のステータスです。

❼ カート・ヴォネガット
『スローターハウス5』で知られ、SF好き御用達の作家の故郷はインディアナポリス。記念図書館で彼のタイプライターが見られます。

❷ スリー・フロイズ蒸留所
アメリカで大流行りしているクラフトビールメーカーの1つです。奇抜なラベルのゾンビ・ダスト・ビールなど個性的なビールが人気。

❺ パデュー大学
1869年にできた歴史ある名門校です。宇宙飛行士のニール・アームストロング船長といった名だたる卒業生を輩出しています。

❽ セーラム・ライムストーン
インディアナ州南部の特産品である質の高い石灰岩です。ニューヨークにあるエンパイア・ステートビルにもここの石が使われています。

❸ 製造業の街サウスベンド
ドイツ系移民が中心となって造った街です。航空宇宙関連のハネウェルの工場があり、馬車から自動車メーカーに成長したスチュードベーカー社もかつてありました。

❻ ジェームズ・ディーンここに眠る
映画『エデンの東』などに出演した彼は24歳で交通事故のため夭折。死後も人々を魅了していることが墓石の赤いキスマークからもわかります。

❾ ニューハーモニー村
19世紀にイギリス人実業家が社会主義的なユートピアを目指そうとした村です。現在は美しい庭園と緑の迷路が人気の観光地です。

地図中：
Lake Michigan
❶ Gary
❷
❸ South Bend
❹
Fort Wayne
❺ Lafayette
❻
● Muncie
★ ❼ Indianapolis
● Bloomington
● Bedford
❽
❾ Evansville
Wabash River
Ohio River

JAMES B DEAN 1931 - 1955

> ★ 州の鳥 ★
> **Cardinal**
> ショウジョウコウカンチョウ

1730年代初頭	1763年	1811年	1861年	1950年代以降	1980年代後半
フランスがこの地で初のヨーロッパ人恒久的入植地、ヴァンセンヌ交易所を造る	フレンチ・インディアン戦争にイギリスが勝利し、この地を支配するようになる	ティペカヌーの戦いがラファイエット近郊で勃発。ネイティブ・アメリカンが敗北	南北戦争が勃発する。北軍自由州の一員として兵を送り勝利する	州間高速道路の建設が進んでいきインディアナが交通のハブになっていく	インディアナ出身のライアン・ホワイトの活動によりHIVが広く認知される

主要都市
フォートウェイン

17世紀後半からマイアミ族ら、フランス人、イギリス人、ネイティブ・アメリカン連合がこの地をめぐり争いました。名前はインディアンとの戦争を戦った将軍から来ています。19世紀前半以降に運河と鉄道の開通で製造業が成長し、今は有名な劇場がある文化拠点です。

州都
インディアナポリス

州名を冠した州第一の都市。ワシントンD.C.を参考に計画された都市で、放射状に延びる道が街の中心モニュメントサークルに集まります（上写真）。早くから街道が造られ、南北戦争の頃には鉄道ターミナルとして繁栄。自動車製造業が一時発展し、毎年開催されるインディ500で盛り上がります。

地元っ子「フージアー」とは？

フージアーはインディアナ州民のことを指す言葉。語源がはっきりせず、フージアーが示す州民性は「人に親切」「働き者」「前向き思考」「保守的」「地元大好き」だけでなく、「田舎者」といったややマイナスの意味合いも持ちます。それらを全部受け入れて自らの誇りとするのがインディアナの人々です。

人に親切な働き者です

割とプラグマティックです

真の意味は地元民にしかわかりませんが、隣人に親切でホスピタリティが高いのは確かです。

"Who's there?"（フーズゼアー／誰？）

"Hoosier!"（フージアーだ）

開拓時代に頻繁だった「どなたですか？」の問いに由来するというのが数ある語源の1つ。

多くの州民がバスケットボールに熱狂する

多くの州民にとってバスケは生活の一部とされます。バスケが始まったのは他州ですが考案者が「バスケの故郷はインディアナ」というほどの熱狂です。

プロバスケチームとしてはペイサーズがありますが、地元高校選手権「フージアー・ヒステリー」や大学試合が時にプロ以上の盛り上がりを見せます。

高校バスケ映画『フージアーズ』

ジーン・ハックマンです

監督役で出演しました

クールだろ！

キャンディ・ストライプ
インディアナのチームでよく採用される柄です。元は水泳指導の際に、足の動きを当時のカメラが捉えやすいように考案された柄でした。

インディアナのインディアン

ヨーロッパ人がこの地に到着した17世紀はマイアミ族、ポタワトミ族、デラウェア族らがいました。最初に来たフランス人は友好的でしたが、フランス人を追い出したイギリス人は高圧的で、インディアンはあらがいます。しかしその抵抗も1794年のフォールンティンバーズの戦いと、1811年のティピカヌーの戦いでインディアン側が敗北して弱まりました。ダメ押しは1830年のインディアン移住法で、その後の強制移動もあってインディアナ州からインディアンはほぼいなくなり、現在も州人口の1％未満に過ぎません。

COLUMN
スピード狂の祭典 インディ500

毎年5月下旬に開催される500マイル（約800km）レース。1909年に地元自動車工場のテストコースとして完成したインディアナポリス・モーター・スピードウェイを200周します。初開催は1911年、当時栄えた自動車産業は街から撤退していますが、インディ500は国内外のモーターファンが熱狂する世界的なレースになりました。

時速350kmを超える超速度でマシンがかっ飛ぶ

1章 東海岸
2章 南部
3章 五大湖・中西部
4章 西部・西海岸・海外領土
5章 アメリカはどんな国？
巻末資料

打たれ弱くない五大湖沿岸の優等生
オハイオ州

基本情報

人口	1175万6058人（第7位）
面積	11万6098k㎡（第34位）
GDP	6389億1000万ドル（第7位）
州名	ネイティブ・アメリカンのイロコイ族の言葉で「美しい川」を意味する

北部工業州として人材を輩出

　水運にめぐまれ周辺地域の鉄鉱石や石炭が集まり、19世紀後半から20世紀にかけて製造業が発展した代表的工業州です。Cで始まる3つの個性的な都市、クリーブランド・コロンバス・シンシナティや、大統領をたくさん輩出したことなどで知られています。

　19世紀に五大湖の工業州だったということは、奴隷ではなく労働者が経済を支えた北部自由州の中核だったことを意味します。南北戦争（1861～1865）では北軍に大きく貢献し、グラント総司令官や、焦土作戦で趨勢を決したシャーマン将軍を送り出しました。また、南部から逃げた奴隷の逃亡を手助けする組織「地下鉄道」の重要拠点で、多くのアフリカ系を受け入れています。

★ 州のモットー ★
"With God, all things are possible"
「神がいれば何でもできる」

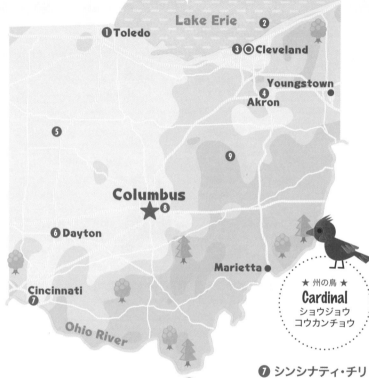

Lake Erie
❶Toledo
❷
❸◉Cleveland
Youngstown
❹Akron
❺
❾
Columbus ★❽
❻Dayton
Marietta ●
Cincinnati
❼
Ohio River

★ 州の鳥 ★
Cardinal
ショウジョウ
コウカンチョウ

❺ ライマ戦車工廠
アメリカ軍の主力戦車エイブラムズを現在も造っているのはライマという小さな街。この高性能戦車はウクライナにも行っています。

❻ ライト兄弟の故郷
仲良し航空兄弟が自転車店を営んでいたのはデイトンでした。同市にある2人の偉業を紹介したミュージアムには観光客が絶えません。

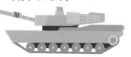

❶ トレド市ジープ祭り
トレドは第二次世界大戦で緊急開発された軍用車ジープを造っていた街です。毎年8月に愉快なジープ好きが集まる祭典を開きます。

❸ カヤホガ川 水面火災
クリーブランドを流れる川に工場排水が流され、19世紀後半頃から水面の油が燃える公害がよく発生しました。今は改善されています。

❼ シンシナティ・チリ
シンシナティ市名物のカロリー爆弾料理です。パスタの上にチリソースをかけ、その上にこれでもかとチーズをトッピングします。

❽ コロンバス・プライド
1982年から毎年開催しているLGBTQ＋の権利を主張するイベントです。この種のイベントとしてはアメリカでもかなり古い方です。

❷ エリー湖 地下岩塩坑
五大湖の1つエリー湖の地下にはライトに照らされた明るく安全な地下坑があります。ここから年間400万トンという塩が採れます。

❹ ソープボックス・ダービー
重力だけで坂道を下る子どもが参加する車のレースです。ゴムとタイヤの街アクロン市で開催されている知る人ぞ知るレースです。

❾ アーミッシュの村
アメリカ最大規模のコミュニティです。ドイツから来た彼らは科学技術を最低限に、持続可能な生活を営み、観光客を受け入れています。

1章 東海岸

2章 南部

3章 五大湖 中西部

4章 西部、西海岸、海外領土

5章 アメリカはどんな国？

巻末資料

1788年	1803年	1835年	1869年	1960年代	1970年
オハイオ川沿いにオハイオ最初の入植地であるマリエッタの街が設立される	この年の3月1日に、第17番目の州としてアメリカ合衆国の一員になる	交通の要衝であるトレドストリップをめぐってミシガン州と争い、これを獲得	シンシナティ・レッドストッキングスがアメリカで最初のプロ野球チームに	公民権運動が全米で広がるなか、クリーブランドなど大都市で人種間暴動発生	米軍のカンボジア爆撃に抗議したケント州立大学生に州兵が発砲し、死者が出る

ラストベルトと呼ぶなかれ

五大湖の工業州ということは、20世紀後半にオイルショックや激しい国際競争にさらされ苦境に陥ったということでもあります。鉄と自動車に代表される重工業が衰退した一帯は錆びついた地域、ラストベルトと呼ばれるようになりました。しかし交通の便が良い強みは生きており徐々にサービス業へと移行。製造業もかつての勢いはありませんが、いまだ稼ぎ頭で、化学製品、ゴム、金属、ガラス、食品加工と多様化しています。近年は伝統的な石炭採掘に加え、シェールオイルが出るようになり、バランス良く経済が回っています。

主要都市 クリーブランド

フランス人と先住民の交易所としてスタートしたエリー湖の南岸に位置するオハイオ第二の都市です。19世紀半ばの鉄道敷設とエリー運河開通で急成長し、南北戦争時の鉄鋼と製油需要で重工業の街となって、やがて多数の研究・教育機関を抱えるまで発展しました。

州都 コロンバス

コロンバス市は1812年の第二次独立戦争前夜の頃、2本の川の合流地点に、政治の中心として設立された計画都市でした。道路と運河と鉄道が開通し、1900年頃には経済の中心地になっています。現在は政府機関、州立大学を擁する州第一の都市です。市内のショート・ノースは芸術区と呼ばれ月に1度芸術祭を開催します。

オハイオを本拠とする有名企業

タイヤの グッドイヤー社

1898年設立で本社が創業の地アクロンにあります。ゴム製品が本業で飛行船も造ります。

スーパーの クローガー社

1883年創業で本社は創業の地シンシナティです。庶民派スーパー・チェーンの大手です。

消費財の P&G社

1837年設立で本社は創業の地シンシナティ。正式名称はプロクター・アンド・ギャンブル。

大統領の母オハイオ

オハイオ州はこれまでの歴史のなかで7人に上る大統領を輩出してきました。この人数を超えるのはバージニア州の8人だけです。アメリカ独立の立役者であったバージニアは歴史の初期に大統領を輩出していますが、オハイオが輩出したのは南北戦争以降になります。

第18代 ユリシーズ・グラント

南北戦争の北軍総司令官だった英雄で、日本の岩倉使節団と面会しています。

第19代 ラザフォード・ヘイズ

南北戦争後に、連邦軍を南部から撤退させる密約「1877年の妥協」で選挙に勝利。

第20代 ジェームズ・ガーフィールド

暗殺された大統領。在任1年未満で業績を残す間がありませんでした。

第23代 ベンジャミン・ハリソン

関税を引き上げて国内産業を保護し、反トラスト法を作るも形骸化しました。

第25代 ウィリアム・マッキンリー

暗殺された大統領。米西戦争を主導しフィリピンなどを手にしました。

第27代 ウィリアム・タフト

ドル外交と反トラスト法で知られている140kgを超える巨漢の大統領でした。

第29代 ウォレン・ハーディング

第一次世界大戦後の「狂乱の1920年代」初期に大統領を務めています。

ミシガン州

アメリカで唯一無二、2つの半島が合体して誕生

基本情報	
人口	1003万4113人（第10位）
面積	25万487㎢（第11位）
GDP	4903億1800万ドル（第14位）
州名	先住民のアルゴンキン語で「大きな湖」、「偉大な水」を意味する等

ミシガンの黄金時代

　2つの半島から成ります。北のアッパー半島は、歴史初期に鉱山や林業が栄えた自然豊かな所。南のロウアー半島は、農業とデトロイトを中心とした製造業が発展しました。

　当初はロウアー半島だけでしたが、オハイオと領土争いをしたトレド地域を諦める見返りに、アッパー半島を獲得して州に昇格（1837）。全米で起きていた東から西への人口移動の波に乗って、1840～50年代はミシガン・フィーバーと呼ばれる人口流入ブームが起きました。アッパー半島で鉄と銅が発見されると各種産業がバランス良く成長。20世紀の世界大戦と重工業の時代に入ると、特に自動車産業が躍進し、南部から多くのアフリカ系が来ました。

★ 州のモットー ★

"If you seek a pleasant peninsula, look about you"
「美しい半島を探したければ、足下を見よ」

❶ マーケット鉄山
アッパー半島イシュペミング近郊にあり1840年代採掘開始、ここの鉄鉱石がミシガン発展に貢献しました。まだ稼働中の所があります。

❷ ユーパーさん
アッパー（Upper）半島住民のあだ名はユーパー（Yooper）。北欧移民が多く、厳しい自然が彼らの独特なユーモアセンスを育てました。

❸ ビッグマック大橋
この州を構成する2つの半島をつないでいる橋で正式名称はマキノー橋です。1957年の完成前まではフェリーが大活躍していました。

❹ おやすみ熊さん砂丘
湖を横断中の子熊が途中で溺れてマニトゥ島になり、母熊が子らを待っていた岸辺がこの美しい砂丘になりましたと先住民は語ります。

❻ ハインツ社ピクルス工場
この州は野菜栽培も盛んでキュウリをたくさん作っています。ホーランドの街にはケチャップで有名なハインツ社の加工場があります。

❺ トラバース市さくらんぼ祭り
ミシガンは果物生産が全米トップクラス。このさくらんぼ産地では7月にお祭りをやっていてミスさくらんぼが笑顔を振り撒きます。

★ 州の鳥 ★
American Robin
コマツグミ

❼ ミシガン大学
ミシガン大アナーバー校はアメリカでもトップクラスの名門校で、グーグルの設立者が卒業しています。学長は日系人サンタ・オノ氏。

❽ モータウン
デトロイト発の伝説的な音楽レーベルです。シュープリームスなどポップな伝統的アフリカ系ミュージシャンらを多数輩出しました。

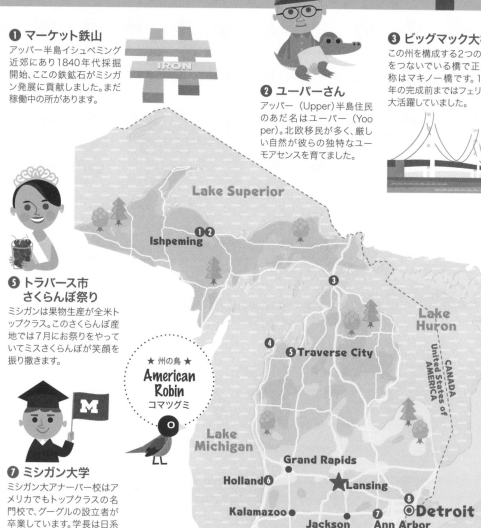

Lake Superior

Ishpeming ❶❷

Lake Huron

CANADA / United States of AMERICA

❹

❺ Traverse City

❸

Lake Michigan

Grand Rapids

Holland ❻

Lansing

Kalamazoo

Jackson

Ann Arbor ❼

❽ Detroit

Lake Erie

主要都市 デトロイト

1701年にフランス人交易商キャデラックが開拓し、20世紀には彼の名をとった高級車をヒットさせたゼネラルモーターズなどが拠点とした自動車の街です。21世紀初頭には産業衰退による中心部空洞化と住宅地廃墟化が目立ちましたが、近年は再開発が進んでいます。

州都 ランシング

州都がデトロイトからランシングに移された19世紀半ばは未開拓でした。19世紀後半に鉄道が敷設されてアクセスが良くなると、オールズモービルやレオモーターカンパニーといった自動車会社が成長。現在は産業や行政の中心としてだけでなく、隣にミシガン州立大学を擁するイーストランシングがあり、ともに人を集めています。

ミシガンを本拠地とする大集団

自動車ビッグ3

かつて世界を席巻したクライスラー、フォード、ゼネラルモーターズ（GM）はデトロイトを本拠としていました。

全米自動車労働組合

イニシャルはUAWです。特にGMのストライキが報道されますが、農業、航空産業の労働者も加盟しています。

ミシガン・ミリシア

現代アメリカ各地で結成された武装した右派民兵組織・政治団体の1つです。なおミリシア運動は古くから存在。

ミシガン前史、ネイティブ・アメリカンの戦い

仲良くなれるかもしれん

17世紀前半〜18世紀半ば

アメリカに最初期に来たヨーロッパ人、フランス人はネイティブ・アメリカンと割と良好な関係を築きました。

先住民に敬意は不要だ

18世紀半ば

しかしイギリス人は、特にフランス人を追い出した頃からネイティブ・アメリカンへの軽蔑を隠さなくなります。

我慢の限界だ、戦争だ！

18世紀半ば以降

18世紀後半にポンティアックが抵抗戦争を起こし、疲弊して講和を結ぶも、最終的に講和は反故にされてしまいました。

生まれ変わるデトロイト

20世紀のデトロイトは自動車産業の景気があらゆる面に作用しました。前半は世界恐慌と第二次世界大戦の浮き沈みを経験。戦後は高速道路急発達で郊外化と都市空洞化が進み、街の中心にある廃墟が半ばスラム化。格差は激しい労働運動と人種対立暴動を引き起こしました。さらに1970年代以降は日本車に蹂躙され、21世紀初頭のリーマンショックが自動車産業と、それに依存していた州財政の息の根を止めます。財政破綻したデトロイトは旧時代の終焉を世界中に知らしめました。ですが今はその跡地から次世代が芽吹いています。

COLUMN
廃墟マニアはやや残念!? デトロイト復活の兆し

2013年に財政破綻したデトロイトはダウンタウンで廃墟が目立ち、そこが犯罪の呼び水となる危険な都市になりました。それが廃墟に産業遺産やアートとしての価値が認められるようになり、さらに再開発事業が進んで、現在はちょっとした建設ブームに沸いています。地元っ子は昔の活気が戻るのではと期待しています。

見方によっては芸術性すら感じさせるデトロイトの廃工場

チーズとトイレットペーパーとハーレーを作る州

ウィスコンシン州

基本情報		
人口	589万2539人（第20位）	
面積	16万9635km²（第23位）	
GDP	3117億200万ドル（第21位）	
州名	正確な意味は伝わっていないが先住民の言葉で「荒々しい急流」等	

ウィスコンシンの概況は？

　銀世界の雪国であって、チーズとビールの産地です。まるで海のない北海道のようですが、ここではハーレーダビッドソンを作っています。

　アメリカ人は18世紀後半からネイティブ・アメリカンの土地に入って耕して農地にし、19世紀前半に入ると鉛を採掘する坑夫らが北ヨーロッパと北欧から押し寄せました。1848年には30番目の州となります。

　南北戦争前夜にはリポンの街で奴隷廃止を是とする共和党が結成。先進的な傾向は代々受け継がれ、その後他州に先駆けて労災補償や老齢補助などの社会福祉を充実させ、今も基幹産業である製造業の従事者を守っています。現代では南国育ちのメキシコ人が働きに来るほど環境が整っています。

★ 州のモットー ★

"Forward"

「前進」

Lake Superior

Superior

Ashland
①

Rhinelander

Wausau
②

Eau Claire

Marshfield

Stevens Point

③　⑤

④ Green Bay

Appleton

⑥

Ripon

Lake Michigan

⑦ Wisconsin Dells

Mississippi River

La Crosse

★ 州の鳥 ★
American Robin
コマツグミ

⑧

Madison
★ ⑨

Milwaukee

Mineral Point

Racine

Lake Geneva　Kenosha

① バッドリバー居留地

チペワ族が暮らします。「悪い川は勝手に西洋人が付けた名前で、うちらにとっちゃ薬の川だわ」とチペワ族の語り部はご機嫌斜めです。

② アメリカ朝鮮人参

1800年代に発見されマラソン郡で栽培が盛んになった漢方の妙薬です。夏も涼しい気候が品質を上げるとされ中国に出荷されます。

④ グリーンベイ・パッカーズ

NFLで唯一市民の皆がオーナーをしているチームです。ゆえに地元に愛されまくっています。名前は資金提供社だった缶詰（パックする）会社から。

③ ホワイトフィッシュ

ミシガン湖で獲れるサケ科の魚で、カトリックの安息日の前、金曜日の夜は、この魚をフライにしてみんなで食べるという習慣が昔はありました。

⑤ ドア郡の灯台群

五大湖（と運河）は水運の要。この辺りにアメリカ軍がたくさん灯台を造りました。まだ現役の物もあり沿岸警備隊が管理しています。

⑧ カウチップ投げ大会

昔は貴重な燃料だった乾燥牛糞を投げる大会がよく開かれています。臭いがほとんどないらしくお姉さんも参加します。

⑥ フォートマッコイ

スパルタ市には陸軍基地があり、第二次世界大戦中に多くの日本兵とドイツ兵が抑留されました。無事出所した日本人が手記を残しています。

⑦ ノアの方舟水上公園

ウィスコンシンデルズはこの州随一のリゾートタウンです。北国の短い夏を堪能すべく、たくさんの家族連れが楽しみにしています。

⑨ 世界酪農エキスポ

世界の酪農関係者が熱い視線をおくるマディソン郡の見本市です。ウィスコンシンはアメリカで一番チーズを作っている酪農州です。

主要都市
ミルウォーキー

会合所などを意味するネイティブ・アメリカン語が名前の由来。州第一の都市でミシガン湖に沿ってシカゴ、インディアナ州まで重工業地帯が続きます。ビール造りでも有名なのは、19世紀半ばに本国で起きた革命の混乱を逃れたドイツ人がたくさん移民してきたからです。

州都
マディソン

行政機関とウィスコンシン大と農業市場で栄える州第二の都市です。この辺りに広大な土地を持った投機家の連邦判事が不動産ブーム中の1836年に設立。名前は同年夏に亡くなったジェームズ・マディソン大統領から取られています。森しかなかったこの地は議事堂建設、産業振興、鉄道敷設で順調に発展しました。

ウィスコンシンといえばこれだ!

とにかくチーズの産地として有名で、頭にチーズ帽をかぶって地元アメフトチームを応援するほど。ほかにはドイツ系と北欧の移民の多さからか、そっちの食べ物や、手の込んだ工業製品、生活必需品を自ら作り発展させました。

ドイツ風ソーセージ「ブラットワースト」

ドイツ系ビール「ミラー」

パッカーズ応援団「チーズヘッド」

グリーンベイ近郊の製紙産業

ミルウォーキーの「ハーレーダビッドソン」

子ども服ブランド「オシュコシュ」

北欧出身の移民の祭典

ストウトン「ノルウェー祭り」

5月下旬にノルウェー憲法記念日を祝います。昔は街の人口の75%がノルウェー人だったとか。

ミルウォーキー「ポーランド祭り」

ドイツ人に次いで多かったといわれるポーランド人が、子に故国の文化と踊りを伝えます。

ニューグラールス「ウィリアム・テル祭り」

実は架空の人物なんです

スイス建国の象徴ウィリアム・テルを讃える演劇などのパフォーマンスが披露されます。

私は近代建築の巨匠と呼ばれています。生まれはこの州なんです

日本の北海道から来た弟子もいたんですよ

フランク・ロイド・ライト

近代絵画の巨匠と呼ばれています。私も生まれはこの州ですよ

ニューメキシコが気に入って移住したけど

ジョージア・オキーフ

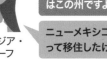

あぁ、わかります。暖かい地にあこがれるのは北国出身者の宿命

私も暖かいアリゾナで活動しましたよ

フランク・ロイド・ライト

COLUMN
ウィスコンシン生まれの鬼才オーソン・ウェルズ

ラジオ『宇宙戦争』でリスナーを驚かせ、映画『市民ケーン』でハリウッド映画に革命を起こした暴れん坊は、生まれがこの州のケノーシャでした。子どもの頃に両親を亡くし、世界を巡業しながら演技と演出を磨いた人生のうち、この州で暮らしたのはわずか。ですがインタビューで自身のルーツと故郷を語っています。(1915〜1985)

切手にもなっている市民ケーンとオーソン・ウェルズ

ミネソタ州

基本情報	
人口	571万7184人（第22位）
面積	22万5163km²（第12位）
GDP	3503億1500万ドル（第20位）
州名	スー族の言葉で「曇りの水」や「空色に染まる水」を意味する川の名から

ミネソタ入植史、その1

　1万の湖がある所といわれますがむしろ控えめな表現で、地元当局によれば1万千以上の湖があります。

　最初のヨーロッパ人は17世紀の冒険心旺盛なフランス人探検家や宣教師と、戦争の末に彼らに取って代わったイギリス人。その後は19世紀初頭にフランス系カナダ人と、アメリカ北東部ニューイングランドのイングランド、スコットランド、アイルランド出身者がここに入ってきます。

　19世紀半ばになると州に昇格、ネイティブ・アメリカンの掃討と、南北戦争を経て入植ブームが起きます。寒さと雪、それに氷河の浸食と後退でできた湖水地形が故郷を思わせたのか、ドイツ人をはじめとする北ヨーロッパ、スウェーデンやノルウェーなど北欧出身者が押し寄せました。

> ★ 州のモットー ★
> **"Star of the North"**
> 「北の星」

❶ 映画『ファーゴ』

この州出身のコーエン兄弟の出世作。雪と寒さしかない田舎町で女性保安官が殺人事件解明に挑む。というあらすじ以外が壮絶で、後にドラマ化されたり、外国人女性の怪死事件が起きたり、その事件が映画化されたりとすごいことになっています。

❷ 聖なるパイプストーン

ネイティブ・アメリカンは儀式用喫煙パイプに特別な赤い石で作った細工石を付けます。パイプストーン国定史跡が採掘地でした。

❸ コーンベルト

北部の小さい飛び地のため本土最北端であるミネソタですが、南部には肥沃な黒土が眠っており中西部らしくトウモロコシができます。

❹ ダコタ戦争（1862）

追い詰められ食べる物にすら困ったスー族一派のダコタ族が反乱。政府軍がこれを討伐し彼らを処刑し追放するジェノサイドを起こしました。

❺ モール・オブ・アメリカ

東京ドーム11個分よりやや大きい面積に500店舗以上があって、屋内遊園地を備えています。さすが寒く屋内活動が活発なお国柄です。

❻ ボブ・ディラン

ミネソタ大を1年待たずに中退するまでこの寒い州で育ちました。生まれはダルース、メサビの鉄を運び出していた五大湖の港町です。

❼ レッドウィング社

このいかしたブーツブランドは1905年の創業以来、工場をレッドウィングの街に置いています。創業者はドイツ移民のベックマン氏。

❽ メサビ鉄山

19世紀末から工業を支えましたが良質な鉄鉱石は枯渇。でもタコナイト（質の低い鉄鉱石）が大量に出るので今も現役を続けています。

❾ カヌーの聖地

バウンダリーウォーターズは、氷河が残した湖と針葉樹に覆われるアウトドア好きの聖地。冬キャンプは過酷すぎるので夏が人気です。

★ 州の鳥 ★
Common Loon
ハシグロアビ

CANADA

Red Lake

Bemidji

Walker

Duluth

Grand Marais

Lake Superior

Brainerd

Minneapolis

Saint Paul

Bloomington

Red Wing

Mississippi River

Rochester

1章 東海岸
2章 南部
3章 五大湖・中西部
4章 西部・西海岸・海外領土
5章 アメリカはどんな国?
巻末資料

主要都市
ミネアポリス
州第一の都市でミシシッピ川沿いにあり、東のセントポールと合わせて双子都市と呼ばれます。1680年、先住民の地を宣教師ルイ・エネバンが訪れセント・アンソニー・フォールズと名付け、やがて水車が造られ発展しました。「ミネ」はスー族の言葉で水を意味します。

ここが大好きミネソタ州

ミネソタナイス
州民の親切心を表した言葉。「無理に親切アピールしなくても」とひねた人は考えるとか。

ジューシー・ルーシー
ミネアポリスで元祖争いが繰り広げられているチーズイン・ハンバーグのバーガーです。

3M
ポストイットで有名な会社の旧社名は「ミネソタ・マイニング・マニファクチャリング」。

ミネソタナイスな偉人たち

酒はほどほどが一番!

フィッツジェラルド
ギャッツビーを書いた百年前の文豪はセントポール生まれで大学に入学し東海岸へ上京。

薬に頼っちゃダメ!

ジュディ・ガーランド
映画『オズの魔法使』で子役として大成功した後、波瀾万丈の人生を生きた大スターです。

Good Grief
(やれやれ)

チャールズ・シュルツ
スヌーピーが出る漫画『ピーナッツ』を書く前は第二次世界大戦に従軍した苦労人です。

州都
セントポール
州第二の都市。19世紀前半、最初にこの地の所有を訴えたのは酒場店主でした。後にローマ・カトリックの宣教師が使徒パウロ(聖ポール)の礼拝堂を建て、1858年の州昇格で州都となります。その後鉄道が敷設されると北ヨーロッパや北欧移民が増えて発展。政治経済の中心となり、3M社などが成長しました。

ミネソタ入植史、その2

　19世紀末には農業が軌道に乗り、製粉が盛んに行われました。この頃にメサビ鉄山の採掘が始まります。最盛期で世界の鉄の4分の1を担うとされた量で、人手がいくらあっても足りず、イタリアや東ヨーロッパから移民が殺到しました。双子都市で働く人も少なくありませんでした。

　質の高い鉄鉱石は20世紀半ばに枯渇しますが十分に都市と製造業は育ち、同世紀後半になるとヒスパニック、アジア、アフリカ系が流入。その後は金融、保険、医療、観光といったサービス業が成長して、多くの州民が従事するようになっています。

COLUMN
人種差別問題が発火 ジョージ・フロイド事件

抗議活動の様子(ニューヨーク、2020年)

新型コロナの影響が出始めていた2020年5月末、ミネアポリス路上でアフリカ系のジョージ・フロイド氏が、警官に取り押さえられた末に喉を8分以上圧迫され死亡します。この様子を捉えた動画は瞬く間に拡散、全米で人種差別への抗議活動が「ブラック・ライブス・マター」を合言葉に広まり、社会の意識向上レベルを引き上げました。

開拓者たちの輝かしい事績とその影

西部への領土拡大

西へ、西へと国土を広げた発展の歴史

　建国以来、アメリカは百年以上かけて国土を西へ広げ、ついに太平洋岸まで到達しました。この精力的な領土拡大がなければ、アメリカが今日のような超大国となることはなかったでしょう。

　フランスからのルイジアナ購入は平和裏に行われましたが、テキサス併合の際にはメキシコとの間で米墨戦争が勃発します。戦争の結果、カリフォルニアとニューメキシコがメキシコから割譲されました。こうして得た西部の土地には開拓者が進出し、次々と新たな州が創立されていくことになります。

　19世紀の技術革新も西部の開拓を後押ししました。蒸気船の登場で河川の航行は容易になり、鉄道や電信が整備されると発展はさらに加速していきました。

　開拓の歴史は、同時にネイティブアメリカン迫害の歴史でもあります。先住民は農業に適した豊かな土地から追い出され、条件の悪い居留地へと押し込められました。こうした政策により、疫病などですでに減っていた先住民の人口はさらに激減しました。

キーワード　マニフェスト・デスティニー

ジャーナリストのジョン・オサリバンは1845年に発表した論文で、西部への領土拡大は神によって与えられた「マニフェスト・デスティニー（明白な天命）」であると主張。先住民の追放や虐殺も、こうした独善的な理論で正当化されました。

現在の領土にいたるまでの経緯

1846 イギリスとの国境がFIX
19世紀前半のオレゴン・カントリーには、ビーバーの毛皮を求めてアメリカとイギリスが進出。1818年以降、両国はこの地域を共同占有していましたが、1846年に北緯49度線を境として南北に分割することで合意しました。

1848 メキシコからGET
1846年に始まった米墨戦争中に、アメリカ軍はカリフォルニアを占領。戦後結ばれたグアダルーペ・イダルゴ条約で、メキシコから正式に割譲されました。これにより、メキシコは国土の1/3を失うことになりました。

1853 メキシコからGET
メキシコとの国境紛争に決着をつけるために購入。交渉を担当した大臣の名を取り、ガズデン購入と呼ばれています。アメリカは新たに獲得したこの領土を経由して、南部に大陸横断鉄道を敷くことを構想していました。

1845 テキサス共和国をGET
テキサスはメキシコ統治下にありましたが、アメリカからの移民が独立戦争を起こし、1836年にテキサス共和国として分離。1845年にアメリカがテキサス共和国を併合すると、メキシコとの間で米墨戦争が勃発しました。

1818 イギリスからGET
1818年にアメリカとイギリスは、ロッキー山脈以東の国境を北緯49度線とすることで合意。ウィニペグ湖に注ぐレッド川の流域はそれまでイギリス領とされていましたが、このときにアメリカの領土に組み込まれました。

1842 イギリスからGET
北東部のメイン州とイギリス領の境界は曖昧だったため、1838年には紛争に発展しました。1842年、両国はウェブスター・アッシュバートン条約を結び、国境線を確定。同時にスペリオル湖の西側の国境線も決まりました。

1783 建国時の13州
独立戦争を戦った13州は、アメリカの国旗「星条旗」の縞の数に反映されています。独立後には初代大統領の名を冠した首都ワシントンがこの地域の中央部に建設され、どの州にも属さない連邦直轄地となりました。

1803 フランスからルイジアナ地域をGET
フランス革命後、ナポレオンがスペインから獲得していた地域。アメリカは当初、ニューオーリンズ周辺の購入を打診しましたが、ナポレオンはルイジアナ全体の売却を提案。アメリカの領土は一挙に約2倍になりました。

1810年代 スペインからGET
スペイン領フロリダは、開拓者に追われた先住民セミノール族や黒人奴隷の逃亡先となっていました。アメリカ軍は1818年、フロリダに侵攻しセミノール族を掃討。戦いの後、スペインはフロリダの売却を決めました。

1783 イギリスからGET
独立戦争勝利後のパリ条約でイギリスから割譲。連邦政府は、人口6万人を超えた地域に新しい州を創立できるとする「北西部条例」を制定し、1803年にオハイオ州が誕生しました。この方式は、以降の領土拡大でも引き継がれていきます。

1898 フィリピン、グアム、プエルトリコをGET
米西戦争でスペインに勝利したアメリカは、キューバ、フィリピン、グアム、プエルトリコを獲得。キューバは1902年に独立しますが、アメリカはフィリピンの独立を認めず、米比戦争で独立派を徹底的に壊滅させました。

1898 ハワイ共和国をGET
ハワイには先住民の国家であるハワイ王国が存在していましたが、1893年にアメリカ軍の関与するクーデターが起き、白人が統治するハワイ共和国が成立。米西戦争中にアメリカに併合され、ハワイ準州となりました。

1867 ロシアからGET
アラスカには18世紀後半からロシア帝国が進出していました。クリミア戦争で財政難に陥ったロシアは、アラスカをアメリカに売却。当時はめぼしい資源はないと思われていましたが、後に金鉱や油田が発見されます。

1章 東海岸
2章 南部
3章 五大湖、中西部
4章 西部、西海岸、海外領土
5章 アメリカはどんな国？
巻末資料

米英戦争（1812〜1814）と2人の大統領

　領土拡大にともない、開拓者と先住民との間の紛争は激しさを増していきました。イギリスが先住民を支援していることに苛立った連邦政府は、ついにイギリスに宣戦布告します。イギリス領だったカナダを奪うことも、戦争の目的のひとつでした。

　アメリカ軍は苦戦し、首都ワシントンを焼かれてしまいます。1814年に両国は講和条約を結び、戦争は終結しました。目立った戦果はなかったものの、イギリスとの関係が断たれたことはアメリカの経済的な自立につながりました。そのため、米英戦争は「第二の独立戦争」とも呼ばれます。

国歌「星条旗」
The Star-Spangled Banner

● キーワード

　米英戦争の最中、イギリス海軍はボルティモア湾のマクヘンリー要塞を総攻撃しました。激しい砲撃に耐え、朝日を浴びてはためく星条旗を目にしたフランシス・スコット・キーは、その情景を歌詞に起こします。アメリカの国歌「星条旗」はこうして生まれました。

モンロー主義の提唱

ヨーロッパはヨーロッパ、アメリカはアメリカ。それぞれ別々にやっていこう！

　米英戦争と前後して、中南米ではスペインの植民地が次々と独立を果たしました。こうした情勢のなか就任したモンロー大統領は、ヨーロッパとアメリカの相互不干渉を唱えます。このモンロー主義は国家の基本方針となりました。

ジェームズ・モンロー
（任期1817〜1825）

ジャクソニアン・デモクラシー

インディアン問題を解決するには、彼らを強制移住させるしかない

　ジャクソン大統領は庶民の家に生まれ、軍人として米英戦争で活躍した人物です。彼の統治時代には白人男性の普通選挙が普及し、民主主義が著しく進歩しました。しかしその一方で、先住民の強制移住政策も推進されました。

アンドリュー・ジャクソン
（任期1829〜1837）

米墨戦争（1846〜1848）

　1821年にスペインから独立したメキシコは、アメリカの西進を阻む壁となっていました。1845年のテキサス併合をきっかけに、両国は戦争へと突入します。近代的な重火器で武装したアメリカ軍は破竹の勢いで進軍し、翌年にはメキシコの首都メキシコシティが陥落。この戦争によって、アメリカは西部の広大な領土を獲得しました。

　講和条約が結ばれた年、カリフォルニアで金が発見され、ゴールドラッシュが発生。西海岸の人口は急激に増加し、アメリカはますます発展を遂げていくことになります。

アラモ砦を忘れるな！
Remember the Alamo!

テキサス独立戦争（1835〜1836）の際、アラモ砦守備隊はメキシコ軍の攻撃で全滅。それ以来「アラモ砦を忘れるな！」がアメリカ人の士気を高める合言葉になりました。

涙の道

　1830年のインディアン強制移住法により、先住民は連邦政府の決めた居留地への移住を余儀なくされました。ジョージア州に住んでいたチェロキー族は真冬に約1600kmを歩かされ、1万6000人以上いたうちの約1/4が飢えや病気で亡くなったともいわれています。その過酷な旅路は「涙の道」と呼ばれるようになりました。

先祖代々の土地をなぜ出ていかなければいけないんだ

チェロキーの移動ルート

ミズーリ州

基本情報	
人口	617万7957人（第18位）
面積	18万540㎢（第21位）
GDP	3006億7600万ドル（第22位）
州名	先住民の言葉で「泥の水」という意味の大きな川からきている

アメリカ中西部の雄

　概して農業を営む白人が多く、ゆったり保守な中西部にあって、セントルイスとカンザスシティを擁する、大都会と農村の両方がある所です。

　アメリカ最多となる8州と隣り合うミズーリは、東の森林、西の大平原、南の綿花地帯、北のトウモロコシ地帯が出会い、4要素全てを持つ境界。そのためか単純に中西部の田舎とは言い切れない底力が感じられ、国際企業と実業家と大統領を輩出し、五輪と万博の開催経験を持ちます。

　得意の農業はかつての主役である綿花だけでなく大豆などを導入。製造業ではダグラス社に端を発し、空軍基地が下支えした航空宇宙産業があります。金融、不動産、医療などのサービス業も元気で、減少している農業従事者の受け皿となっています。

> ★ 州のモットー ★
> **"The welfare of the people shall be the supreme law"**
> 「民の幸福を最高法とすべし」

❶ ゲートウェイアーチ

ミシシッピ川以西が未開だった頃はセントルイスがフロンティアの玄関口。そのことを象徴する高さ約200mのオブジェがあります。

❷ マーク・トウェイン

『トム・ソーヤーの冒険』などでアメリカ文学の礎を築いた偉大な作家。ミシシッピ川のほとりにあるハンニバルの街で育ちます。

❻ 方鉛鉱

州南東部の南北に伸びるバイバーナム・トレンド鉱床で豊富に採掘される鉛です。ミズーリは地下資源にも恵まれている幸運な州です。

❽ メラメック洞窟

州の愛称の1つは「洞窟の州」で、州内に約7500も存在しています。このうち巨大洞窟メラメックは総延長がなんと7.4kmです。

❸ ストーンヒル・ワイナリー

ドイツ系移民が多いラインランドはワイナリーが多い地域。なかでもストーンヒルは歴史が長く、地下熟成室を使う結婚式が人気です。

❹ ポニーエクスプレス

19世紀半ばにここからカリフォルニアまでをつないだ速達便で、当時最速の通信インフラでした。セントジョセフに博物館があります。

❺ チャーリー・パーカー

モダンジャズとサックスの帝王で、1940年代に活躍しました。生まれはカンザスシティです。アフリカ系州民は都市部に多くいます。

❼ ジョン・ハーデマン・ウォーカー

19世紀初頭の大地震にも負けず農業を続け、その土地をミズーリに帰属させました。この地は南へ飛び出た形から「ミズーリのブーツのかかと」と呼ばれます。

❾ ウィルソンズ・クリーク古戦場

南北戦争で2番目に起きた戦いで、ミシシッピ以西で最大規模の戦いでした。古戦場に行くと定番の車輪付きカノン砲があります。

★ 州の鳥 ★
Eastern Bluebird
ルリツグミ

Missouri River

◉ Kansas City

Jefferson City ★

St. Louis

Ste. Genevieve ●

Mississippi River

● Springfield

● Branson

東海岸 1章

南部 2章

五大湖、中西部 3章

西部、西海岸、海外領土 4章

アメリカはどんな国？ 5章

巻末資料

主要都市

カンザスシティ

燻製肉を使うバーベキュー、200以上あるとされる噴水、ジャズの聖地など多彩な魅力があるミズーリ最大の都市です。隣のカンザス州にも市街地が広がっています。アフリカ系アメリカ人が多く暮らしており、近年も黒人コミュニティと警察の間で摩擦が目立ちます。

州都

ジェファーソンシティ

第3代トーマス・ジェファーソン大統領の名前が取られた1821年建設の州都です。南北戦争でジェファーソンシティは北軍に残っており、南北戦争を退役した軍人が1866年に公立の黒人大学であるリンカーン大学を設立しました。産業面では農業だけでなく、自動車、電気製品など製造業も発展しています。

ミズーリの有名大企業

本社はセントルイス

欧州企業に買われた

今の親会社は欧州企業

バドワイザー

ドイツ系の移民2人が1876年に製造開始したビール大国チェコの地名を冠したビールです。

エマソン・エレクトリック

世界中の製造業を買収して巨大化しているモノづくりのコングロマリット企業です。

旧モンサント

健康被害が問題視された除草剤を作っていた企業。ベトナム戦争の「枯葉剤」も作りました。

南北戦争ではボーダーステート

南北戦争では州内に奴隷がいたもののミズーリは北軍に残りました。奴隷がいながら北軍に残った州を境界州（ボーダーステート）といいます。しかし州内に南軍に味方する勢力もでき両者は衝突します。奴隷制をめぐる混乱は南北戦争前にもありました。「流血のカンザス」と呼ばれる事件です。1950年代後半に隣州カンザスを奴隷容認州にしようと一部ミズーリ州民がカンザスへ向かい、反奴隷制の人々と衝突、この時に数十人の死者が出ました。

奴隷はいるけど北部に所属

奴隷制はNG

奴隷制はOK

North

South

「私に見せろ！」の州

Show Me!

20世紀初頭に下院議員を務めたウィラード・ダンカン・バンディバーは、東部で開催された晩餐会に出席した時に「私はトウモロコシ、綿花、雑草、そして民主党員が育つ州から来ました。薄っぺらな雄弁は私を納得も満足もさせません。私はミズーリ出身。Show Me（本当の皆さんを私に見せてほしい）」と語りました。この逸話からミズーリは「ショー・ミー・ステート」というあだ名になったという説があり、美事麗句に騙されない疑い深さ、気骨、慎重さ、リアリストな側面が表れているといわれます。

COLUMN

州ごとに異なる死刑制度 ミズーリは積極的に執行

アメリカは死刑の廃止、存置を州ごとに決めており、存置州も長年執行を行わない州が少なくありません。ミズーリは近年執行を行う数少ない州で、テキサス、オクラホマ、バージニア、フロリダと並び死刑を多く執行する州です。2023年は8月時点で4人が執行されました。

防弾チョッキを着るパトロール中のセントルイス警察

アイオワ州

基本情報		
人口	320万517人（第31位）
面積	14万5746km²（第26位）
GDP	1770億9000万ドル（第31位）
州名	眠そうな人、うとうとしている人を意味する先住民の部族名からきている

アイオワ農業哀史

　ミシシッピ川とミズーリ川という二つの大河に挟まれているのは肥沃な黒い土の平原です。その8割強が農地でトウモロコシや大豆が作られます。飼料をいくらでも作ることができるので養豚も盛んです。特に70年代初頭に農家は非常に豊かで、州人口の4割が小さな街や農場で暮らしていたほど農村が賑やかでした。

　しかしアイオワ州民が誇りにしている映画『フィールド・オブ・ドリームス』でも描かれていたように、必ずしも経済的豊かさが約束された仕事ではなくなっています。特に1980年代の景気後退、土地価格の下落、旧ソ連への穀物輸出禁止措置、生産性の向上による供給過剰といった複合的要因で、アイオワをはじめ中西部の農業は苦境に立たされました。

★ 州のモットー ★
"Our liberties we prize, and our rights we will maintain"
「我らの自由を尊重し、我らの権利を守護する」

❶ フィールド・オブ・ドリームス
往年の名選手が「ここは天国か？」と問い、ケビン・コスナーが演じる農場主は「いやアイオワだ」と答える。州民が誇る映画のロケ地は今もファンが絶えません。

❷ ダビューク市ケーブルカー
1882年に運転を開始した地元の名所です。アメリカで最も急な坂を上り、最も短い距離を走るとのことで、車両が愛らしく人気です。

I-O-WAY　I-O-WAY

❸ アイオワ・コーン讃歌
「アーイ・オ・ウェイ（アイオワ流万歳！）」と我が在所を賛美する州民のソウルソングです。力強い曲はYouTubeで試聴可能です。

❹ スピリットレイクの虐殺
ネイティブ・アメリカンのスー族が、入植したヨーロッパ人30人以上を無差別に殺めた事件で、現場には石塔が建てられています。

❺ チューリップ祭
オランダから来た移民が築いた街、オレンジシティで毎年5月に開催されています。その歴史はもう80年を超えている伝統行事です。

❻ マディソン郡の屋根付き橋
ビターエンドな映画『マディソン郡の橋』に登場するローズマン・ブリッジだけでなく、他にも雰囲気のある橋がいくつかあります。

❼ アイオワ・ポーク生産者協会
豚はトウモロコシと並ぶアイオワの名物で、人口より豚の飼育数の方が多いといわれます。州都に生産者が加盟する協会があります。

❽ 国立チェコスロバキア図書館
旧チェコスロバキアからの移民が多かった街シーダーラピッズに造られました。2008年に中西部を襲った大洪水で被害を被っています。

❾ アイオワ大レスリング部
大学スポーツはアメフトが一番でバスケなどが続きますが、4大スポーツのプロチームがないこの州ではレスリングも人気があります。

★ 州の鳥 ★
Eastern Goldfinch
オウゴンヒワ

地図：
❹
Decorah ●
❺ Orange City　❸
Missouri River
Mississippi River
❶　❷
Ames ●
Cedar Rapids ◎❽
★ ❼
Des Moines
❻
Iowa City ❾
Davenport

東海岸 1章
南部 2章
五大湖、中西部 3章
西部、西海岸、海外領土 4章
アメリカはどんな国？ 5章
巻末資料

1803年	1846年	1861年〜	1936年	2009年	2228年
ルイジアナ購入によりアイオワを含む一帯がフランス領からアメリカ領に	アイオワが州に昇格。以降、50年代から60年代にかけて人口が急増する	北部自由州の一員として南北戦争を戦い、多数の兵士を連邦軍へと送り出す	アイオワ大ライターズワークショップ設立。後にフラナリー・オコナーを輩出	保守派の勢いが低下。同性婚を禁止する州法をアイオワ州最高裁がひっくり返す	スタートレックのカーク船長がこの年に生まれるとして街おこしが展開中

主要都市 シーダーラピッズ

街の名前は東にある急流（ラピッズ）から。第二の都市で、「5つの季節」をスローガンに観光客を呼んでいます。5つ目の季節は「春夏秋冬を楽しむ季節」とのことです。農業と食品加工産業が発展しており、穀物の香りから「5つの匂いがする」と言われてしまうことも。

州都 デモイン

デモイン川とラクーン川の合流地点近くに発展したコーンベルトのど真ん中にある州第一の都市です。名の由来は「先住民のアルゴンキン語の言葉のフランス語読み」や「フランス語で真ん中を表すデ・モワン」など諸説あります。かつては石炭の街として栄えましたが、石炭の位置は金融やメディアに置き換わりました。

みんなおいでよ、アイオワ・ステートフェア

アメリカ各州はステートフェアと呼ばれる祭典を開催します。州ご自慢の特産品を展示したり、移動遊園地やコンサートを楽しんだりできます。アイオワではデモインで大きなフェアが毎年8月に約10日かけて行われ、年に1度の州をあげたお祭りとして、家族連れやインフルエンサーが集います。

名物の黄色い牛

体はバターでできているMoo！

約2万枚分のトーストで使えるバターを惜しげもなく使ったバター製の原寸立体造形です。

名物のB級グルメ

立ち食いできてGood！

数えきれない屋台で、様々な食べ物を串に刺して揚げます。肉、野菜から果物や甘味まで。

名画アメリカン・ゴシック

アメリカでかなり知名度が高いアイオワ出身のグラント・ウッド作による油絵です（1930）。アイオワ州エルドンの家屋が背景に描かれているといわれます。

不思議なインパクトを持っているためか、しばしばパロディ作品が作られており、近年は新型コロナウイルスの影響を受けてマスクをしていました。

1930年 → 2020年

農業とITの州へ

1980年代に農業が苦境に立たされると、離農者が増える一方で、農場の統合が進み、農場の規模が大きくなっていきます。また農業以外の製造業やサービス業に活路が見出され、21世紀に入ってからは、銀行業、保険業、バイオテクノロジーとそれらの技術開発が盛んになっていきます。加えて税制優遇措置や、再生エネルギーの開発をチャンスと見たIT企業が進出。旧フェイスブックやグーグルのデータセンターが運営されるようになりました。アイオワは農業を大切にしつつ、それだけではない州に変化しつつあります。

COLUMN
大統領選が始まる州 アメリカ中の注目が集まる

デモインで演説する民主党のケネディ氏（2023）

アイオワは4年に1度の大統領選挙の年に、候補者を決める党員集会が全米で最初に開催されてきました。このためアメリカの主要メディアが集まり、アイオワ州の大統領選の動向を盛んに報道します。ということは影響力が大きいということで、大統領候補者はアイオワでの選挙活動を重要視します。

ノースダコタ州

シェールオイルで潤っている方のダコタ

基本情報

人口	77万9261人（第47位）
面積	18万3108km²（第19位）
GDP	531億2500万ドル（第45位）
州名	同胞を意味する言葉でラコタ、ナコタとも。同胞とはスー族連合のこと

一大農業州であり燃料庫

スペイン人が持ち込んだ馬で平原を駆け、ティピーと呼ばれる三角テントで寝るスー族（ダコタ、ラコタ、ナコタに細分）が暮らした土地です。そこへ18世紀に毛皮を求めるフランス系カナダ人やイギリス人が入ります。彼らの一部はスー族と結婚し、やがてメティスと呼ばれました。

その後19世紀末までに、鉄道開通とともに来たドイツ人や、ノルウェーなど北欧人の入植が進みます。彼らが植えた寒さに強い麦は、この州を全米有数の農業州に仕立て上げました。ほかに大豆、トウモロコシ、テンサイ、そして油用のヒマワリも得意です。農業とともに雇用を担ってきた石炭採掘は、21世紀以降シェールブームの影に隠れがちですが、まだまだ存在感を放っています。

★ 州のモットー ★
"Liberty and union, now and forever, one and inseparable"
「自由と団結は永久に不可分」

❶ デュラム小麦畑
コシがありパスタに適した品種デュラムの生産量が全米トップレベル。寒い冬と乾燥した夏という気候がデュラムの質を上げてくれます。

❷ バッケン・シェール
農業州で発見された奇跡。2010年代に失業率ゼロともいわれる好景気が訪れます。価格変動はあるものの現在も重要な収入源です。

❸ セオドア・ルーズベルト国立公園
アウトドア派ルーズベルト大統領の牧場があった地です。名所のマッシュルーム岩は、荒涼としているバッドランド地形らしい奇岩です。

❹ ウクライナ・イースターエッグ
1980年にウクライナ移民が組織したウクライナ協会の文化会館で復活祭の飾り卵を展示中です。同館はウェブサイト上でウクライナに侵攻したロシアに抗議しています。

❺ マンダン族のアース・ロッヂ
スー語を話す人々による木と草のエコ住居が、カスター将軍がリトルビッグホーンへ出陣したリンカーン要塞（国立公園）にあります。

❻ 国際平和ガーデン
カナダとアメリカの国境にあって、お互いリスペクトして仲良くすることを誓う公園。州のあだ名「平和の庭」の由来になっています。

❼ アメリカの中心？
ラグビー市が北米の地理的中心と称して街おこし中ですが、どうやら中心とは言いきれないらしく、逆にそれが話題を呼んでいます。

❽ 巨大バッファロー像
かつて中西部を闊歩したものの概ね狩られ尽くされ保護区で個体増加が進むこの動物の博物館と巨大像がジェームズタウンにあります。

❾ ノースダコタ州立製粉所
1922年稼働で今も現役です。ここができるまでは隣州のミネアポリスまで麦を運び、けっこうな運賃をとられ農家を泣かせていました。

★ 州の鳥 ★
Western Meadowlark
ニシマキバドリ

CANADA

Pembina
Williston
Minot
Rugby
Grand Forks
Watford City
Missouri River
Dickinson
Bismarck
Jamestown
Medora
Fargo

1803年	1804年頃	1861年	1876年	1883年	1930年代
ルイジアナ・パーチェイス（購入）によりフランス領からアメリカ領に	ミズーリから太平洋を目指していたルイスとクラークの探検隊がこの地に到着	後にノースダコタ、サウスダコタに分かれるダコタ準州を連邦政府が創設する	モンタナでリトルビッグホーンの戦いが発生、この地のスー族も参加して勝利	ノーザン・パシフィック鉄道が完成し東海岸、中西部、西海岸が鉄路でつながる	中西部一帯で起きた干ばつと砂嵐（ダストボウル）で農業が大打撃を受ける

ノースが兄貴でサウスが弟分

　州昇格は1889年。ダコタ準州を北と南に割った形です。その理由はノーザン・パシフィック鉄道で入植が進んだ北側と、はるか南のミズーリ川沿いで街が発展し、ノースウェスタン鉄道とイリノイの影響があった南で、文化と生活圏が違ったから。もう1つは割って選出議員を2倍にし、より多くの共和党議員を国会に出そうと画策した逸話があります。

　分割時は後腐れがないよう、大統領が目隠しをしたまま、シャッフルしてあった州承認書に署名。結果ノースダコタが39番目、サウスダコタが40番目の州となりました。

主要都市 ファーゴ

ノーザン・パシフィック鉄道の川越え地点に設立（1871）された街で、列車と蒸気船の補修地点として重宝されました。名前は速達便業等を行なったウィリアム・ジョージ・ファーゴにちなみます。小麦に適した肥沃な土地に惹かれ多くのノルウェー人が移民して来ました。

州都 ビスマルク

1872年設立で当初は別の名前でしたが、1873年にドイツの鉄血宰相ビスマルクから名前を拝借します。その理由は鉄道建設にあたり、ドイツからの投資を呼び込もうとしたからでした。その年にめでたく鉄道が開通、翌年に現在のサウスダコタ・ブラックヒルズで金が見つかると坑夫が集まり街はどんどん大きくなりました。

ここが大好きノースダコタ！

> 渋滞なんて珍しく、だから住みやすい

人口少なく伸び伸び

人口はアメリカ本土でもブービー。その割に面積が大きく、人口密度の低さが屈指です。

> 失業率の低さは、安定と豊かさの証明！

UNEMPLOYMENT

失業率が低くて安心

特に2010年代のバッケン・シェール油田の開発以降、州内の失業率が激減しています。

> 雪と寒さは慣れたら何とかなります…

冬がものすごく寒い

マイナス50度に達することがありますが、夏は涼しく、暑さが苦手な人にはいい所です。

移民がもたらし受け継がれた北欧文化

ノルスク・ホストフェスト

マイノットで9月に開催している北米最大級の北欧祭り。北欧の雑貨や食べ物が楽しめます。

北欧スイーツのクルムカカ

サクサクのワッフルクッキー巻きで元はクリスマスに食べました。本来は生クリームなし。

スウェーデンのダラホース

スウェーデンのダーラナ地方で冬作られた木製の伝統玩具で、この州の土産物になっています。

COLUMN
ダコタアクセスパイプライン完成したが地元は!?

州北西部バッケンからイリノイまで約1900kmにわたり延びるパイプラインです。2017年の稼働前からスー族の水源地を汚染する可能性が指摘され、オバマ大統領は建設に慎重でした。ですがトランプ大統領が建設を強力に推進します。2020年に環境への影響を再調査する判決が下りましたが、再調査の間にも稼働が続いています。

全米各地で建設反対運動が行われた（ユタ州、2016年）

サウスダコタ州

基本情報		
人口	90万9824人（第46位）	
面積	19万9729km²（第17位）	
GDP	498億900万ドル（第46位）	
州名	同胞を意味する言葉でラコタ、ナコタとも。同胞とはスー一族連合のこと	

サウスダコタ史、その1

　羊やトウモロコシが特産のこの州にも有名な観光地があります。偉大な大統領が刻まれたラシュモア山は、「どの州にあるの？」と忘れられがちですが、まぎれもなくここの名所。その近くにはクレイジーホースの巨大像が建造中で、ネイティブ・アメリカンの苦難の歴史が偲ばれます。

　古くから人が住んでいたこの地に、ようやく18世紀にフランス人探検家が来て、19世紀初頭にアメリカに支配権が移ります。ですが時にマイナス40度に達する厳しい冬のため捨て置かれたも同然でした。アメリカ人が金に目を留めるまでは。

　1874年からブラックヒルズでゴールドラッシュが起きると、坑夫と入植者が殺到。そしてネイティブ・アメリカンは追い出されました。

★ 州のモットー ★

"Under God the people rule"

「神の下、人民が統治する」

❶ アメリカの中心

アラスカとハワイを含めたアメリカの地理的な中心であることを示すやたら平たいモニュメントが、ベルフォーシェイにあります。

❷ スタージス バイクラリー

レースではなく、バイク愛好家が集まって親睦を深める約10日間のお祭りです。大型のハーレーを駆る紳士淑女がたくさんきます。

❻ マンモス遺構

州南西部ホットスプリングスで、60頭以上のマンモスが発掘されています。温泉に満たされた深い窪みから出られなくなったようです。

❼ ステートフェア 羊品評会

ヒューロンで毎年州をあげてのお祭り「ステートフェア」が開かれます。羊品評会では首を持ち上げられ大人しくなった羊が見られます。

❸ ホームステーク 金鉱

もう閉山したけれど130年間も金が採れました。近くにスー族が住んでいましたが、金を見つけた開拓者たちに追いやられました。

❹ クレイジーホース

開拓者や略奪者やカスター将軍の騎兵隊と戦い勝利した英雄。ラシュモア山の近くの山を削って彼の巨大彫刻を建造しています。

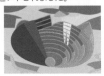

❺ ラシュモア山

ワシントン、ジェファーソン、セオドア・ルーズベルト、リンカーンの巨大彫刻。世界恐慌時は公共事業として雇用を生みました。

★ 州の鳥 ★

Ring-necked Pheasant

コウライキジ

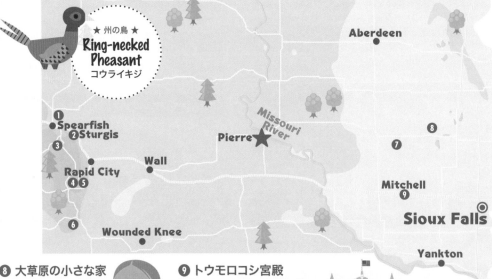

Aberdeen

● Spearfish
❶
❷ Sturgis
❸

Missouri River

Pierre ★

Wall

❽

❼

Rapid City
❹❺

Mitchell
❾

Sioux Falls

❻

Wounded Knee

Yankton

❽ 大草原の小さな家

作者のローラ・インガルス・ワイルダーは父親が山っ気の持ち主で、現在のサウスダコタ州デスメットなど開拓地を転々とした苦労人です。

❾ トウモロコシ宮殿

世界で1つミッチェル市だけの触れ込みですが、実は19世紀後半に中西部の州が地元の宣伝にとしきりに建造したハコモノの1つ。今は多目的アリーナ。

1章 東海岸
2章 南部
3章 五大湖、中西部
4章 西部、西海岸、海外領土
5章 アメリカはどんな国？
巻末資料

サウスダコタ史、その2

ネイティブ・アメリカンと入植者の衝突は激しいものでした。頂点はウーンデッドニーの虐殺です。1890年に連邦軍が200人以上のスー族を殺め、スー族は抵抗できなくなると保留地に閉じ込められました。勝った入植者も楽だったわけではありません。ゴールドラッシュはすぐ終わり、根性のある人は地道な牧畜業に転換します。20世紀前半は農業が経済の柱で、製造業が発展したのはミズーリ川にダムが建設され、水力発電ができるようなった1930年代からです。今はさらに陸空軍の施設が州に利益をもたらしています。

主要都市 スーフォールズ

金融業が盛んなサウスダコタ第一の都市です。1857年に土地投機会社が先住民の土地でこの街を設立。先住民との戦い、財政難、蝗害などを経て、離婚法が制定され20世紀頭頃に駆け込み寺として発展。世界初の商業原子炉（1年で閉鎖）を造ったこともあります。

州都 ピア

近くの美しい湖が観光客に人気のミズーリ川沿いの街です。ネイティブ・アメリカンのアリカラ族の拠点だった所に1880年に設立されました。名前は毛皮商人ピエール・シュートー・ジュニアからきています。地元鉱業が利用した鉄道の停車駅があり発展。農家が牛や作物を出荷する地域の交易場になりました。

よく映画化されたりする西部の荒くれもの二人

故郷イリノイを飛び出し西部にチャンスを求めたのさ。駅馬車の御者、北軍斥候、保安官、銃の仕事なら何でもやって有名になったぜ。ただカードはダメだった、サウスダコタの街でポーカー中に撃たれちまった。

ガンマン

ワイルド・ビル・ヒコック（1837〜1876）

父が早くに死んで兄弟を養うために何でもやった。インディアン戦争の斥候としてカスター将軍とも働いたさ。詳しくは私の自叙伝（誇張あり）を読んどくれ。ヒコックとは結婚したけどあんまよく憶えてないね。

ガンウーマン

カラミティ・ジェーン（1856?〜1903）

進むネイティブ・アメリカンの復権活動

権利と尊厳を守る！

土地を買い、思いを繋ぐぞ

どうぞ、どうぞ

1960年代 先住民復権運動

公民権運動と同時代にネイティブ・アメリカン運動（AIM）が盛り上がります。

1973年 ウーンデッドニー蜂起

AIMが過熱し活動家が蜂起、この州のウーンデッドニーの街を70日あまりにわたり占拠。

2022年 ウーンデッドニー購入

スー族がかつて虐殺事件が起きたウーンデッドニー周辺地の一部を購入し、歴史を語り継ぐことを決意。

コロナ禍のサウスダコタ 知事が外出禁止令を無視

2020年以降に全米を襲った新型コロナウイルスが各州にもたらした反応はまちまちでした。サウスダコタでは共和党で親トランプ派のクリスティ・ノーム知事が対コロナ外出禁止令を拒否して注目を浴びます。感染者は2週間で8倍に膨らみましたが、ノーム知事の権勢は維持されており、共和党の有望株として、全国から注目されています。

人がまばらな歓楽街（デッドウッド、2020年8月）

ネブラスカ州

基本情報		
人口	196万7923人（第37位）	
面積	20万330km²（第16位）	
GDP	1235億4000万ドル（第35位）	
州名	スー族の言葉で「浅瀬」「広い水」、オトス族の言葉で「平たい川」	

トウモロコシと牛の国

　平坦な大地が延々と続くなかでのんびりと牛が育てられ、プラット川沿いや地下水を用いた灌漑に成功した耕作地で、広大なトウモロコシ畑が風にそよぐ。ネブラスカは中西部を代表する食糧庫の1つです。人口が少なく、人口密度も低いため、地方・田舎といったイメージがあり、フライオーバー・ステート（素通りされる州）といわれることがあります。

　確かに歴史の初期は、西海岸のフロンティアを目指すアメリカ東側の人々に通り過ぎられたようですが、州間高速道路やユニークなランドマークが点在する現代においては、その限りではありません。農業あるいは食品加工のほかにも、税制優遇で育った製造業やサービス業があって、経済多角化も進んでいます。

★ 州のモットー ★

"Equality before the law"
「法の下の平等」

❶ チムニーロック

平原に突如出現する高さ約100mの石塔。1800年代にオレゴントレイルを通って夢のカリフォルニアを目指す開拓者たちの目印でした。

❷ カーヘンジ

1987年に会社員ジム・ラインダース氏が亡き父を偲び、イギリスのストーンヘンジを参考に製作。本物のアメ車で造られています。

❸ サンドヒルズ ゴルフ場

不毛な丘が続くサンドヒルズ地形にある有名ゴルフ場。自然をうまく生かした低予算建造で、ファンは交通の便の悪さを気にしません。

❹ ラトルスネーククリーク風力発電所

平原が続くネブラスカは風力発電に最適。旧フェイスブック社の協力で完成した発電所の近くには同社のデータセンターもあります。

❺ ジョン・G・ナイトハルト

先住民文化を『ブラック・エルクは語る』で書いている作家・郷土史家です。オマハ居留地の近くバンクロフトで一時期活動しました。

❻ ヘンリー・ドーリー 動物園

オマハにある全米動物園ランキング上位の動物園です。昆虫館や水族館もありテーマパーク的な楽しさが幅広い層の観光客を惹きつけます。

❼ オファット空軍基地

旧時代の砦を軍事基地にした所で、B-29爆撃機の製造会社の工場ができて発展しました。ステルス爆撃機B-2がたまに飛来します。

❽ ネブラスカ大 コーンハスカーズ

4大プロスポーツチームがないこの州の人々が熱狂的に応援しています。コーンハスカーズとはトウモロコシの皮むき職人のことです。

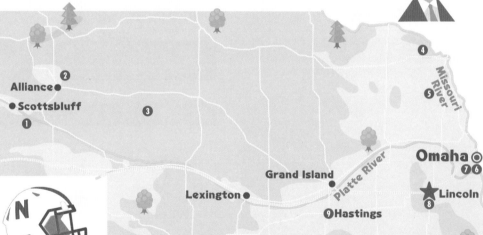

Alliance ●
● Scottsbluff
Grand Island
Lexington ●
Platte River
Omaha ◎
★ Lincoln
❾ Hastings
Missouri River

❾ クールエイド

真っ赤な粉末スポーツドリンクはヘイスティングス市生まれ。宣伝担当のクールエイドマンはカルト的人気があるとか、ないとか。

★ 州の鳥 ★
Western Meadowlark
ニシマキバドリ

主要都市
オマハ

ミズーリ川とプラット川に近く、街ができた1854年以来西部への玄関口として人が集まりました。1863年にユニオン・パシフィック鉄道の建設が始まると畜産市場と穀物市場の中心になっていきます。現在はウォーレン・バフェット氏が本拠としており、三次産業も発展中です。

州都
リンカーン

プラット川の南側にあるネブラスカ第二の都市。金融・保険業をはじめ、行政、教育、医療などが盛んです。ネブラスカが準州であった19世紀半ばの州都はオマハで、これにリンカーン市民が激怒し、やがて州都がリンカーンに移るとオマハ市民が激怒したといいます。経済のオマハ、行政のリンカーンは良きライバルです。

ネブラスカを発展させた古今の道

オレゴントレイル	ユニオン・パシフィック鉄道	州間高速道路80号線
19世紀半ば	19世紀後半	20世紀半ば〜

ミズーリ〜オレゴンを結ぶ街道でこの州を通りましたが、多くの開拓者はこの州を通過しました。

オマハとカリフォルニアを結んだ鉄道が開通してネブラスカへの入植者が増えました。

1950年代以降に整備され東海岸と西海岸の物流が強化、反面鉄道の時代は終わりました。

ネブラスカを支える農畜産業

ネブラスカはアメリカでも指折りの農業州です。全国的なトレンドに従って大規模機械化と農場の集約が進んでいます。21世紀初頭までに農業人口は減少していますが、一方で農場の平均面積は拡大しています。

1970年代〜

センターピボット

豊富な地下水をくみ上げて円形にまく灌漑農業で、耕作地の劇的な拡大に成功しました。

穀物と飼料

伝統的なトウモロコシ、グレートノーザン白豆、アルファルファなどの大規模生産が拡大。

オマハビーフ

昔から有名なネブラスカの牛に加え、豚と鶏と羊の飼料もより安定的に供給されるように。

不屈の州、ネブラスカの苦闘

盤石で平坦に見える土地と、中央の歴史から切り離されたイメージとは裏腹に、ネブラスカは時代の波に翻弄されてきた歴史を持ちます。

奴隷制を抑制するミズーリ妥協を事実上無効にしたカンザス・ネブラスカ法により、1854年に誕生したネブラスカ(準州)は、当初土地投機ブームに沸きます。しかし1857年にアメリカで金融危機が発生し、農業で糊口を凌ぐようになります。

その後も不況と不作に度々見舞われ、蝗害まで発生したものの、鉄道開通やオマハ万博開催といった経済振興策で復活しました。1900年からの20年間の繁栄は輝かしいものだったといわれます。しかし1920年代に好景気に翳りがみえると、1930年代には世界恐慌だけでなく、ダストボウルと呼ばれた中西部一体を襲った大砂嵐と大干ばつに襲われました。その後は政治家が主導する復興策にかけて、電力を完全公有化するなどしつつ、第二次世界大戦の特需で景気が戻ります。苦難を知るネブラスカにとって、続くオイルショックやリセッションは、何度も乗り越えてきた壁の1つです。

1章 東海岸
2章 南部
3章 五大湖・中西部
4章 西部、西海岸、海外領土
5章 アメリカはどんな国?
巻末資料

地平線まで続く麦畑の下に先人の激情が眠る州
カンザス州

基本情報

人口	293万7150人（第35位）
面積	21万3100km²（第15位）
GDP	1649億3900万ドル（第33位）
州名	「南風の人々」「風の人々」と呼ばれた川沿いに住んだスー族系の部族名

不屈のカンザス人を見よ

田舎と言い切れないアメリカ史にとって重要な州です。1854年成立のカンザス・ネブラスカ法は、入植者が奴隷制を認めるか否かを、自ら決められる新法でした。しかしこの法のため容認派と反奴隷派が隣州から殺到し衝突。南北戦争の呼水となる「流血のカンザス」が起きます。戦争本番では北軍につきますが南軍派もおり、またも州内で血が流れました。

戦後は西部開拓熱が高まる時代を経て、1930年代の大干ばつと砂嵐「ダストボウル」で荒廃。これにカンザス人はめげずウィチタで航空産業を発展させます。20世紀半ばにはボーイングやセスナなどの大企業が育ちました。脱工業化の現代にあっても、カンザスの製造業、そして農業は他州と比べて元気といわれます。

★ 州のモットー ★

"To the stars through difficulties"
「困難を通じて星々へ」

❶ 国際パンケーキの日

みんなで仲良く食べるのかと思いきや、フライパンを持った女性がエプロン姿でダッシュするイベント。毎年2月にリベラル市で開催。

❷ モニュメント・ロックス

平坦なカンザスの大地にニョキッと生えているかのような石灰の奇岩群です。1968年にこの州初の国定ランドマークに登録されました。

❸ 保安官ワイアット・アープ

西部開拓期のガンスリンガー。『OK牧場の決闘』(1881)で知られ、後世何度も映画になりました。ダッジシティで保安官を勤めた時代があります。

❹ アメリカの中心？

アメリカ本土をすべて平面と仮定した場合に、その中心がこの州のレバノン市近郊になるらしく、一応は立派な記念碑が立っています。

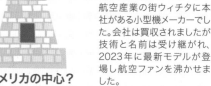

❺ セスナ社

航空産業の街ウィチタに本社がある小型機メーカーでした。会社は買収されましたが技術と名前は受け継がれ、2023年に最新モデルが登場し航空ファンを沸かせました。

❻ トールグラス平原保護区

背の高い野草が自生する自然環境を保護する地域。サウスダコタなどから連れられて来たバイソンが放され繁殖が試みられています。

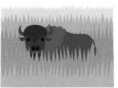

❼ カンザス州立大ワイルドキャッツ

本拠地はマンハッタン市（通称リトルアップル）。強いていうならキモカワ系のマスコット、ウィリー君がそこそこ知られた存在です。

❽ ブラウン判決

1950年代の黒人が白人と同じ学校で勉強する権利を認めた画期的な判決。60年代の公民権運動の機運を高めることに一役買いました。

❾ アメリア・イアハート

女性として初の大西洋単独横断飛行を果たし、世界一周飛行の挑戦中に消息を絶ったパイロットはこの州のアッチソン生まれです。

★ 州の鳥 ★
Western Meadowlark
ニシマキバドリ

私はテキサス生まれのカンザス育ち。軍人から大統領になりました

ノルマンディー上陸作戦の最高司令官でした

アイゼンハワー
34代大統領

母はカンザス出身ですが若い頃ハワイに移住し私がうまれたんです

閣下と直接縁はありませんが無縁でもない

バラク・オバマ
44代大統領

確かにそうだ。1959年にハワイの州昇格を承認したのは私だ

母上のハワイ行きのきっかけは私かもね

アイゼンハワー
34代大統領

東海岸 1章
南部 2章
五大湖、中西部 3章
西部、西海岸、海外領土 4章
アメリカはどんな国？ 5章
巻末資料

ウィチタ
（主要都市）

州第一の街。1864年にウィチタ族の村の跡に設立された交易所が始まりです。1872年に鉄道が開通すると牛輸送の中継地として発展します。20世紀初頭まで食肉産業が主役で、1920年代以降は航空機製造が成長。近年はハイテク、化学、サービスなど経済多様化が進行中。

トピカ
（州都）

奴隷に反対する入植者の一団が1854年にこの地に目を付け、鉄道建設の拠点として設立されました。南北戦争前夜には、州内の奴隷反対派と容認派が対立した舞台となります。そしていざ戦争になるとカンザスは北部自由州となりトピカを州都としました。経済的には農業、製造業、行政サービスが基軸になっています。

カンザスといえばこれ

オズの魔法使い
田舎暮らしのドロシーが竜巻で魔法の国に飛ばされる童話で、ドロシーはカンザスの人。

麦
黄金色の麦畑がどこまでも続く肥沃で平坦な農業州です。なんと土地の約9割が農地です。

竜巻回廊
カナダからの冷たい空気とメキシコ湾の温かい空気が平地の中西部でぶつかり竜巻が多発。

カンザスが作っているもの

パン ／ ヒマワリとソルガム ／ 航空機 ／ 石油、天然ガス、ヘリウム ／ 豚肉 ／ 牛肉

小麦とソルガムきびの生産量は全米トップクラス。小麦製粉においても同じく全米上位。

石油とガスは減少中ですがヘリウムは国内トップクラスです。チョーク（石灰岩）も有名。

穀倉地帯ということは飼料もたくさん作っているということです。牛肉と豚肉も国内上位。

COLUMN
コロナ禍のカンザス シャットダウンへの抗議

シャットダウンへの抗議（トピカ、2020年4月）

新型コロナウイルスが猛威を振るい始めた2020年春、アメリカでも各地で州知事が緊急事態宣言と自宅待機命令を発しました。知事が民主党所属のカンザスもその州の1つです。しかし自由を制限されることに強い抵抗を持った人も多く、またやっかいな事実無根の陰謀論も拍車をかけ、州議事堂に抗議者が集まる騒ぎが起きました。

土地開放で人が殺到した元インディアン準州

オクラホマ州

基本情報		
人口	401万9800人（第28位）	
面積	18万1037km²（第20位）	
GDP	1913億8800万ドル（第30位）	
州名	ネイティブ・アメリカンのチョクトー族の言葉で「赤い人々」を意味する	

西へ行った人、行かなかった人

　ジョン・スタインベックが取材執筆し、ジョン・フォードが映画化した『怒りの葡萄』は、1930年代の不況と天災で土地を追われたこの州の農民一家が、カリフォルニアを目指す話です。新天地を求める精神は先祖から受け継いだものかもしれません。

　先住民が暮らすこの地に、フランス人とスペイン人が来たのは18世紀。アメリカ政府に強制移住させられたチェロキー族らが来たのは19世紀前半。政府が入植者に早い者勝ちで土地を与えた土地開放「ランドラン」で、入植者が殺到したのは1889年です。彼らの多くは1930年代に西へ向かいますが、残った人もいました。その子孫が、今も農畜産業が重要な位置を占めるこの州の経済を復興させたのです。

★ 州のモットー ★

"Labor conquers all things"
「労働は全てに勝る」

❶ パンハンドル

州西部の細長い地域が鍋の持ち手「パンハンドル」に見えるのでそう呼ばれます。元は誰も欲しがらず帰属先が決まっていない所でした。

❷ エクスプレス牧場

牧畜州オクラホマを代表する有名な牛牧場（キャトル・ランチ）で、良血統の黒毛牛を保有しています。場所は比較的州都の近くです。

❸ オクラホマシティ爆弾テロ

1995年に起きた9.11前までは最も犠牲者が出たテロ。のんびりした州で発生した上に、犯人が元陸軍兵であったため非常に驚かれました。

❹ スーナーズとカウボーイズ

オクラホマ州立大カウボーイズと、オクラホマ大スーナーズは人気を分けるアメフトチーム。この州にはアメフトのプロチームはありません。

❺ マリア・トールチーフ

ネイティブ・アメリカンの血を受け継ぐ伝説のバレリーナ。幼少期にオーセージ居留地に住み、やがてシカゴでバレエ団を結成します。

❻ ゴールデンドリラー像

石油がたくさん出て、石油フィーバーが起きたタルサの街にある記念モニュメント。身長23mの巨人が過ぎ去りし日々を偲びます。

★ 州の鳥 ★
Scissor-tailed Flycatcher
エンビタイランチョウ

❽ ビッグフットに注意

ホノビアはしばしば謎の巨人ビッグフットが目撃された場所で、毎年秋に開催されるビッグフット祭りでビッグフット会議を行います。

❼ スピロマウンド

各地に墳丘を残したミシシッピ文化先住民が850〜1450年頃に造った古墳。考古学センターの看板にインパクト大の人物絵があります。

❾ ティンカー空軍基地

第二次世界大戦中にB-29爆撃機などを整備していた基地です。軍や政府はオクラホマ州民にとって大切な雇用先の1つになっています。

1章 東海岸
2章 南部
3章 五大湖、中西部
4章 西部、西海岸、海外領土
5章 アメリカはどんな国？
巻末資料

1803年	1868年	1889年	1940年代	1980年代	1995年
ルイジアナ・パーチェイス（購入）によって、フランス領からアメリカ領となる	ワシタの戦いでカスター将軍率いる第七騎兵隊がシャイアン族を虐殺する	4月22日正午の騎兵隊のラッパとともに土地が開放され開拓者が我先に走る	大戦の戦場にならなかったアメリカが軍需景気に沸く。この州も恩恵を受ける	第二次オイルショックが発生、石油依存度が高い州経済が打撃を受ける	オクラホマシティの連邦ビルでトラック爆弾が爆発、150人以上が亡くなる

主要都市 タルサ

1836年にクリーク族の移動先として誕生、約半世紀後の鉄道開通で白人の入植が始まります。20世紀初頭に近郊で石油が発見されると急成長。1921年にはアフリカ系市民の町が焼かれる人種差別暴動が起き、再開発と建設ブームでアールデコ調のビルが立ち並びました。

州都 オクラホマシティ

州第一の都市で産業と交通の中心です。土地開放（1889）で約1万人が駅周辺の土地を入手し街が形作られました。牛の出荷拠点として農畜産業が伸びるなか1928年に油井発見。一時は市内1400カ所で石油を産出しましたが、現在は数百まで減少しています。1995年のテロまでは目立たない地方都市の1つでした。

オクラホマに追われたネイティブ・アメリカン

オクラホマは以前インディアン準州という強制移住先でした。送られたのはアメリカ南東部にいた文明化五部族（白人文明をある程度受容した部族）とされた6万人ともいわれる人々です。チェロキーが歩かされた過酷な道は「涙の道」と呼ばれます。五部族は準州で自治を行いましたが、多くが奴隷を使役しており南北戦争では多くが南軍側でした。戦後になり白人入植者が増えてくると五部族の立場はさらに弱くなっていきます。

チェロキー
チカソー
クリーク
チョクトー
セミノール

オクラホマ苦難の入植史

「1番乗りだ！」

スーナーズ（1889）

政府の土地開放策は早い者勝ち。開放時刻を待たず駆け出した人（スーナーズ）もいました。

「げほっ、ごほっ」

ダストボウル（1930年代）

アメリカ中西部を襲った干ばつと大砂嵐（ダストボウル）で農家が大きな打撃を受けます。

「夢のカリフォルニアへ…」

オーキーズ（1930年代）

ダストボウルや世界恐慌で破綻したオクラホマ難民（オーキーズ）は西へ脱出しました。

悲劇のアスリート、ジム・ソープ

「ニューヨーク・ジャイアンツでプレーしました」
「ストックホルム五輪で金メダルを取りました」

1888年インディアン準州（現オクラホマ）で、ネイティブ・アメリカンの血を引く両親の下に生まれた彼は、野球、アメフト、バスケのプロとして活躍した天才。1912年ストックホルム五輪では陸上で金メダルを獲得しましたが、翌年に「学生バイトとしてプロ野球の試合に出たことが五輪アマチュア条項に引っかかる」と新聞が書き立て、問題視したIOCがメダルを剥奪。背景に先住民差別があったといいます。晩年は不遇で死後約30年が経った1982年にようやく名誉が回復されました。

COLUMN
お酒に厳しい土地柄 バイブルベルト・オクラホマ

マスコギー市のお祭りで出来上がる人（2014）

原理主義的キリスト教福音派が多い地帯「バイブルベルト」に位置するこの州では飲酒が好まれず、禁酒法時代（1920〜1933）以前から酒が禁止され、以後も酒を禁止しました。酒販売の解禁は1959年、飲食店での販売規制緩和は1984年、コンビニ販売規制などが緩和されたのは2018年です。

五大湖、中西部13州主な世界遺産、国立公園紹介

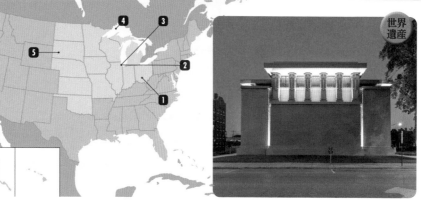

3 ユニティ・テンプル

世界遺産

ロビー邸同様、世界遺産登録されたライトの建築物群の1つです。「ユニテリアン・ユニバーサリズム」という三位一体を信じないキリスト教の寺院として、シカゴ郊外に1908年に建てられました。現在唯一残っているライトのプレーリースタイルの公共施設とされます。特徴の1つは4万5000ドルという低い建築費です。近隣のゴシック様式の建物の3分の1ほどといわれ、この条件で造るためにライトは建築資材にコンクリートを選びました。

1 ホープウェル儀式場群

世界遺産

紀元前200年頃から紀元500年頃まで、オハイオ州南部で栄えた古いネイティブ・アメリカンの遺構である世界遺産です。ここにマウンドシティなど、長いもので約6kmにわたって築かれた土塁に囲まれた墳丘群があります。彼らはここで宗教的な儀式や社会的な儀式を執り行っていたとされますが、正確なことはよくわかっていません。一方で出土品からは遠くイエローストーン盆地やフロリダの人々と交流があったことがわかっています。

4 アイル・ロイヤル国立公園

五大湖の1つスペリオル湖の北西部沿岸にある島々から構成されています。面積は約2300km²あって、スペリオル湖最大の島であるアイル・ロイヤル島（長さ72km、幅14km）も含まれます。200種以上の鳥類が生息している鳥の楽園で、移動に自動車は使えず徒歩かカヌーのみです。ここに行くにはミネソタ州またはミシガン州アッパー半島からフェリーに乗る必要がありますが、行くのが難しいからこそ人気のない大自然を楽しむことができます。

2 ロビー邸

世界遺産

近代建築の父フランク・ロイド・ライトの作品で、世界遺産に登録されている建築物群の1つです。シカゴ郊外に1910年に建てられた邸宅で、「プレーリースタイル」と呼ばれる屋根が低く地面と水平に横に広がる建築様式の集大成と位置付けられます。建築依頼主のロビー氏は実業家でしたが、家族の不幸と経営悪化のため1年強で家を手放します。その後は取り壊しが提案されるも、ライト自身が参加した抗議活動で保存が決定しました。

5 バッドランズ国立公園

数千万年前から堆積物が層を成して大きくなった後、川の浸食作用で淡いイエローやグレーの地層が地表に現れた場所です。バッドランズとは、荒々しくも雄大な荒野と丘陵と岩山などが続くこの辺りの地形のことをいいます。園内には、かつてスー族がゴーストダンスと呼ばれる宗教儀式を行った場所があります。植物は少ないものの、草地はあって、そこにバイソンやジャックラビット、絶滅危惧種のクロアシイタチが生息しています。

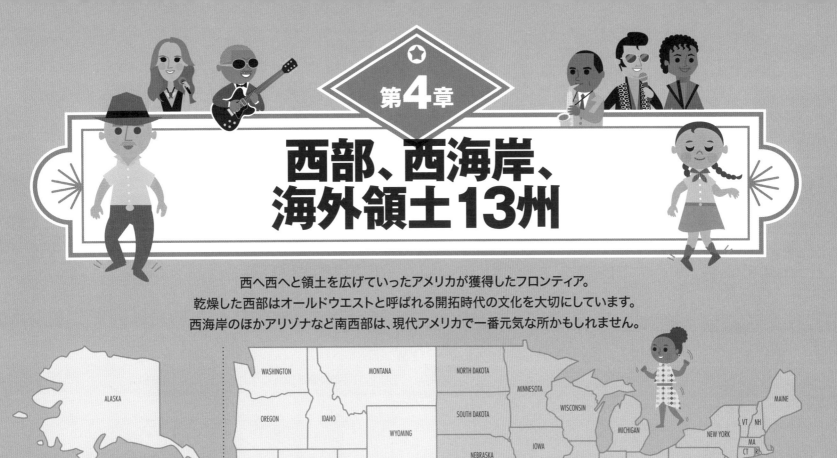

第4章

西部、西海岸、海外領土13州

西へ西へと領土を広げていったアメリカが獲得したフロンティア。
乾燥した西部はオールドウエストと呼ばれる開拓時代の文化を大切にしています。
西海岸のほかアリゾナなど南西部は、現代アメリカで一番元気な所かもしれません。

★ : WASHINGTON, D.C.
NH : NEW HAMPSHIRE
VT : VERMONT
MA : MASSACHUSETTS
RI : RHODE ISLAND
CT : CONNECTICUT
NJ : NEW JERSEY
DE : DELAWARE
MD : MARYLAND

コロラド州

ロッキー山脈の麓で大都市デンバーが発展

基本情報		
人口	583万9926人(第21位)	
面積	26万9601㎢(第8位)	
GDP	3858億3500万ドル(第15位)	
州名	州内に支流が流れるコロラド川(スペイン語で赤の意)とする説がある	

故郷に帰りたい

名曲『カントリー・ロード』を歌ったジョン・デンバーが愛したデンバー市にて、平日はIT系オフィスで働き、休日はロッキー山脈に抱かれながらソロキャンプ。その翌朝は体をほぐしに温泉へ、という羨ましい生活が実現する未だ成長株の州です。

右の地図からわかる通り、州の西部と東部で地勢が違います。ロッキー山脈があるのは州の西側、対して東側は大草原グレートプレーンズで農業が盛んな地域になります。件のデンバーや軍需とハイテク拠点のコロラドスプリングスは、その境界で成長しました。近年は仕事と自然とマリファナを合法化した進歩的な空気を吸いに、近隣から人が集まり過ぎ、環境負荷が高まっている贅沢な悩みを抱えています。

★ 州のモットー ★

"Nothing without providence"

「神意なくして何もなし」

❶ グレンウッド温泉

巨大露天風呂が有名で、混浴ですが水着で入ります。四季がはっきりしている自然豊かなコロラドはアウトドア好きの楽園。さすが山国。

❷ アスペン・スキーリゾート

かつては銀鉱山で栄えたアスペンの街は、今は国際会議や音楽祭を開催する文化都市に再生しました。冬は高級スキーリゾートになります。

❻ メサベルデ国立公園

プエブロ族の一派であるアナサジ族が12世紀末に建造した断崖の街があります。彼らはここで百年近く暮らし、その後に姿を消しました。

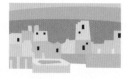

❼ パイクス・ピーク

1807年にゼブロン・パイクが探検し、その名前が取られた山で、今は舗装路が整備され、峠道をかっ飛ばすレースが行われています。

❽ ピーターソン宇宙軍基地

コロラドスプリングスにある基地で、北米航空宇宙司令部(NORAD)もあります。12月下旬だけはサンタクロースも探しています。

❾ サンドクリークの虐殺

1864年に政府軍がネイティブ・アメリカンのキャンプを無差別攻撃した残虐極まる事件。現代では荒野に簡素な石碑があるのみです。

❸ ロッキー山脈国立公園

1万4000フィート(約4300m)の山々が座しフォーティーナーズと呼ばれます。なおロッキー最高峰エルバート山があるのは州の真ん中あたりです。

❹ ニュー・ベルギー醸造所

アメリカのクラフトビール業界を牽引する1社です。看板商品ファットタイヤは、創業者がベルギービールの旅で使った自転車に由来。

❺ ウェスタン・シュガー

ゴールドラッシュが一服した19世紀末に各地で精糖会社が創業。そのうちの1社が大企業に成長しデンバーを中心に活動しています。

★ 州の鳥 ★
Lark Bunting
カタジロクロシトド

❸ ❹Fort Collins
Boulder
★❺ Denver
❶ Aspen ❷
Burlington
❼ ◎Colorado Springs
❽
Pueblo
❾
Telluride
Durango ❻ Pagosa Springs

監修のパックンです。僕はコロラドスプリングス出身です

主要都市 コロラドスプリングス

1871年に鉄道事業者が設立し、近くのマニトゥ鉱泉に因んで名付けられました（スプリングスは泉の意）。19世紀末には観光開発が始まった歴史あるリゾートで、その後空軍基地と空軍士官学校が置かれ、1980年代から90年代にかけて著しく成長しています。

州都 デンバー

グレートプレーンズとロッキー山脈がぶつかる所にあります。19世紀後半の鉄道敷設（大陸横断鉄道の支線）とゴールドラッシュで発展。第二次世界大戦の軍事特需、戦後の石油生産、ハイテクと通信産業、観光開発により都市化を進め、ミズーリ川と太平洋岸に挟まれた地域一帯の中核都市の地位を築いています。

州のニックネーム「百年祭の州」誕生の経緯

売った！

ナポレオン

戦費のためコロラド東部を含むフランスのアメリカ領土（ルイジアナ）を1803年に売却。

西へ領土拡大

ポーク大統領

19世紀半ば、米墨戦争やイギリスとの交渉でコロラド西部を含む領土を獲得します。

百年経ったよ！

COLORADO
000 XXX
THE CENTENNIAL STATE

センテニアル・ステート

1876年に合衆国に加盟。アメリカ独立から百年後で、「百年祭の州」があだ名になりました。

画期的な水利権法「コロラド・ドクトリン」

当時の水利権の考え方はイギリス法がベースで、水源に隣接する土地の所有者が権利を持ちました。これでは水源から遠い土地の人が不利です。そこでコロラドは多くの人が広く水を使えるよう、「最初に水をくみ上げ有益に利用した人が、優先的に水を利用できる」という新しい法律「コロラド・ドクトリン」を制定します。特に水が少ないアメリカ西部にとって画期的な法律で他州でも採用されました。ただし現在は水の使いすぎで水利用見直しを求める声も。

全部わしのもんじゃい！

みんなが使えるようにしよう

ゴールドラッシュからITへ

コロラドが沸いたのは1858年の夏、デンバー近くで金が発見されてから。翌年にはゴールドラッシュが始まり、「パイクス・ピークか破産か」のスローガンの下、開拓者たちが集まります。90年代には熱狂が去り、残された人々は灌漑農業と牧畜、銀・鉄鉱石・石炭の採掘で暮らしました。やがて第二次世界大戦と冷戦期には、攻められにくい内陸という立地から政府機関と軍施設が相次いで建造。呼応するように通信、IT、ハイテク産業がデンバーを中心に成長しました。同時に観光開発も進み、全てうまく噛み合って今に至っています。

COLUMN
環境意識をより高く コロラド風力発電事情

環境破壊になるとして冬季五輪を返上するほど意識が高いコロラドは、アメリカのなかでも風力発電開発に熱心な州で、州電力の2割が風力で賄われています。新規のウィンドファームの設置にもまだ積極的です。一方で新設ブームが起きた2000年代初頭から約20年が経過しており、既存施設の補修や修理が増える時期に入っています。

グレートプレーンズに位置する州東部ライモンに並ぶ風車

ワイオミング州

基本情報		
人口	58万1381人（第50位）	
面積	25万3335km²（第10位）	
GDP	363億4600万ドル（第49位）	
州名	先住民の言葉で「広大な平原」を意味するなどいくつか説がある	

歴史と無関係ではいられない

人口60万弱と全米最下位、その約8割がヨーロッパ系白人です。大都市がなく、隣町で話題のエルク（シカの一種）・ハンバーガー店に行くのに、100km弱運転したりしますが、玄関先に野生のエルクがいたりします。

だからといってこの地はアメリカ史の蚊帳の外ではありませんでした。20世紀初頭に州内で石油が出たかと思えば、1930年代の世界恐慌の影響を受け州経済が低迷。この時に連邦政府のニューディール政策のお世話になり、既存の国立公園内の観光整備事業が推進されました。第二次世界大戦後のウラン発見などで、盛り上がった鉱業は、80年代には右肩下がりでしたが、その頃には国立公園の知名度が十分に上がり、21世紀にはシェールオイルで潤いました。

★ 州のモットー ★

"Equal rights"
「平等の権利」

① イエローストーン国立公園

巨大間欠泉オールド・フェイスフル・ガイザーは1時間半に1度、30〜50mまで熱水を噴き上げるイエローストーンの見どころです。

② グランドティトン国立公園

イエローストーンのすぐ南にあり、4000m級のグランドティトン山が座します。『ロッキー4』のトレーニングシーンの撮影が行われました。

⑥ ダグラス・ステートフェア

毎年8月開催の州をあげてのイベント。家畜見本市では羊や牛を見ることができます。名物は生地を揚げた甘いファンネルケーキです。

⑧ フランシス・E・ウォーレン空軍基地

開拓時代のラッセル砦に造られた基地です。何かあったらここから核搭載の大陸間弾道ミサイル「ミニットマン3」が発射されます。

③ ショーショーニ族

白人が来る遥か以前から暮らし、今も住んでいる民族です。映画『ウィンド・リバー』で彼らの置かれる境遇の一端が描かれています。

⑦ シャイアン・フロンティア・デイズ

西部開拓時代を感じさせてくれる19世紀末から続く世界最大級のロデオの祭典です。ロデオは西部の国技といえるほど人気です。

⑨ アルコバダム

1930年代の大恐慌の時代に、経済政策ニューディールとして立ち上がったケンドリック・プロジェクトで造られたダムです。

④ デビルズタワー

西のイエローストーンと異なり、州の東側にあるアクセスがいまいちの景勝地です。映画『未知との遭遇』で宇宙船が降りました。

⑤ ジレットの石炭

全米有数の石炭産地パウダーリバー盆地に近く、石炭だけでなくウランやメタンも産出するので「エネルギーの首都」と呼ばれます。

★ 州の鳥 ★
Western Meadowlark
ニシマキバドリ

女性の政治参加のパイオニア

この州は1869年には女性参政権を認めており、これは他州より四半世紀以上前のことです。州昇格の際の1890年には、連邦政府から女性参政権を問題視されますが、認められないなら合衆国入りしなくていいと叫び、これを受け入れさせ州昇格を果たしました。（連邦政府が白人女性の投票権を認めたのは1920年）

アメリカ初の女性知事です

ネリー・ロス（1876〜1977）

州知事を務める夫が亡くなったため、その跡を継ぐ形で選挙に出馬、1925年に見事に当選しました。

昔は参政権がなかったの

ルイーザ・スウェイン（1801〜1880）

1870年のララミーで行われた女性が参加した全米初となる選挙で、実際に投票した女性の1人です。

西部の開拓野郎たち

ワイオミングにはよく知られた州のニックネームが2つあり、1つは女性参政権などに由来する（男女）平等の州、もう1つがカウボーイの州です。地理的に西部のど真ん中にあたり、無法者集団ワイルド・バンチが暴れまくったこの州には、伝説的なガンマンや開拓者や無頼の徒の逸話が数多く残っています。

ワイルドウェストショーは儲かった

バッファロー・ビル（1846〜1917）

先住民と戦った後それを再現したワイルドウエストショーで全国を巡回、興業主として荒稼ぎしました。

俺の話は全部本当だ！（ウソ）

ジム・ブリッジャー（1804〜1881）

西部で活躍した山師・罠師で、外国語も話したといいます。いろんなホラ話で人を楽しませたそうです。

主要都市 キャスパー

1800年代半ばの軍駐屯地で、オレゴン・トレイル中継地であるキャスパー砦が街の名の由来。19世紀末に油田が開発され石油産業の中心地となり、郊外に石油基地が並びます。道路網が整備されると物流拠点の域内中心地となり、医療、教育、観光なども発展しました。

州都 シャイアン

州間高速道路80号線と25号線の交差する要衝です。19世紀半ばにユニオン・パシフィック鉄道が西進すると誕生し、政治と行政の中心地になりました。歴史的には牧畜業が盛んですが、20世紀には近郊に空軍基地が設立され、経済的にも戦略的にも重要度が増しています。他には運輸と通信と製造業が元気です。

私のニューディールで失業者が市民保全部隊として仕事を得た

彼らが国立公園をより良く整備したのだよ

フランクリン・ルーズベルト

私もイエローストーン保護に手を貸した、自然が大好きだからね

実際に行ってみると野生動物が多くて驚いた

セオドア・ルーズベルト

イエローストーンを第1号の国立公園に指定したのは実は私です

とはいえ私は行ったことがないんですけどね

ユリシーズ・グラント

東海岸 1章
南部 2章
五大湖、中西部 3章
西部、西海岸、海外領土 4章
アメリカはどんな国？ 5章
巻末資料

COLUMN

血の赤で縁取られたワイオミング州旗

青色の周囲を白と赤の帯が縁取っています。この配色はアメリカ国旗と同様ですが赤が象徴するのはネイティブ・アメリカンと開拓者が流した血とされます。中央には開拓時代を象徴し、この地域に多かったアメリカバイソンのシルエットが描かれています。数えきれないほど殺されたバイソンの血も周囲の赤に含まれているかも。

アメリカ国旗と一緒にたなびくワイオミング州旗

モンタナ州

基本情報		
人口	112万2867人（第43位）
面積	38万831km（第4位）
GDP	497億5200万ドル（第47位）
州名	スペイン語、またはラテン語で山や山々といった意味

金銅枯れて山河あり

　空が広くて有名ですが、とにかく土地も非常に広大で、日本全土と同程度の州面積に、100万人強しか住んでいません。19世紀半ばのトレイルブレイザー（道を造った開拓者）はさぞ伸び伸び仕事をしたはずです。

　そこへ1860年代にゴールドラッシュが起き、入植者が押し寄せます。金を欲する連邦政府は1864年にモンタナを準州に定め、住処を追われたネイティブ・アメリカンは抵抗しました。1880年代には金探しの街ビュートで巨大銅床が発見。独占開発をしたアナコンダ社が、その後70年以上にわたり州政治とメディアを牛耳りました。この間に石油、ガス、石炭も産出しました。鉱業が衰退した20世紀以降は州西部3分の1を占めるロッキーを観光資源にしています。

★ 州のモットー ★

"Gold and silver"
「金と銀」

❶ グレーシャー国立公園

氷河が数千年をかけて削ってできたロッキー山脈の巨大公園で、園内を通る片側1車線の「太陽への道」でドライブが楽しめます。

❷ ルイスとクラークの探検

19世紀初頭にこの2人が中西部から太平洋まで至るルートを切り拓きました。グレートフォールズに探検隊を紹介する施設があります。

❻ 清流マス釣り

マディソン川上流は釣り人の聖地で、アングラーから「ブルーリボン」と呼ばれる、美しい釣りスポットの1つに数えられています。

❼ ミュージアム・オブ・ロッキーズ

モンタナはT-REXの化石で有名です。このボーズマン市にある州立大学と提携する博物館には多数のレア化石が展示されています。

❽ ヨーゴ・サファイア

ヨーゴガルチ地方で産出する透明感あるコーンフラワーブルーの宝石。モンタナは金銀銅にも恵まれ「宝の州」とあだ名されます。

❸ 小麦の黄金三角地帯

春赤小麦と冬赤小麦の両方を作る州中央北部の肥沃な農業地域です。生産量は全米トップクラスで州経済に大きく貢献しています。

❹ バイソン保護区

激減した個体数を増やすため1908年に設立されたネイティブ・アメリカン居留地内の保護区です。伝説の白バイソンもここにいました。

❺ ゴーストタウン

バナックは1860年代のゴールドラッシュで栄え、金が枯渇して捨てられました。当時は治安の悪さで知られ犠牲者の霊が時折現れるそうです。

★ 州の鳥 ★
Western Meadowlark
ニシマキバドリ

CANADA

Havre
Kalispell
Glasgow
Fort Benton
❷Great Falls
Sidney
Missoula
Helena
Anaconda
Butte
Glendive
Bozeman❼
Billings
Livingston
Miles City
Rocky Mountains
Missouri River
Madison River

❾ キリスト教フッター派

ドイツ系移民の少数派キリスト教徒。集団農場を営んでいますがアーミッシュと異なり科学技術は禁止していません。車にも乗ります。

7000年前	1803年	1840年代	1860年代	1876年	1880年代
すでに人類がこの地で暮らしていたという考古学的な証拠が見つかっている	ルイジアナ・パーチェイス（購入）でフランス領からアメリカ領になる	毛皮商人の交易拠点やローマ・カトリックの宣教師による伝道所が開設される	ゴールドラッシュが起きるもほどなくして収束。ゴーストタウンができる	リトルビッグホーンの戦いでネイティブ・アメリカン連合が政府軍に勝利	ビュートで銅鉱床が発見されてモンタナの銅の時代が20世紀後半まで続く

1901年に大統領になりました。若い頃にこの辺を冒険しました

馬に乗って旅するのは本当に楽しかったな

セオドア・ルーズベルト

1933年に大統領になりました。この地と直接縁はないですね

でも私のニューディールでダムができました

フランクリン・ルーズベルト

私は自然が大好きでね。モンタナの森をいくつか保護しましたよ

同じ苗字だけど私はダムを造らなかった

セオドア・ルーズベルト

ビリングス

主要都市

州第一の都市で19世紀後半の鉄道開通で発展し、地域産業の中心地になりました。さらに幸運なことに20世紀初頭に石油が発見されています。イエローストーン川が形作る美しい自然、市内にある多数の劇場やギャラリーが醸し出す文化的な雰囲気も魅力の1つです。

モンタナが舞台の名作映画

リバー・ランズ・スルー・イット

フライ・フィッシングの腕が天才的でも、世渡りが上手くないと生きていけない切ない話。

モンタナの風に抱かれて

原題は『ホース・ウィスパラー』。馬の気持ちがわかる男が傷ついた心を癒してくれる話。

レジェンド・オブ・フォール

戦争（第一次世界大戦）で家族を失った一族の苦悩と生き様を丁寧に描いている歴史物語。

ヘレナ

州都

ゴールドラッシュの19世紀半ばに設立しました。当時はラスト・チャンス・ガルチ（最後のチャンスがある渓谷）と呼ばれ、全米で最も裕福な都市の1つになりました。金が枯渇して1875年に州都になり、鉱業から政府機関や行政の中心地へと徐々に移行。教育と医療、そして華やかだった頃の遺産が人気の街です。

伝説の激戦「リトルビッグホーンの戦い」（1876）

シャイアン族らを強引に居留地へ移動させようとしてアメリカ軍が攻撃するも、返り討ちにあった戦い。結果はネイティブ・アメリカンの大勝利でした。アメリカ政府軍の第七騎兵隊は壊滅し、カスター将軍は戦死します。しかし最終的にはネイティブ・アメリカン側は数で勝る政府軍に屈して強制移動させられました。

ネイティブ・アメリカン連合にはスー族の最強戦士シッティング・ブルの姿もありました。

写真の一番左にいる右を向いた人物がカスター将軍です。この戦いで死に英雄視されます。

COLUMN

銅の時代の夢の跡 ギャロー・フレーム

10以上残っていたギャロー・フレームは近年減少中

20世紀初頭に銅採掘で世界を制した街ビュートは、「地球上で最も豊かな丘」と呼ばれるほどの栄華を誇りました。今もビュートには「ギャロー・フレーム」と呼ばれる強大な巻き上げやぐらが点在しています。ギャローとは絞首台のことですが、ここでは薄暗くじめじめした坑内から、巻き上げケーブルで坑夫と鉱石を引き上げていました。

ポテトだけじゃなくもっと知ってほしい

アイダホ州

基本情報	
人口	193万9033人（第38位）
面積	21万6443km²（第14位）
GDP	840億300万ドル（第38位）
州名	語源はわかっていない。先住民語で「山の宝」の意といった説がある

厳しい大自然が資源に化けた

アメリカ北西部に珍しい縦長の州です。近隣が欲しがらないロッキー山脈の一際厳しい所を、アイダホが引き受けてこの形になりました。北側は縦長ですが、地図を見るとわかるように、南側は割と東西に延びており、スネーク川流域で、流れに沿って街やお芋農場ができました。

アイダホポテトは20世紀半ばから急成長し、全米のポテトの約3分の1を占めます。とはいえ農業（と林業）はこの州の一部。19世紀半ばのゴールドラッシュに端を発する鉱業、20世紀後半にカリフォルニアから移って来たハイテク、そして農業に不向きと開拓者から疎まれたロッキーの大自然が、現代ではアウトドア好きを惹きつけ、多様で潰しのきく州経済を構築しています。

★ 州のモットー ★

"Let it be perpetual"
「永遠なれ」

CANADA

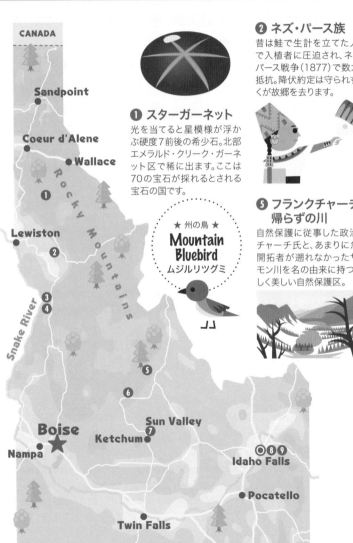

Sandpoint
Coeur d'Alene
● Wallace
Rocky Mountains
Lewiston
❶
❷
Snake River
❸
❹
❺
❻
Boise ★
Nampa
Ketchum
Sun Valley
❼
◎❽❾
Idaho Falls
Pocatello
Twin Falls

★ 州の鳥 ★
Mountain Bluebird
ムジルリツグミ

❶ スターガーネット

光を当てると星模様が浮かぶ硬度7前後の希少石。北部エメラルド・クリーク・ガーネット区で稀に出ます。ここは70の宝石が採れるとされる宝石の国です。

❺ フランクチャーチ帰らずの川

自然保護に従事した政治家チャーチ氏と、あまりに急で開拓者が遡れなかったサーモン川を名の由来に持つ、厳しく美しい自然保護区。

❷ ネズ・パース族

昔は鮭で生計を立てた人々で入植者に圧迫され、ネズ・パース戦争（1877）で数カ月抵抗。降伏約定は守られず多くが故郷を去ります。

❸ ヘルズキャニオン

最大深度2.4kmとグランドキャニオンより深い渓谷です。谷底でスネーク川の急流がしぶきをあげておりラフティングが楽しめます。

❻ 秘湯ボートボックス温泉

山国だけあって温泉大国です。地図に載っていない秘湯もあり、ボートボックスでは河原にある露天の湯船につかれます（水着必須）。

❽ アイダホ国立研究所

第二次世界大戦後の1949年に原子力エネルギーを研究するために設立されました。現在はマイクロ原子炉の試作などを行っています。

❹ マクファレーンさんの4時の花

4時の花とはオシロイバナのこと。マクファレーン・オシロイバナはアイダホとオレゴンのこの辺りだけで咲く可憐で希少な固有種です。

❼ ヘミングウェイ

スキーヤーに人気のリゾート・サンバレーを愛し、スペイン内戦を描いた『誰がために鐘は鳴る』を1939年からこの地で執筆しました。

❾ アイダホテンプル

モルモン教（末日聖徒イエス・キリスト教会）の聖堂で、神聖な儀式の間がある6神殿の1つ。なお戒律はお酒の禁止など俗人に厳しい。

年表

1805年
ルイスとクラークの探検隊がこの地に到達し現地のネイティブ・アメリカンと出会う

19世紀前半
外国（スペインとイギリス）と結んだ協定により北の境界と南の境界が確定する

1860年代初頭
州北部のオロフィノで金が発見され、アイダホ・ゴールドラッシュが起きる

1890年
7月3日に43番目の州としてアメリカ合衆国の仲間入りを果たした

1949年
現アイダホ国立研究所が発足しアイダホにおける原子力研究の道が開かれる

1960年代～70年代
全米で「大地へ帰れ運動」が流行してアイダホでの田舎暮らしが注目を浴びる

主要都市
アイダホフォールズ
初期入植者マット・テイラーがスネーク川に造った有料橋の袂に拠点ができ、そこが発展してできた街です。落差は小さいながら460mの幅を持つ滝の名前が、1890年に街の名前になりました。現在は製造業、農畜産、観光、原子力実験施設、モルモン教寺院で知られます。

州都
ボイシ
19世紀半ばのゴールドラッシュで発展。20世紀初頭のダム建設で農業と製材業が成長した州第一の街です。行政の中心として政府機関や大学が雇用を生み出しているほか、コンピューターチップ製造のマイクロン社もあって、エレクトロニクスやハイテク産業が育っています。名の由来は「木造の」という意味のフランス語です。

大アイダホ圏構想
アイダホの野望ではなく主にオレゴン東部の希望です。乾燥して農業牧畜が盛ん、保守的なオレゴン東部は、リベラルで都会的なオレゴン西部を嫌い、保守的なアイダホに共感します。実際に住民投票でアイダホ合流案を支持する結果が出た郡もありますが、両州と連邦政府の合意や、条例の違いの調整もあって険しい道のようです。

Washington / Montana / Oregon / IDAHO / California / Nevada / Utah

アイダホ州民のバランス感覚

●近年の州知事の所属政党

26代 27代 28代
民主党

24代 25代 29代 30代 31代 32代 33代
共和党

3対7で共和党が多い

ボイシなどの都会は中道的といわれ地域差がありますが、総じて見ると保守的で、州知事や大統領選の際は共和党候補を選ぶことが多いようです。なお、信仰を大切にしている、農家や牧場主だったりする、ロデオとカウボーイが大好きそう、というステレオタイプな保守像が全ての人にあてはまるわけではありません。

私は冷凍ポテト工場を作ってアイダホをポテト王国にしました

マクドナルドのフライドポテトに採用された

J・R・シンプロットさん

私はシンプロットさんの活躍の下地を作ったことになります

ポテトの栽培、収穫、貯蔵、販売を研究した

ジョー・マーシャルさん

たっぷりお金を稼いだら未来へ投資するのが真の大人の務め

我が社はコンピューターチップに出資した！

J・R・シンプロットさん

COLUMN
芋マニアは行くべしアイダホポテト博物館
博物館の場所はポテト産地ブラックフットです。ポテトを愛する有志らが運営しており、その魅力と産業史を余すところなく伝えています。併設のカフェや土産物店も人気です。計画当初は「誰が来るの？」との冷静な批判もありましたが、有志らは愛と情熱でごもっともな批判を乗り越え、何とか開業にこぎつけて観光名所になりました。

博物館入り口の巨大ベークドポテトも大人気の名物

経済成長により世界の大国へと駆け上がる

第一次世界大戦とアメリカ

第一次世界大戦前夜の栄光

南北戦争後のアメリカでは、作家マーク・トウェインが「金ぴか時代」と皮肉るほど経済が活況を呈しました。エジソンが電球や蓄音器、ベルが電話を発明するなど、新技術が次々に登場。産業は第二次産業革命中で、石油王ロックフェラーや鉄鋼王カーネギーらが独占資本を形成しました。急成長を遂げたアメリカは、米西戦争を機に帝国主義国家へと変貌していきます。

1869年 大陸横断鉄道開通

ユニオンパシフィック鉄道／サクラメント／プロモントリー／オマハ／追加路線／オークランド／セントラルパシフィック鉄道

オマハとオークランドの間に鉄道が開通。大陸の東西が汽車で結ばれ、それまで数カ月かかっていた旅程が約1週間になりました。

1898年 米西戦争

VS

キューバ独立運動に介入し、スペインに宣戦。結果はアメリカの勝利に終わり、フィリピン、プエルトリコ、グアムを獲得しました。

1914年 パナマ運河開通

北アメリカ／大西洋／太平洋／カリブ海／南アメリカ／パナマ運河

巨額の資金を投入し、大西洋と太平洋を結ぶパナマ運河を建設。運河の周辺地帯はアメリカの海外領土として管理下に置かれました。

第一次世界大戦前夜のひずみ

急成長のなか人は農村から工場のある都市に労働者として集まります。彼らは環境改善を求めストを積極的に行いました。雇用を守るため中国からの移民は制限され、代わりに増えた南欧と東欧移民への風当たりが強くなりました。地方では農民が市場価格の低下により困窮、南部では黒人差別法（ジム・クロウ法）が制定、全国民が金ぴかだったわけではありませんでした。

1870年代〜ジム・クロウ法

南北戦争の終結により奴隷制は廃止されましたが、それに代わって南部の州では黒人差別を正当化する法律（ジム・クロウ法）が次々に成立しました。

1893年 恐慌

1870〜1880年代は「金ぴか時代」と呼ばれる経済成長期でしたが、1893年に突如としてバブルが弾け、深刻な恐慌が発生しました。

1906年 シンクレアが『ジャングル』を発表

THE JUNGLE
UPTON SINCLAIR.

缶詰工場の不衛生な実態を暴露した小説『ジャングル』は社会に衝撃を与え、食品衛生管理の法整備が進むきっかけとなりました。

我らにはハワイが必要なのだ！

非人道的なスペインと戦うぞ！

ウィリアム・マッキンリー
（任期：1897〜1901）
第25代大統領

米西戦争でスペインと交戦し、その翌年にはハワイを併合。それまでの孤立主義的な外交方針を転換し、植民地を支配下に置く帝国主義路線を推し進めました。関税の引き上げや金本位制の導入などで経済を安定させましたが、2期目の途中に無政府主義者によって暗殺されました。

カリブ海はアメリカのもんじゃい！

トラスト（企業合同）はおかしい！

第26代大統領
セオドア・ルーズベルト
（任期：1901〜1909）

マッキンリーの暗殺により、副大統領から大統領に昇格。独占資本の活動を規制する反トラスト法（独占禁止法）を積極的に適用し、自然保護のため国立公園を整備するなど、公益性を重視する政策を打ち出しました。「テディ」の愛称で親しまれ、テディベアの名前の由来にもなっています。

● キーワード **アメリカの反トラスト法**

シャーマン反トラスト法（1890）とクレイトン反トラスト法（1914）は後の追加法令制定まで適用除外の抜け穴だらけ。自由を重んじる国での経済活動規制は簡単ではありません。

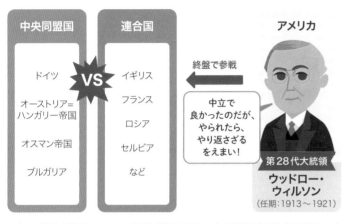

| 1870年 | 1876年 | 1890年 | 1898年 | 1899年 | 1908年 | 1917年 | 1920年 |

1870年
憲法修正15条が批准され、黒人男性にも参政権が認められる

1876年
グラハム・ベルが電話を発明する。翌年にはベル電話会社（後のAT&T）を設立

1890年
「フロンティア（西部）の消滅」が宣言される。先住民の組織的な抵抗がほぼ終結

1898年
米西戦争でスペインに勝利し、フィリピンやグアムなどの海外植民地を獲得

1899年
独立を求めるフィリピンとの間で米比戦争が起こる。1902年まで継続

1908年
フォード社が安価な大衆向け自動車「T型」を発表。爆発的なヒットとなる

1917年
ドイツに宣戦布告。それまで中立の立場をとっていた第一次世界大戦に参戦

1920年
ウィルソン大統領が推進した国際連盟が発足するも、アメリカは不参加

第一次世界大戦の勃発と消極的だったアメリカ

中央同盟国	連合国
ドイツ	イギリス
オーストリア＝ハンガリー帝国	フランス
オスマン帝国	ロシア
ブルガリア	セルビア
	など

VS

アメリカ

終盤で参戦

中立で良かったのだが、やられたら、やり返さざるをえまい！

第28代大統領
ウッドロー・ウィルソン
（任期：1913〜1921）

　初の世界大戦はヨーロッパが主戦場となり、中央同盟国と連合国が争いました。機関銃などの新兵器で死者数は増え、塹壕戦により戦争は長期化。アメリカはモンロー主義（対欧州不干渉）の伝統を守り、当初は中立を守っていましたが、ルシタニア号事件やツィンメルマン電報で世論は沸き上がり、ついには連合国側に立って参戦します。これが連合国の勝利を決定づけました。

　戦後、ウィルソン大統領は紛争を平和的に解決する機構の設立を各国に働きかけます。彼の願いは叶い、1920年に国際連盟が発足しました。しかしアメリカ議会は他国への干渉と他国からの干渉をこのまず反対し、アメリカ自身は国際連盟に参加しませんでした。

アメリカが参戦した理由

ルシタニア号事件

イギリスの客船ルシタニア号がドイツに撃沈された事件。犠牲者の多くがアメリカの民間人だったため、アメリカでは反独感情が高まりました。

ツィンメルマン電報

ドイツの外相がメキシコに送った秘密電報。同盟の締結を提案し、勝利の暁にはテキサスなどのメキシコ返還を約束するという内容でした。

大戦後のアメリカ、「狂乱の1920年代」

　疲弊したヨーロッパに代わり、大戦後はアメリカが世界経済の主役となりました。工場での大量生産により大量消費社会が出現し、映画、ジャズ、野球などの大衆文化が開花。この時代は「狂乱の1920年代」とも呼ばれます。

　北部の大都市では労働者が求められていたため、南部の農村から黒人が大挙して移住。ニューヨークのハーレムは黒人文化の中心地となりました。

自動車（T型）の量産
フォードが開発したT型の普及によって自動車は初めて中産階級の手に届くものになり、人々の生活スタイルを劇的に変えました。

ラジオ放送のスタート
ラジオ放送は1920年代前半に開始。放送局の数は瞬く間に増え、ドラマやバラエティショーなど多彩な番組が制作されました。

女性参政権
女性参政権は1910年代に各州で徐々に認められていき、1920年に憲法修正19条が批准されて憲法上も明示された権利となりました。

映画ブーム
多くの映画製作者が晴天の多いロサンゼルスのハリウッドに集い、映画産業が興隆。1929年にはアカデミー賞が創設されています。

リンドバーグの大西洋横断
1927年、パイロットのリンドバーグが、世界で初めて大西洋の無着陸単独飛行に成功。アメリカ国民はこの歴史的快挙に熱狂しました。

 光と影

1919 禁酒法
禁酒運動の高まりを受けて、国内で酒類の製造・販売を禁止する禁酒法が成立。しかし密造や密輸が横行し、規制は失敗に終わりました。

1924 移民法
1924年に成立した移民法は、東欧・南欧からの移民を制限するとともに、アジアからの移民を全面的に禁止することを目的としたものでした。

1925 スコープス裁判
聖書を重んじるキリスト教根本主義者が多い南部で、進化論を教えた教師が逮捕される事件が発生。全米に論争を巻き起こしました。

● キーワード **ロストジェネレーション**
あまりに凄惨な第一次世界大戦は、西洋社会の常識と価値観（科学の進歩がもたらす明るい未来、信仰による救い）を根底から揺さぶります。そこで新たな価値観の軸を探し求めて文学に可能性を見出した若い世代が登場、やがてロストジェネレーション（迷子の世代）と呼ばれます。ヘミングウェイやフィッツジェラルドに代表される人々です。彼らは禁酒法が制定されたアメリカを去ってドル高を武器にヨーロッパへ飛び、各々の人生を模索して名作を書きます。

『グレート・ギャツビー』の著者であるフィッツジェラルドは、お金とお酒を浴びる楽しさと怖さと虚しさを体験し、これをテーマとしました。

ラスベガスはいつまで金ピカの夢を見られるか
ネバダ州

基本情報		
人口	317万7772人（第32位）
面積	28万6380㎢（第7位）
GDP	1654億5500万ドル（第32位）
州名	山々を表現した「雪の地」、「雪に覆われた」などを意味するスペイン語から

ネバダ・シルバーナイツ

　空港で地元ツアー会社のガイドより先にスロットマシンがお出迎え。ネバダは果てない荒野にラスベガスや西部開拓時代のゴーストタウンがぽつりぽつり点在する州です。

　最初に来たヨーロッパ人はスペインの宣教師でしたが、不毛ゆえに農業ができず、時折探検家や商人が来るだけで入植が進みませんでした。お隣のカリフォルニアでゴールドラッシュが起きた頃には、ユタ準州に編入されており、このためか現在もモルモン教徒が少なからずいます。そこへ来て1859年にコムストックロードで銀が発見。一気に開拓者が押し寄せ、戦費工面のため銀に目を付けたリンカーン大統領の思惑が重なり、南北戦争中の1864年に北軍自由州の一員として州に昇格しました。

> ★ 州のモットー ★
> *"All for our country"*
> 「我が国のために」

❶ バーニングマン
毎年8月に巨人像を燃やす芸術祭。サンフランシスコで始めたが警察に怒られてブラックロック砂漠に移転、世界的な祭典にまで発展しました。

❸ キット・カーソン
19世紀前半に罠漁師、ガイド、交渉役、傭兵とフロンティアマンらしくマルチに活躍、いくつかの地名に名を残した伝説的開拓者です。

❻ グレートベースン国立公園
国立公園の名であるグレートベースンとは、ネバダを広く覆っている荒涼とした山と谷と盆地が続く水が少ない乾燥地形のことです。

❷ レノの街
「世界一でかい街」がキャッチフレーズの、ラスベガスと並ぶカジノの街です。19世紀半ばに開拓者が築いたベガスより古い街です。

❹ モルモンステーション州立公園
何もないネバダに最初に定住を試みた人々のログハウスがあります。彼らはモルモン（末日聖徒イエス・キリスト教会）を信じていました。

❼ エリア51
UFO目撃情報が多い空軍管理区で核実験場やユッカ山（元核廃棄物貯蔵候補地）の他、近郊に観光客向けエイリアン研究所があります。

★ 州の鳥 ★
Mountain Bluebird
ムジルリツグミ

❺ バスク人
カウボーイの街として有名なエルコは、独自の文化を持つスペインとフランスの国境付近に暮らした少数民族バスク人の移民先でもありました。

❽ ギャンブル禁止の街
ボルダーシティはフーバーダム建設の労働者が暮らす街としてできました。そのためからラスベガスに近いもののギャンブル禁止です。

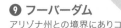

❾ フーバーダム
アリゾナ州との境界にありコロラド川の水を溜めています。完成は世界恐慌の時代の1936年です。灌漑と発電で近隣州を潤しています。

❶
⑤ Elko
Reno
❷
●Virginia City
★ ❸ Carson City
❹
⑥
❼
Las Vegas
❾ Colorado River

東海岸 1章
南部 2章
五大湖・中西部 3章
西部 西海岸・海外領土 4章
アメリカはどんな国？ 5章
巻末資料

ネバダ・ゴールデンナイツ

　しかし銀の時代は続きませんでした。採掘は好調でしたが、好調すぎて1870年代に貨幣を作る際の銀の役割が国際的にも制限されるようになり価値が下落。20世紀初頭に州経済は一時回復しますが、1930年代に世界恐慌が直撃します。この頃の1931年にギャンブルを合法化し、一部地域での売春合法化、離婚の簡易化を行ってリゾートとしての地位を築きました。50年代には核実験場ができて研究開発界隈も発展、サンベルトの一部としてハイテク産業が育ち、21世紀初頭にかけて全米でも高い経済成長率を記録しました。

伝説的な西部時代の開拓街

19世紀後半の西部開拓は金だけでなく銀も重要でした。その銀鉱として一世を風靡したのがコムストックロード銀鉱山と、豪邸が立ち並び文豪マーク・トウェインが新聞記者として働いた近くのバージニアシティです。1880年代には急速に廃れますが、一瞬の煌めきを放った地として記憶されています。

バージニアシティは現在観光地です。

コムストックロードには全米から坑夫が集まり、やがて去りました。

ラスベガス

最初にここを切り拓いて街を造ったのは1855年のモルモン教徒でした。2年後に街は放棄されますが、1905年に鉄道が来て人が増えます。ギャンブル合法化は1931年で、続く40年代から歓楽街と犯罪組織が急成長。21世紀以降は総合リゾートとして人を集めています。

ネバダ名物「スピード結婚」と「スピード離婚」

プレスリー婚
ベガスで結婚したプレスリー。モノマネ芸人が歌ってくれるのが定番オプションです。

ドライブスルー婚
結婚手続きが簡単なネバダにおいて、そのお手軽さを体現している人気のサービスです。

お手軽離婚
ネバダは離婚手続きも比較的楽で、自由な関係を好むリバタリアンに好まれたりもします。

州都

カーソンシティ

伝説の開拓者キット・カーソンの名が取られた街です。初期はモルモン教徒がカリフォルニアへ入る前の拠点でした。19世紀後半の銀の時代にはコムストックロードの鉱石が鉄道で運ばれ、街の鋳造所で銀貨に加工され流通しました。銀の時代は終わりましたが、行政施設、畜産業、観光業とともに鉱業が経済を支えています。

ラスベガスのスポーツ事情 アメフトとホッケー

長らく4大プロスポーツチームがない街でしたが、近年は様変わりしています。2017年にホッケーのゴールデンナイツが設立され、2020年にはアメフトのレイダースがカリフォルニアからお引っ越し。2023年には同じくカリフォルニアから野球のアスレチックスが引っ越す話が決定します。なお選手の八百長はアメリカも厳禁です。

レイダースや大学チームが試合をするアレジアント・スタジアム

ヨーロッパ人による土地開拓の最前線

アリゾナ州

基本情報		
人口	735万9197人（第14位）
面積	29万5234k㎡（第6位）
GDP	3564億1700万ドル（第18位）
州名	アステカの言葉で銀の埋蔵地を意味する「アリズマ」など諸説ある

まるでテラフォーミング

　コロラド高原と、険しい山脈と谷が広がるベイスン・アンド・レンジに覆われた水が少ない州です。自然とともに生きるプエブロ族や、遊牧民アパッチやナバホが暮らしました。16世紀前半にスペインが来ますが、乾燥した環境を征服できず、入植が捗りませんでした。

　そこをまるでテラフォーミングのように改造したのがアメリカです。スペインからこの地を獲得すると、19世紀半ばから発見された銅の採掘で州が発展。富が蓄えられた20世紀初頭から、大規模な灌漑事業に着手し、同時に暑さを制する冷房を普及させて、高度にインフラ整備がなされた都市を造ります。すると人口がどんどん増え、全米屈指の成長率を誇る州へと変貌しました。

> ★ 州のモットー ★
> **"God enriches"**
> 「神により豊かに」

❶ グランドキャニオン

コロラド川による数百万年の（数千万年とする研究も）侵食でできた、長さ446km、最大深度1.8kmの大峡谷でワラパイ族の聖地です。

❷ カチーナ

ホピ族が信仰する様々な自然現象に通じる霊的存在。子にカチーナを教える際に偶像化した人形を渡しますが、姿がとてもユニークです。

❹ セドナ

地球パワーが湧き上がっているという「エナジーボルテックス」が4つもある神秘の聖地で、スピリチュアル好きが世界中から集まります。

❺ モレンシー銅山

1872年から採掘が始まり2041年まで出ると考えられている北米最大級の露天掘り銅山です。住友金属鉱山も一部権利を保有します。

❻ バイオスフィア2

熱帯雨林区などを有する閉鎖生態系ドーム。研究班が2年過ごす実験が行われ、人間関係維持も難題であることが判明しました。

❼ ロバート・クレンツ殺人事件

国境近くで牧場を営む男性が2010年に謎の死を遂げると、全米でメキシコ移民への悪感情が噴出、差別的条例制定の危機となりました。

❸ ジェームズ・タレル

淡く繊細な自然光を建造物に取り入れ神秘的なアートにする芸術家。そのライフワーク「ローデンクレーター」がここにあります。

❽ 珍獣コチムンディ

南部のソノラ砂漠などで暮らしていますが、人里に現れて飼い犬とバトルを繰り広げることがあります。日本語名はハナグマです。

❾ サンシティ・ウェスト

富裕層が老後に安楽な暮らしをするためにできたリタイアメントタウンの1つです。冬でも温暖な気候に全米の高齢者があこがれます。

★ 州の鳥 ★
Cactus Wren
サボテンミソサザイ

Colorado River

Flagstaff

Sedona

Prescott

Phoenix

Tucson

MEXICO

主要都市 ツーソン

ネイティブ・アメリカンとスペインの文化が残りユネスコ食文化創造都市に認定されました。17世紀末にスペインの宣教師が訪れ、その後は砦ができ、アメリカ領化は19世紀半ば。第二次世界大戦後にハイテク産業が伸び、今は観光業が盛んで引退者の保養先としても人気。

州都 フェニックス

ホホカム族の暮らす地に、スペイン人、アメリカ人、モルモン教徒が来ました。アメリカ人が町を造る際に「旧文明の廃墟の上に、不死鳥のように新しい街ができるように」との願いを込め街の名前を付けました。願いは20世紀後半に叶い、サンベルト地域の発展で急成長したアリゾナ第一の都市になりました。

現代アリゾナのイメージとリアルのギャップ

西部の荒野とカウボーイ。ワイルドなイメージ。

室内で快適なエアコン生活。実際は高度な都市型社会。

『駅馬車』のジョン・フォード監督が撮った西部劇らしい、荒々しい魅力を普通の人は頭に思い描きがちです。

でも実態は、冷房と都市インフラの整備で初めて多くの人が住むようになった、極めて都市化が進んだ州です。

アリゾナ名物の5つのC

Copper（銅）
Climate（温暖な気候）
Cotton（綿花）
Cattle（肉牛）
Citrus（柑橘類）

アリゾナ開発の立役者、セオドア・ルーズベルト大統領

5Cとはアリゾナの歴史の初期に経済を引っ張った5つの立役者のことです。

ボクも**C**だよ！

立派に天を突くオルガンパイプ・サボテン

近年は観光業も成長。人気のサボテン（Cactus）を加えてもよさそうです。

アリゾナ産業史

鉄道と銅にはじまり、灌漑事業、自動車、冷房、コンピューター、原子炉によって人が住めるようになったアリゾナ。19世紀半ば以前は銅、農業、林業で人々は生計を立てていました。そこにきて第二次世界大戦後の時代から製造業と観光・サービス業が発展します。乾燥した気候は半導体の製造に適しており、ハイテク産業も勃興。かつての花形産業の重要性は低下したものの、銅生産と綿花生産、柑橘類の栽培、そしてワイン製造が消えたわけではなく、依然として州経済を下支えしています。人も増え、水の重要度は増すばかりです。

COLUMN

乾燥地帯の永遠の課題 水不足との戦い

20世紀初頭のソルト・リバー・プロジェクトで1911年にルーズベルトダムが完成。けれど水は足りずカリフォルニアとの水利権闘争を経て、1993年にセントラル・アリゾナ・プロジェクトが完成し、500km以上の運河でコロラド川から州都のあるアリゾナ南部に水を引くことに成功しました。でも近年は水不足で給水制限がかかっています。

ソルト・リバー・プロジェクトを構成している古い運河

1章 東海岸
2章 南部
3章 五大湖、中西部
4章 西部、西海岸、海外領土
5章 アメリカはどんな国？
巻末資料

モルモン教徒が開拓した新天地
ユタ州

基本情報

人口	338万800人（第30位）
面積	21万9882k㎡（第13位）
GDP	1919億6500万ドル（第29位）
州名	この地に住んでいたユート族から。名前の意味は伝わっていない

底堅く多様なユタ州の産業

スキーリゾートを育むワサッチ山脈と、北米最大の塩湖グレイトソルトレイクを望む州都一帯はワサッチフロントと呼ばれ、州人口の約3分の2が暮らします。エビが獲れる大塩湖は成長した工業と農畜産業がよく水を使うため面積が縮小傾向です。

19世紀半ばに他州での迫害から逃げ入植したモルモン教徒は農業で自給自足。銀が発見されると、非信徒の坑夫が流入し、州昇格で外から資本が入って農畜産と鉱業が拡大しました。20世紀初頭の恐慌は政府と教会の支援で乗り切り、世界大戦の頃にできた軍事基地が雇用を創出。ミサイル用ロケットエンジンを作りハイテク防衛産業が成長しました。現在は金融、物流、観光業も発達し、域内の中心地になっています。

★ 州のモットー ★

"Industry"
「勤勉」

❶ ボンネビル塩原
広さは約260k㎡。1930年代以降、最速記録を狙うイギリス人スピード狂が好んで車を飛ばし、現在も毎年レースが開催されています。

❷ モルモン教総本山
モルモン教徒が切り開いたソルトレイクシティには総本山テンプルスクウェアがあります。大変美しい白亜の大聖堂は原則非公開です。

❸ サンダンス映画祭
独立系映画が主役の映画祭です。ユタ在住のロバート・レッドフォードが主催者で当たり役サンダンス・キッドの名前が取られました。

❹ ビンガム銅床
幅4km、深さ1.2kmの世界最大級の露天掘り銅山で、銅、金、銀、モリブデンが採掘されています。百年以上前から掘り続けています。

❺ ユート族
州名の由来となった部族。スペインが持ち込んだ馬を入手後、緩い連合を作り広がりましたが、戦争の末に現在の居留地に移されます。

❻ マウンテンバイク遊び
アーチ型の奇岩がある国立公園のほか、なめらかな岩場をマウンテンバイクで踏破する遊びが人気。ユタはスキーだけではありません。

❼ まるで火星みたい
私設研究団体「火星協会」がユタの砂漠を過酷な火星に見たて居住実験を行っています。選ばれし研究生のみ隔離生活を体験できます。

❽ ザイオン国立公園
マイティー5と呼ばれるユタに5つある国立公園のうちの人気公園です。ウシ科ヒツジ属のビッグホーンがここで暮らしています。

❾ フォー・コーナーズ
4つの州の境界が交差する場所はアメリカでここだけです。でも記念碑がある人気写真スポットは厳密に測量するとずれているとの指摘も。

（地図）
● Logan
Great Salt Lake
● Ogden
Salt Lake City
❶
❷ ★
❸ ● Park City
❹
● Pleasant Grove
◎ Provo
❺
Moab
❼
❻
● Cedar City
★ 州の鳥 ★
California Gull
カリフォルニアカモメ
❽
St. George
❾

1章 東海岸
2章 南部
3章 五大湖・中西部
4章 西部・西海岸・海外領土
5章 アメリカはどんな国?
巻末資料

1942年	1972年	1980年代以降	1984年	2002年	2018年
第二次世界大戦中、トパーズ戦争移住センターが開設され日系アメリカ人を抑留	この州生まれのノーラン・ブッシュネル氏がビデオゲーム機「アタリ」を発売	州都とプロボ近郊でテック企業が育ち始めシリコン・スロープと呼ばれるように	モルモン教徒であるケント・デリカットさん（カナダ生まれ）が日本でブレイク	ソルトレイクシティ冬季五輪が開催。9.11後もアメリカが強いことをアピール	医療用のマリファナ（大麻）使用が合法化される。娯楽目的は引き続き禁止

モルモン教の苦悩と苦闘

ユタは東海岸や中西部で迫害されたモルモン教徒が、1847年に到着して切り開いた地です。正式名称・末日聖徒イエス・キリスト教会は、キリスト教に基づく新宗教で、特に一夫多妻の容認が異端とされました。信徒をユタへと導いた2代目指導者ブリガム・ヤングは、50人以上の妻を娶り、57人の子をもうけています。

入植後も苦難は続き、教会を危険視した政府が軍を派遣。1857年から1858年にかけてユタ戦争が勃発しました。両者の妥協と連邦軍の疲弊もあって大規模な戦闘こそ起きませんでしたが、小競り合いはあり、緊張が破裂したモルモン教徒が開拓民を襲う虐殺事件が戦争前に起きています。その後南北戦争が勃発すると駐留連邦軍は撤退。一夫多妻が廃止されると、1896年にユタは念願の州昇格を果たしました。

現在も州民の6～7割が信徒で、独特なルールがあります。21世紀初頭の冬季五輪で国際化されてから、アルコール禁止令などは緩和されました。ですがそれでも掟は残っており、他者からすればそのユニークさがユタの魅力に一役買っています。

主要都市 プロボ

1849年にモルモン教の入植ミッションでユート族の攻撃を防ぐユタ砦として造られ、翌年にフランス系カナダ人の罠猟師に敬意を表し彼の名が取られました。1870年代の鉄道開通で鉱業と製造業が成長し、後に大学になるブリガム・ヤング・アカデミーが建設されます。

州都 ソルトレイクシティ

ブリガム・ヤング率いるモルモン教徒一行が迫害から逃れようと旅を続け、1847年にたどりついた地です。モルモン教の総本山として世界中から信徒が集います。経済的には歴史初期に繁栄した鉱業に加え、行政・医療・金融や印刷出版、ITとハイテクなどあらゆる産業があり、2002年には冬季五輪を開催しました。

モルモンの国ユタ州の掟

ザイオンカーテン

モルモンは原則酒NG。飲食店では信徒従業員から非信徒の飲酒を隠すための衝立がかつてあったほど厳格です。

ジェロゼリー

全米の定番ゼリーですが、特に緑色のゼリーが信徒の集まりで頻繁に登場。何かが信徒の琴線に触れるようです。

宝くじはNG

清廉を求めるモルモン教はギャンブルだけでなく宝くじも反対の立場です。州としても宝くじを禁止しています。

なぜかネットワークビジネスが盛ん

法令を遵守していますよ！

原則違法性なし

原則違法性なし

原則違法性なし

ニュースキン社

コスメやサプリを扱う世界企業（本社プロボ）。日本にも法人があって賛否両論あるようです。

ドテラ社

アロマオイルを扱う世界企業（本社プレゼントグローブ）。2008年の創業以降、世界中に進出。

ユサナ社

コスメなどを扱う世界企業（本社ソルトレイクシティ）。創業者は科学者のマイロン・ウェンツ博士。

アメリカのなかにある外国のような所
ニューメキシコ州

基本情報	
人口	211万3344人（第36位）
面積	31万4917㎢（第5位）
GDP	946億6300万ドル（第37位）
州名	メキシコ人が新天地として「新しいメキシコ」と16世紀に呼んだ（諸説あり）

南西部らしい文化混淆の地

　順番でいうと先住民のプエブロ族がいて、そこへ16世紀末からスペイン人が入り繁栄、遅れて19世紀にヨーロッパ系アメリカ人が到着しました。今はヒスパニック（スペイン語を話す中南米人）が増加しています。彼らが文化を育み、乾いた土地で色彩豊かな異国情緒が生まれました。

　感性が鋭い人たちがこの環境を見逃すはずなく、画家ジョージア・オキーフをはじめ、ベテラン若手を問わず芸術家を引き寄せます。ここではヨーロッパ系白人が少数派で、州人口の3割5分ほど。自分が外国人である感覚は、たとえ州が全米のなかで経済的に豊かとはいえないにしても、得難い魅力なのでしょう。近年は温暖な気候とリゾート好きの富裕層も増え、人口が増加しています。

★ 州のモットー ★

"It grows as it goes"
「進むにつれ成長する」

❶ ロバート・オッペンハイマー

原爆を開発する第二次世界大戦中のマンハッタン計画の中心人物で、同計画の拠点であるロスアラモス研究所所長を務めました。

❻ シェールオイル

南東部パーミアンに巨大なシェール層があり原油が出ます。この辺りは巨大洞窟やカリウム埋蔵地でも知られ、地上より地下が豊かです。

❽ エンチラーダ祭

メキシコに近い街の祭りで巨大エンチラーダを振る舞っていました。今はフードロスや肥満問題で叩かれ中止になってしまいました。

❷ ナバホ族

ヨーロッパ人に追われ北西部の居留地に押し込められています。昔からいた農耕好きのプエブロ族と違い、戦いが得意な遊牧民でした。

❼ ホワイトサンズ

どこまでも続く白い砂の砂丘が神秘的な国立公園です。不毛の地であり、近くにミサイル発射場や核実験場トリニティ・サイトがあります。

❾ 宇宙港

民間機がここから飛び立つことまで想定され、何度か商業宇宙飛行が実現しています。宇宙港には通常よりも長い滑走路が必要です。

❸ ウランの産地

原爆の材料であるウランが採掘された一大産地であったのは昔の話です。今はグランツ市の博物館が当時の様子を展示しています。

❹ イスレタ・カジノ

アメリカ南西部で文明を営んだ最初の住民イスレタ・プエブロ族にとって、カジノ運営は他の多くの部族と同様に大事な収入源です。

❺ ロズウェルの宇宙人

1947年にUFOが墜落して宇宙人が捕まったとされる舞台はロズウェル。UFO疑惑で有名な空軍施設エリア51があるのはネバダ州。

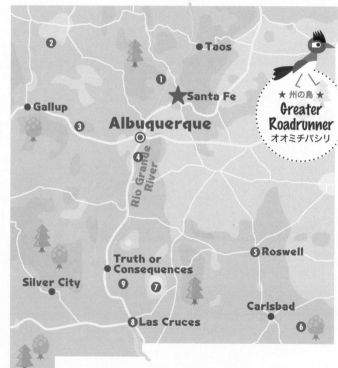

★ 州の鳥 ★
Greater Roadrunner
オオミチバシリ

地図上の地名：Taos、Santa Fe、Gallup、Albuquerque、Rio Grande River、Roswell、Truth or Consequences、Silver City、Carlsbad、Las Cruces

I Went Underground In Grants, New Mexico

ISLETA

うちの店の料理はどれも美味しいんだよ。ご注文ありがとうね

あなたは赤と緑どっちがいいですか？

ニューメキシコ州民ジョン

よく料理に使うトウガラシを使ったチリソースのことですよね

私はピリッとした緑（青トウガラシ）派！

日本人観光客ヤマダ

赤と緑の両方を使ってもテクスメクス料理に合うんですよ！

両方の時はこう言ってね、「クリスマス！」

ニューメキシコ州民ジョン

1章 東海岸
2章 南部
3章 五大湖・中西部
4章 西部 西海岸 海外領土
5章 アメリカはどんな国？
巻末資料

先住民プエブロの文化

タオス・プエブロ

温もりある色の日干しレンガを使った「アドビ建築」の街です。州内に3つもある世界遺産の1つとして保護されています。

プエブロ陶器

プエブロ作家のマリア・マルティネスの作品で世に知られました。伝統と革新を融合させた黒と白のデザインが特徴です。

ジョージア・オキーフ

言わずと知れたアメリカ絵画界の巨匠。この州の自然とプエブロ文化から多大な影響を受けています。

主要都市
アルバカーキ

スペイン植民地の前哨基地として1706年に造られ、総督である公爵の名前が取られた州最大の街です。19世紀半ばにアメリカに編入されて後、鉄道が開通し人口が増えました。プエブロとヒスパニック文化の発信地で、世界的な気球の祭典の開催地としても有名です。

州都
サンタフェ

1610年にスペイン人が造ったアメリカで最も古い街の1つです。18世紀はスペイン統治の中心地で、米墨戦争後アメリカに編入されると1851年に準州州都に。プエブロ族独自のアドビ建築が多くの芸術家を惹きつけています。最も海抜が高い州都で、冬のスキーリゾート、夏の避暑地として観光業が発達しています。

ニューメキシコ産業の移り変わり

ニューメキシコ州がアメリカに合流した19世紀は、畜産業に携わるカウボーイらがたくさん暮らしていました。一方で現代のニューメキシコでは、アメリカ軍や国立研究所など政府の仕事が重要な雇用先となっています。これは裏を返せば他州と比べて民間部門の成長が遅れていると見ることもできます。

昔はワイルドなカウボーイが多かった

公務員（軍人）や研究者が増えた

COLUMN
アメリカで唯一 核廃棄物の隔離施設

ニューメキシコには全米唯一の核廃棄物の隔離試験施設（WIPP）があり、今後1万年にわたり隔離と管理が必要といわれる汚染廃棄物が地下約650mの空間に眠っています。しかし2014年には廃棄物の爆発事故があるなど、管理の難しさが既に露呈しています。また他の処分場建設の目処が立たず、問題は暗礁に乗り上げています。

核廃棄物施設に近い南東部カールスバッドの大地

世界恐慌の荒波を越え、連合国の盟主に

第二次世界大戦とアメリカ

- アメリカ発の世界恐慌が大戦の遠因になった
- ルーズベルトがニューディール政策を主導
- 参戦に否定的だった世論が真珠湾攻撃で一変

破滅的な激動に見舞われた第二次世界大戦の前夜

1929年10月24日の「ブラックサーズデー」と世界恐慌

$100 WILL BUY THIS CAR MUST HAVE CASH LOST ALL ON THE STOCK MARKET

誰か車を買っておくれ

昨日まで金持ちだったのに

何が起きた?
1920年代のアメリカでは空前の好景気が続き、株価が経済の実態以上に高騰していました。しかし1929年10月24日の通称「ブラックサーズデー」(暗黒の木曜日)に、ニューヨーク証券取引所で株価が大暴落します。これが20世紀最悪の不況、世界恐慌の始まりでした。

そしてどうなった?
多くの国民が、好景気の時代に組んだローンを払えずに破産しました。消費は落ち込み、企業の業績は悪化。1932年末には、アメリカの労働者の4人に1人が失職する悲惨な状況になりました。恐慌は国外にも波及し、特に深刻な影響を受けたドイツでは、国民の不満を背景にナチスが台頭しました。

1931年頃～ダストボウル

カリフォルニアに行けば仕事がある

ルート66を行けば豊かなカリフォルニアへ着くんだ

何が起きた?
オクラホマやテキサスなどの大平原で、何年にもわたる長い干ばつが発生。土壌が乾燥し、巨大な砂嵐が吹き荒れるようになりました。ダストボウル(砂塵地帯)と呼ばれたこうした地域では農業が壊滅し、家を捨てて移住せざるをえない農民が続出しました。

そしてどうなった?
故郷を離れた農民の多くはカリフォルニアで職を求めましたが、世界恐慌の最中でもあり、条件の良い仕事を見つけるのは至難の業でした。なかには困窮し、路上にテントを張って生活する人もいました。こうした移住者にはオクラホマ出身者が多かったため、俗に「オーキー」と呼ばれました。

1933年～ニューディール政策

テネシー州ノリスダムは1936年完成

ワシントン州のグランド・クーリー・ダムは1942年完成

何が起きた?
世界恐慌に対抗するため、ルーズベルト大統領は公共事業で雇用を創出し、福祉を強化する「ニューディール政策」を推進。ダム建設を手がけるテネシー川流域開発公社(TVA)を設立して失業者を雇い、自然保護青年団(CCC)を組織して若者を環境保全活動に従事させました。

そしてどうなった?
一時的に景気は上向きましたが、1937年には再び不況に見舞われました。結局、アメリカ経済は第二次世界大戦の軍需によって回復しました。ニューディール政策の是非は、当時から論争の的でした。福祉国家への転換を評価する声もあれば、連邦政府が強大になりすぎたことを批判する声もありました。

アメリカは永遠に繁栄するのだ!

今回の恐慌もじきに終わるはず!

ハーバート・フーヴァー
(任期1929～1933) 第31代大統領

共和党所属。大統領に就任した最初の年に世界恐慌が発生しました。政府の積極介入を避け、自然な景気回復を待つ姿勢を取りましたが、不況はかえって深刻化。1932年の大統領選でルーズベルトに大敗を喫しました。

ニューディール政策、発動!

ファシズムから自由を守る!

フランクリン・ルーズベルト
第32代大統領 (任期:1933～1945)

民主党所属。ニューディール政策を掲げて当選し、失業対策と社会保障制度の整備に尽力しました。第二次世界大戦では、連合国の指導者の一人として戦争を指揮。1945年4月、勝利を目前にして脳卒中で亡くなりました。

東海岸 1章
南部 2章
五大湖・中西部 3章
西部、西海岸、海外領土 4章
アメリカはどんな国？ 5章
巻末資料

1929年
10月24日にニューヨーク株式市場で株価が大暴落し、世界恐慌が発生

1933年
フランクリン・ルーズベルトが大統領に就任。ニューディール政策が始まる

1935年
社会保障法が制定され、公的な失業保険・年金制度が整備される

1939年
ドイツがポーランドに侵攻。英仏がドイツに宣戦し、第二次世界大戦が勃発

1941年
日本がハワイの真珠湾を攻撃。アメリカが第二次世界大戦に参戦する

1944年
連合軍がフランスのノルマンディーに上陸。ヨーロッパ戦線の転換点となる

1945年8月
広島・長崎に原爆が投下される。日本が無条件降伏し、第二次世界大戦が終結

1945年10月
戦勝国による国際機関である国際連合が設立。本部がニューヨークに置かれる

アメリカと第二次世界大戦（参戦の経緯と対日本戦）

1939年〜 開戦

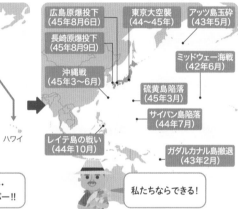

遠い所だし、あまり関わりたくないな

何が起きた？
東欧に領土を拡張する野心を抱いていたドイツのヒトラーは、1939年9月、ポーランドに侵攻。これに対しイギリスとフランスがドイツに宣戦し、第二次世界大戦が始まりました。ドイツは1940年6月にフランスを降伏させると、翌年6月には独ソ不可侵条約を破ってソ連に侵攻。戦火は欧州全土に広がりました。

アメリカは？
世論は当初、参戦に否定的でした。しかしルーズベルト大統領は、ドイツの侵攻は民主主義の危機だと主張し、イギリスに武器を供給。大規模な徴兵を行い、軍需工場を稼働させるなど、着々と戦時体制を整えました。このことはアメリカの景気回復にもつながりました。

1941年12月7日 パールハーバーとドイツの対米宣戦布告

日本軍の侵攻ルート

日本 / パールハーバー / オアフ島 / 太平洋 / ホノルル / ハワイ

リメンバー・パールハーバー!!

何が起きた？
ドイツと日独伊三国同盟を結んでいた日本は、フランスの降伏を受けて仏領インドシナへ進駐。アメリカ・イギリスとの対立が深まっていました。ルーズベルト大統領は日本への石油などの禁輸を決断します。これに反発した日本は対米開戦を決意し、1941年12月7日（米国時間）、ハワイの真珠湾を奇襲攻撃しました。

アメリカは？
日本の攻撃でアメリカの世論は一変し、「リメンバー・パールハーバー（真珠湾を忘れるな）」というスローガンが叫ばれるようになりました。アメリカが日本に宣戦したのに呼応し、ドイツとイタリアはアメリカに宣戦。戦争は地球規模のものに拡大していきました。

1942年〜 ミッドウェー海戦でのアメリカ勝利、以降アメリカが猛攻

広島原爆投下（45年8月6日）
長崎原爆投下（45年8月9日）
沖縄戦（45年3〜6月）
東京大空襲（44〜45年）
アッツ島玉砕（43年5月）
ミッドウェー海戦（42年6月）
硫黄島陥落（45年3月）
サイパン島陥落（44年7月）
レイテ島の戦い（44年10月）
ガダルカナル島撤退（43年2月）

私たちならできる！

何が起きた？
日本軍は怒涛の勢いで東南アジアを占領しますが、ミッドウェー海戦を機にアメリカ軍が反攻。ガダルカナル島の戦いなどを経て、サイパン島が陥落。沖縄で熾烈な地上戦が戦われ、1945年8月に広島と長崎に原爆が投下されて日本は降伏しました。戦争中、日系アメリカ人は裁判なしで強制収容所に抑留されました。

ヨーロッパでは？
1944年6月に連合軍がノルマンディー（仏）に上陸、1945年5月にドイツ降伏、ユダヤ人虐殺（ホロコースト）の実態が明るみに出ます。なお同年2月にルーズベルト（米）、チャーチル（英）、スターリン（ソ）が黒海沿岸のヤルタで戦後処理について会談しています。

世界大戦を終わらせるのだ！

東側の共産陣営を封じ込める！

ハリー・S・トルーマン（任期1945〜1953）
第33代大統領

先代のルーズベルトが急死したため、副大統領から急遽、大統領になりました。ポツダム宣言で日本に無条件降伏を勧告し、原爆投下を決定。戦後は、ソ連の封じ込めを図る「トルーマン・ドクトリン」を宣言しました。

我は死、世界の破壊者…（古代インドの聖典の一説）

科学者は罪を知った…

ロバート・オッペンハイマー（1904〜1967）
原爆の父

ユダヤ系アメリカ人の物理学者。ナチスドイツより先に原爆を作ることを目的とするマンハッタン計画のリーダーとして、開発を成功に導きました。原爆投下に衝撃を受け、戦後は水爆の開発に反対するようになります。

ワシントン州

基本情報

人口	778万5786人（第13位）
面積	18万4661km²（第18位）
GDP	5821億7200万ドル（第9位）
州名	ジョージ・ワシントンから。コロンビアにしたかったが首都に遠慮した

新しい文化のゆりかご

西部のピュージェット湾周辺に、州人口の半分以上が集まります。そのなかで大きな存在感を放つのは、20世紀半ばにカウンターカルチャーの発信地となったシアトルです。

当時の若者はアメリカの北西の端っこであるここで、個性を排除しようとする体制側から積極的にはみ出し、文学（ビートニク）や音楽（グランジ）で自らを表現。またある者は既存産業に対抗すべくコンピューターに目を付け、またある者は労働運動・環境運動・LGBTQ＋の権利拡大に身を投じました。こうしたオルタナティブな雰囲気が、ニルヴァーナやジミヘン、マイクロソフトやアマゾン、冬の澄んだ空気のなか濃厚なコーヒーを楽しむ文化とスターバックスを生むゆりかごとなったといわれます。

★ 州のモットー ★

"By and by"

「やがて」

❶ シアトル・マリナーズ

1977年創設のメジャー・アメリカンリーグのチームです。一時経営難に陥ったことがあり、任天堂の山内溥元社長が助け舟を出しました。

❸ ボーイング社 エバレット工場

大型航空機ジャンボジェットを製造したボーイング社の工場が今もあり、同社の本社もかつては創業の地であるシアトルにありました。

❺ ヤカマ族

海風をカスケード山脈が遮ってくれる東部で、山と川のめぐみとともに暮らしました。現在はリンゴ栽培が盛んな地域の居留地にいます。

❷ バルブ社

シアトルの隣ベルビューのゲームメーカー。パズルゲーム『ポータル』を世に送り出し、プラットフォーム『スチーム』を運営中です。

❻ ケネウィック人

コロンビア川で発見された八千年以上前の人骨。日本のアイヌに近いとの説がありますが、やはりネイティブ・アメリカンに近いようです。

❹ ザトウクジラ

オリンピック国立公園（園内にほぼ道路なし）のある北西部オリンピック半島や、北にあるセイリッシュ海ではクジラを見ることができます。

❼ ワラワラ・ワイナリー

アメリカのワインはカリフォルニアが有名ですが、ワシントンでも造っています。玉ねぎで有名なワラワラの街にワイナリーがあります。

❽ グランドクーリーダム

1942年完成のコロンビア川のダムで、元々は灌漑目的でしたが、戦争中だったため、より重要なアルミ精錬に使う発電が優先されました。

❾ ライラック・ブルームズデイラン

スポケーン市で毎年5月初旬に行われる長距離走ロードレースです。州東部は西部と異なり乾燥気候で、スポーツ大会や農業が得意です。

★ 州の鳥 ★

Eastern Goldfinch

オウゴンヒワ

CANADA

Bellingham

San Juan Island

Everett

Seattle

Tacoma

Olympia

Leavenworth

Spokane

Yakima

Richland

Walla Walla

Kennewick

Pacific Ocean

Cascade Range

Columbia River

1章 東海岸

2章 南部

3章 五大湖・中西部

4章 西部・西海岸・海外領土

5章 アメリカはどんな国?

巻末資料

18世紀後半	1840年代	1846年	1873年	1889年	20世紀半ば以降
イギリスとアメリカの毛皮貿易会社や、キリスト教宣教師がこの地を訪れる	開通したオレゴントレイルを通り、多くの開拓者たちが東海岸や中西部から来る	オレゴン協定によりこの地からイギリスが撤退、一帯がオレゴン準州になる	ノーザン・パシフィック鉄道がタコマに到着、その後敷設が進み中西部とリンク	42番目の州としてアメリカ合衆国の一員となる	第二次世界大戦以降に航空産業やハイテク産業が急成長、人口が増え移民も増加

主要都市 シアトル

1850年代初頭に設立され林業と製材で大きくなります。名前の由来はネイティブ・アメリカンの首長から。先住民の襲撃、中国人移民に対する白人の暴動、大火災を経験し、ゴールドラッシュ、第二次世界大戦中の造船と航空機製造、ハイテク新興を経て今に至ります。

州都 オリンピア

ネイティブ・アメリカンの地を白人が開拓。政府税関が置かれた頃にオリンピック山脈にちなんで街の名が付けられました。1853年には準州の州都に選ばれ、港湾と林業の他に、牡蠣の養殖、酪農、醸造で発展します。街の港湾設備は大規模な商船団の母港。そして豊かな海と山の幸が40年続くファーマーズマーケットを賑わせます。

ワシントン出身の有名人

ジミー・ヘンドリックス
エレキギターの可能性を最初に引き出し、歯でも演奏するシアトル生まれのギターヒーロー。

リンダ・バック
匂いを感じ取る遺伝子を見つけてノーベル賞を受賞した、シアトル生まれの生物学者です。

ビル・ゲイツ
マイクロソフト創業者で、コロナ禍前に感染症の危険を察したシアトル生まれの実業家です。

西と東で異なるワシントンの州民性

●近年の州知事の所属政党

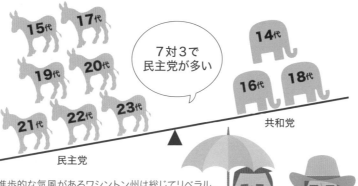

7対3で民主党が多い

15代 17代 19代 20代 21代 22代 23代

14代 16代 18代

民主党　共和党

進歩的な気風があるワシントン州は総じてリベラル。大統領選挙や州知事選は民主党候補が有利です。ただし地域差があります。乾燥しているカスケード山脈の東側などで、名物のリンゴやジャガイモを作る地方農村部は、保守的で共和党が強い地域です。対して移民が多く、雨がよく降り、コーヒーを片手にオフィスで働いていそうな市民が多い大都市は、リベラルな傾向が強いようです。

後発であったことの強み

　この州は19世紀後半、さらなるフロンティアであるアラスカへの玄関口でした。20世紀前半は大規模ダム建設事業「コロンビア・ベイスン計画」が発動し、シアトル万博(1962)を開催しています。ですが現代につながる繁栄はマイクロソフトが大きくなった1990年代以降です。後発であることは必ずしもマイナスではありません。会社設立や運営のコストが抑えられ、残っていた手付かずの自然のなかで暮らせるQOLの高さにIT人材が惹かれて集まりました。2010年代以降もアマゾンなどの巨大企業が州経済を牽引しています。

COLUMN

合法化された娯楽用マリファナ

販売されている娯楽用マリファナパック

ワシントン(とコロラド)は娯楽用大麻を2012年にアメリカで初めて合法化。この流れはその後10年で半分近くの州に波及します。ただアルコール同様ルールがあり購入は21歳以上、自宅などプライベートな空間での使用はOKですが公共の場ではNGです。なお、医療用大麻を合法化している州まで含めると、半分以上の州で大麻は合法です。

クオリティ・オブ・ライフと自然を愛する理想郷
オレゴン州

西と東でかくも違うオレゴン

　働くためではなく、楽しむために生きたい人。山と森の近くで健康的な暮らしを求める人。彼らにとって、太平洋岸北部の雄大な自然に抱かれ、なおかつ環境法や自転車道路法が整備され、ＩＴ関連の仕事まで待つオレゴンは理想郷です。音楽とビールとコーヒーが売りの小洒落たポートランドまである隙のなさです。

　良い意味で意識が高く、リベラルな空気と雨による湿気が多いのは、ウィラメット渓谷沿いの州西部。対して州東部は乾燥した小麦地帯で、荒々しい西部開拓の薫りが残る保守的な街が残っています。そこでは文化、生活、経済の面で親近感を覚えるお隣のアイダホ州と合併すべく、オレゴン離脱を目指す「大アイダホ運動」が起きています。

> ★ 州のモットー ★
> **"She flies with her own wings"**
> 「彼女は自らの翼で飛ぶ」

❶ ペンドルトン・ラウンドアップ

乾燥した州東部の町で1910年から開催している祭典。ロデオやパレードが行われます。カウボーイの競技大会「ラウンドアップ」は、古くは放牧地の牛を集める行程を意味しました。

❻ オレゴン・ボルテックス

「不思議な磁場のせいで一帯の建物が歪んでしまった」という設定の、びっくりハウスのようなテーマパークで、写真映えを狙う人が訪れます。

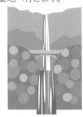

❽ クレーター湖 国立公園

巨大なカルデラ湖と、湖の中にある小山が印象的です。7700年前の大噴火と山体崩壊をネイティブ・アメリカンが見て口伝しました。

❷ マルトノマ滝

コロンビア・ジョージ地区の名所で、自然を愛する州民の自慢の場所。スポーツ好きはさらに西のウィンドサーフィンの聖地へ行きます。

❼ シェイクスピア祭

1930年代から開催しているアシュランドの街の演劇祭です。国際的に評価が高く、オレゴンの何となくハイセンスなイメージに貢献。

❾ ベンド市 クラフトビール

アメリカで一大ブームとなっているクラフトビールは中部ベンド市で醸造が盛んですが、オレゴンはワインの産地としても有名です。

❸ スタンプタウン・コーヒー

ポートランドは最新のコーヒー文化の発信地。有名チェーンの名前「切り株の街」は、かつて街が林業で栄えたことに由来しています。

❹ クリスマスツリー農場

オレゴンはモミの木の産地としても有名で、ポートランド近郊ヒルズボロ（インテル社もあります）などにいくつか農場があります。

❺ グーニーズの街

州北西部の街アストリアが映画『グーニーズ』の舞台です。市内のオレゴン・フィルム博物館ではアメコミ風のキャラたちがお出迎えしてくれます。

Columbia River

Hillsboro ❹　❸ ◎ Portland　❷　❶ Pendleton

Willamette River

★ Salem

Pacific Ocean

Newport

Baker City

John Day

Eugene　❾ Bend

Burns

Snake River

★ 州の鳥 ★
Western Meadowlark
ニシマキバドリ

Princeton

❽

❻

Medford　❼ Ashland

Lakeview

1章 東海岸
2章 南部
3章 五大湖 中西部
4章 西部 西海岸、海外領土
5章 アメリカはどんな国？
巻末資料

18世紀後半	1805年	1824年	1830～40年代	1846年	1880年代～
アメリカとイギリスの両国が西海岸北部を探検し、互いに領有を目論む	アメリカのルイスとクラーク探検隊が中西部から出発し、コロラド川河口に到達	イギリスの毛皮交易会社ハドソン湾カンパニーがワシントン州に拠点を造る	オレゴントレイルが開拓され、アメリカ中西部や東海岸から人が入って来るように	北緯49度線を国境とすることでイギリスと合意する	鉄道が開通し林業、農業、工業が発展。さらに20世紀と21世紀にかけて成長

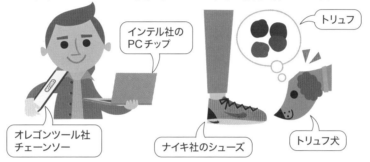

主要都市
ポートランド
ウィラメット川と太平洋につながるコロンビア川の合流地点近くの第一都市です。19世紀前半のオレゴントレイル開通、同世紀半ばのゴールドラッシュを機に成長。環境や文化への意識が高く、“Keep Weird”（変でいよう）という標語で独自性を打ち出しています。

州都
セーラム
初めてここに来たヨーロッパ人は宣教師で、彼らはネイティブ・アメリカンの平和という言葉を、同じ意味を表す聖書の言葉「セーラム」に置き換えて街の名にしたといわれています。土地が肥沃なウィラメット渓谷沿いというだけあり、農業と食品加工、林業で発展し、行政機関と大学が集まっている教育都市になりました。

メイド・イン・オレゴンといえば

強大なカリフォルニアと、北の雄ワシントンに挟まれたオレゴンには、両者とは別のどことなくニッチさを重んじる気風があり、下のイラストのような個性的な企業が登場しました。オーガニックや地産地消かつ産地直送が売りの飲食店も尊ばれ、トリュフなど地場食材に関わる仕事も脚光を浴びています。

インテル社のPCチップ

トリュフ

オレゴンツール社チェーンソー

ナイキ社のシューズ

トリュフ犬

進歩的なオレゴンの環境法

オレゴン・ビーチ法（1967）
砂浜から海までの土地を原則公有地として、誰でも自由に海を楽しめるようにした法律です。

オレゴン自転車法（1971）
自転車と歩行者専用の道路などの設置を新設道路に義務付け、高速建設資金の少なくとも1%を充てる法です。

森林施業法（1971）
森林資源と自然環境を保護した上で林業を持続可能なビジネスとする法律です（全米初）。

54度40分、さもなくば戦争だ

今のワシントン州やアイダホ州なども含むオレゴン一帯がアメリカ領になったのは1846年です。それより前はイギリスも領有を主張し、両国で共有する曖昧な状態でした。状況が変わったのは1844年の大統領選挙でした。民主党のジェームズ・ポーク候補（勝利し大統領に就任）が、現在の国境（北緯49度）よりもカナダに食い込んだ所（54度40分）までがアメリカ領だと主張し、認められなければ戦争だと叫びました。しかし実際にはメキシコと戦争に突入したこともあり、49度を国境とすることでイギリス側と妥協しました。

COLUMN
新しい銃規制法、オレゴンの条例114号

ポートランドのモールにある銃持ち込み禁止の表示

114号法案は2022年11月に可決され、10発以上入る弾倉の製造・購入・販売の禁止や、銃購入の認可証発行、購入手続きの規制強化を定めています。しかし反対する市民も多く、多数の異議申し立てが行われており施行には至っていません。公共の場で銃乱射事件が発生しても、比較的リベラルなオレゴンすら銃規制は容易ではありません。

カリフォルニア州

基本情報		
人口	3902万9342人（第1位）	
面積	42万3967km²（第3位）	
GDP	2兆8856億2700万ドル（第1位）	
州名	征服者コルテスが呼んだとされ、元は小説に登場する楽園	

今が一番調子よくノリノリ

　かつてアメリカ経済の中心は東海岸でした。ですが今はそれが南（フロリダやテキサス）や西海岸へシフト。人口とGDPが全米一位のカリフォルニアは、一国として独立しても不思議ではありません。

　誰もがうらやむ成長の源は何か。それは1849年に見つかった金、過ごしやすい温暖な気候と肥沃な大地、1920年代の石油であったりします。ハリウッドを含め、新興のカウンターカルチャーを許容した自由な風土を含めてもよいでしょう。

　先頭はいずれ後続に抜かれる宿命にあります。豊かさの代償として、家賃をはじめとする生活コストの高さや、慢性的な水不足と環境汚染に頭を悩ませていますが、巨大地震でもない限り大丈夫、問題ないはずです。

★ 州のモットー ★
"Eureka (I have found it!)"
「ユリーカ（見つけた！）」

❶ 巨木レッドウッド

高さ100m以上に育つ巨木レッドウッド（セコイア）の国立公園のほか、その幹をくりぬいて車が通れるようにしてある公園があります。

❷ ナパバレーのワイン

野生のブドウが実る肥沃な地へ19世紀前半に開拓者が入って造り始め、20世紀初頭の虫害や禁酒法を乗り越え有数の産地になりました。

❹ アップルパーク

あなたの支払ったアイフォン代などで造られた、シリコンバレーにあるアップル社の本社です。リング上の建物の内側に庭があります。

❺ マンザナー収容所

第二次世界大戦中に約1万1000人の日系アメリカ人が財産を没収されて強制収容されました。今は荒野の跡地に慰霊碑があって、亡くなった135人の名前が刻まれています。アメリカ政府は公式に謝罪しています。

❻ デスバレー

気温が50度を超えることがあるアメリカ本土で最も海抜が低い場所です。なおこの州には本土で最も標高が高い山もあります。

❼ ハリウッド

ロサンゼルスにある映画の街。その権利を独占しようとした発明家エジソンから逃げてきた映画人がここに集まったのがルーツです。

❽ メガチャーチ

信者を多数抱える大きな力を持つ教会のこと。この州ではサドルバック教会が有名で、最近は女性牧師を任命し総本山に叱られました。

★ 州の鳥 ★
California Quail
カンムリウズラ

❸ アルカトラズ

サンフランシスコ湾に浮かぶ小さな監獄島で南北戦争の頃から囚人を閉じ込めていました。しばしば映画に登場し、映画『ザ・ロック』ではニコラス・ケイジが潜入しています。

Sacramento
San Francisco
San Jose
Sierra Nevada
Pacific Ocean
Santa Barbara
Los Angeles
Santa Monica
Long Beach
Anaheim
San Diego

❾ サンディエゴ・コミコン

スペインが切り開いた非常に古い街は歴史マニアに好まれる一方、映画やマンガのファンの集いを開催していてコスプレイヤーも来たりします。

東海岸 1章
南部 2章
五大湖 中西部 3章
西部・西海岸・海外領土 4章
アメリカはどんな国？ 5章
巻末資料

1849年	1906年	1910年代	1981年	1992年	2021年
前年の金発見を受け、一攫千金を狙う人たち（フォーティーナイナーズ）が殺到	サンフランシスコ大地震が発生し街の約8割が破壊され推定三千人が亡くなる	雨が少なくロケ地にめぐまれたハリウッドに、映画制作会社が集まるようになる	州知事を務めた元俳優のロナルド・レーガン（共和党）が大統領に就任する	アフリカ系男性への暴力的逮捕を発端に人種間対立が激化、ロスで暴動発生	ディキシーファイアと命名された大規模山火事が発生、歴史ある街を焼き尽くす

「ガレージのなかで小さいコンピューターを作ったんだ！」スティーブ・ジョブズ

主要都市
ロサンゼルス
17世紀後半にスペイン人が「天使たちの女王の村」と名付けた村が起源で、今では全米で2番目に人口が多い都市圏に成長しています。ハリウッドもビバリーヒルズも域内です。20世紀後半に大地震や大暴動、近年は強烈なインフレに襲われていますが魅力は薄れません。

州都
サクラメント
スイス人入植者サッター氏が建設していた製材所で金が見つかりゴールドラッシュの震源地となりました。金の恵みで急成長し1854年の時点で人口は1万人に膨らんでいました。程なく大陸横断鉄道が開通すると車両工場ができます。その後20世紀は農業の拡大と米軍基地の建設で人が集まり製造業も成長します。

カリフォルニア州民の系譜
ジョブスは1955年生まれ。1984年に人間の直感に寄り添い、機械が持つ冷たさとは一線を画す初代マックを開発した背景には、ヒッピー文化が生んだ自由で創造的でスピリチュアルな空気があります。さらに時代を遡り、19世紀の金鉱作業員にハングリー精神のルーツを求めるのは言い過ぎでしょうか。

一発当てるぞい！

ラブ＆ピース

フォーティーナイナーズ
1849年

ヒッピー
1960〜70年代

シリコンバレー起業家
1980〜90年代

多様性の高いカリフォルニアの人々と政治
●近年の州知事の所属政党

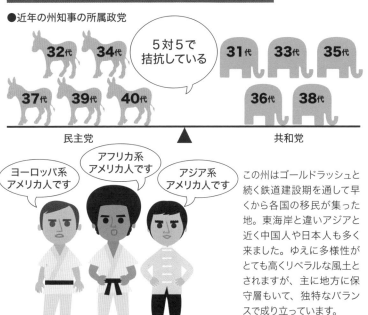

5対5で拮抗している

32代 34代
37代 39代 40代
民主党

31代 33代 35代
36代 38代
共和党

ヨーロッパ系アメリカ人です
アフリカ系アメリカ人です
アジア系アメリカ人です

この州はゴールドラッシュと続く鉄道建設期を通して早くから各国の移民が集った地。東海岸と違いアジアと近く中国人や日本人も多く来ました。ゆえに多様性がとても高くリベラルな風土とされますが、主に地方に保守層もいて、独特なバランスで成り立っています。

増えるヒト、減る動物 絶滅危惧種のコンドル
翼を広げた時に端から端までの長さが3mに達するネイティブ・アメリカンが崇める神聖な鳥です。西部開拓で増えたヒトに狩猟されると繁殖力の弱さもあり絶滅危惧種となります。ここ百年は狩猟禁止ですが環境汚染や鉛汚染のため数は増えず野生で一時絶滅。保護個体を人工繁殖で増やし野生に返す試みが一定の成功を収めていますが事故が後を絶ちません。このままでは州旗に描かれている絶滅したカリフォルニアグリズリーと同じ道をたどります。

お隣の州アリゾナのグランドキャニオンで撮影されたコンドル

カリフォルニア 強い経済力の源

シリコンバレーのIT企業群。
映画とエンタメの街ハリウッド。
これだけで十分な資本が集まるものの、
真の強さは多角化した産業の成長。

『怒りの葡萄』を執筆したスタインベックの胸像（モントレー）

ハイテクからジーンズまで

カリフォルニアは第二次世界大戦後に新しくモノづくりが発展した地域、いわゆるサンベルトの一部。現在ではコンピューターや航空宇宙、バイオやヘルスケアといった先端産業が発達しています。それ以前からも土地の物を生かした食品加工、金属加工、輸送機器、建設業が得意で、19世紀の金坑夫に好まれたジーンズのリーバイスはこの州が本拠地です。モノづくりから少し外れますが、クラフトビールメーカーもたくさんあります。

農業が元気

ワイン造り用のブドウと温暖な気候を生かしたオレンジだけでなく、ナッツ類と各種野菜と在留邦人に人気のカリフォルニア米まで作る、なくてはならない農業州です。アーティチョークなど物によっては、アメリカで出回るほとんどがカリフォルニア産になります。州中央に長く伸びるセントラルバレーが一大耕作地で灌漑設備網が張り巡らされています。灌漑の充実は裏を返せば基本的に水不足ということ、干ばつを乗り越えて今があります。

西海岸の石油精製基地

カリフォルニアは石油ブームを経験した州でもあります。油田があるのはロサンゼルスとサンフランシスコの中間にあるコアリンガや、州南部のロサンゼルス近郊などです。19世紀末から石油生産が急速に拡大し、1930年代までその量は全米トップクラスでした。その後は急速に減少して輸入に頼るようになりますが、残った石油精製プラントは現役で稼働しており、西海岸地域における石油精製基地の役割を担い続けています。

国内有数の国立公園と観光業

美しい滝があるヨセミテ国立公園、サンタモニカのビーチ、ロサンゼルス近郊にあるディズニーランド等々、豊かな自然にめぐまれ、テーマパークまであるカリフォルニアは、観光資源に事欠きません。観光をはじめとするサービス業はこの州の主要な経済部門として、なくてはならない存在になっています。この州を訪れる年間観光客数は2500万人を超えます。ただし裏を返すと人の多さが環境破壊につながるというジレンマもあります。

21世紀は航空宇宙産業

アメリカの民間宇宙開発をリードするイーロン・マスクのスペースXは、本社をカリフォルニア南部ロサンゼルス郡の街にかまえています。この州にはほかにミサイル開発企業なども立地。広大な砂漠地帯の飛行場、NASAの研究機関、カリフォルニア工科大学が揃った好条件のためで、カリフォルニア州立大学群に優秀な人材が集まることも追い風になっています。

カリフォルニアの成立

　最初に訪れたヨーロッパ人は16世紀のスペイン人でしたが、ほぼ2世紀の間彼らはカリフォルニアに興味を持ちませんでした。本格的な入植を試みたのは18世紀後半のフランシスコ会の修道士たち。その時の21の伝道所では教化されたネイティブ・アメリカンが働きました。

　1821年にメキシコがスペインから独立すると、メキシコからの入植者たちがやって来ます。ですがより重要なのは1840年代にアメリカ中西部から入植団が来て数を増やしたことです。北西部ソノマなどに住んだアメリカ人入植者らは、アメリカとメキシコが米墨戦争の最中だった1846年に反乱し、カリフォルニア共和国を建国します。この国は米墨戦争後アメリカに吸収されました。

　ほどなくゴールドラッシュで坑夫が集まります。その後の南北戦争を北軍自由州として戦うと、戦争特需と鉄道敷設の労働者として多くの中国人が来ました。低賃金で働く彼らに仕事を奪われる懸念が高まると1882年に中国人排斥法が制定。移民がまた大きく増え始めたのは1960年代の移民法改正以降でした。

1 坂の街サンフランシスコの名物ケーブルカー。背景はアルカトラズ　2 チャイナタウンの門　3 スペインのカトリック教会が建てた21伝道所の1つ、サン・ファン・カピストラノ　4 ヨシュアツリー国立公園　5 過激なコースターが有名なシックス・フラッグス・マジック・マウンテン遊園　6 モントレー缶詰工場社。モントレーの港のイワシ缶詰工場はスタインベックの小説のモチーフ　7 環境汚染が深刻なソルトン湖　8 俳優から州知事を経て大統領になったレーガン　9 州知事になれたが海外生まれで大統領に立候補不可のシュワルツェネッガー氏

東海岸　1章
南部　2章
五大湖・中西部　3章
西部、西海岸、海外領土　4章
アメリカはどんな国？　5章
巻末資料

資本主義 VS 共産主義（1950 〜 1970年代）

冷戦とアメリカ

冷戦の始まり、アメリカとソ連の対立

第二次世界大戦後、ソ連の影響下におかれた東欧では共産政権が次々に誕生しました。そこでトルーマン大統領は共産勢力の封じ込めを宣言（トルーマン・ドクトリン）。さらに戦災で傷ついた西欧諸国を経済支援するマーシャル・プランを立ち上げ、ソ連との対決姿勢を鮮明にします。そして資本主義陣営と、共産陣営はそれぞれ軍事同盟を展開、世界は二つに分かれました。

NATO（北大西洋条約機構）
1949年に資本主義国12カ国が設立した対ソ連の軍事同盟

初期加盟国	アメリカ　カナダ　イギリス　フランス イタリア　オランダ　ベルギー　デンマーク ノルウェー　ポルトガル　アイスランド ルクセンブルク　ギリシャ（1952年加盟） トルコ（1952年加盟）　西ドイツ（1955年加盟）

ワルシャワ条約機構
1955年にポーランド首都ワルシャワで結ばれた対NATO軍事同盟

加盟国	ソ連　ブルガリア　チェコスロバキア ハンガリー　ルーマニア アルバニア（1968年脱退） 東ドイツ（1990年脱退） ポーランド

冷戦の沸点① 朝鮮戦争（1950 〜 1953）

1948年に朝鮮半島はアメリカ軍とソ連軍に分割占領され、韓国と北朝鮮の2つの国家が成立していました。1950年、北朝鮮が突如として韓国に侵攻。ダグラス・マッカーサーを総司令官とする国連軍は、韓国を守るために参戦し、一時は北朝鮮軍を壊滅寸前に追い込みます。しかし予想外の中国軍の参戦により押し返され、戦線は膠着。今日に至るまで南北分断が続いています。

国連軍最北進線（1950年11月）
停戦ライン（1953年7月）
北朝鮮軍最南進線（1950年9月）

1950年代のアメリカの発展

本土が戦禍を免れ、軍需により景気回復したアメリカは、1950年代に繁栄期を迎えます。郊外に宅地が開発され、道路網が整備されました。マイホームと自家用車を持ち、テレビ番組に熱中する豊かな中間層が出現したのです。繁栄の影で、マッカーシズム（赤狩り）の嵐も吹き荒れました。多くの言論人や映画関係者が共産主義者の疑いをかけられ、職場を追われました。

お願いできますか？
俺に飢え死にでもしてほしいのか？

📺 **アイ・ラブ・ルーシー**
数あるテレビ番組のなかで特に人気を博したのがシチュエーション・コメディです。ショービジネスに憧れるルーシーを主人公にした「I Love Lucy」は高視聴率を記録しました。

パパは何でも知ってる？そんなこたない！

📺 **パパは何でも知っている**
中産階級の家族をモチーフにしたシチュエーション・コメディ。サラリーマンの父と専業主婦の母、三人の子どもたちという、当時のアメリカの理想的な家族像が描かれています。

公民権運動（1950 〜 60年代）

奴隷解放宣言以降も、ジム・クロウ法により黒人差別は合法とされていました。1955年、バスで白人に席を譲らなかったローザ・パークスが逮捕される事件が発生。これを機に、人種間の平等を求める公民権運動が全土に広がります。1960年のシット・イン（座り込み）、1963年のワシントン大行進を経て、1964年、ついに人種差別を禁止する公民権法が制定されました。

私には夢がある

私たちは約束の地に到達するでしょう

ジョージアの赤土の丘で、かつての奴隷の息子たちと、かつての奴隷所有者の息子たちが、兄弟として同じテーブルにつくという夢である

マーティン・ルーサー・キング・ジュニア
（1929〜1968）

公民権運動の指導者

公民権運動を先導した若き牧師キングは、ワシントン大行進の際に「私には夢がある」というフレーズで知られる歴史的な演説を行いました。徹底した非暴力主義を貫きましたが、白人男性によって暗殺されました。

東海岸 1章

南部 2章

五大湖・中西部 3章

西部、西海岸、海外領土 4章

アメリカはどんな国？ 5章

巻末資料

冷戦の沸点②ベトナム戦争（1954〜1975）

　ベトナムは1954年以来、資本主義の南ベトナムと共産主義の北ベトナムに分かれて戦争が続いていました。東南アジアの共産化を懸念したアメリカは、1964年に参戦。しかし戦争は泥沼化し、アメリカは膨大な犠牲を払いながらも勝利をおさめることができずに、1973年に撤退しました。第二次世界大戦後の世界をリードしていたアメリカにとって、手痛い敗北となりました。

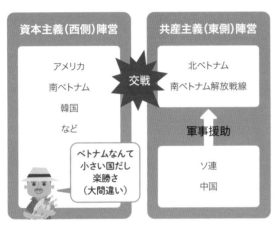

資本主義（西側）陣営

アメリカ
南ベトナム
韓国
など

交戦

ベトナムなんて小さい国だし楽勝さ（大間違い）

共産主義（東側）陣営

北ベトナム
南ベトナム解放戦線

↑
軍事援助

ソ連
中国

● キーワード **ドミノ理論**

ひとつの国が共産主義国になると、ドミノ倒しのように周辺の国々でも革命が起き、地域全体が共産化してしまうという理論。1950〜70年代にアメリカで広く支持されており、ベトナムに軍事介入する根拠となりました。

国があなたに何をしてくれるのかを問うのではなく、あなたが国のために何ができるかを問いなさい

1960年代のうちに、月面に人を着陸させる！

ジョン・F・ケネディ
（任期：1961〜1963）
第35代大統領

ライバルのニクソンとの激戦を制し、史上最年少の43歳で大統領に就任。月面着陸をめざすアポロ計画をスタートさせ、キューバ危機では巧みな交渉でソ連との全面戦争を回避しました。しかし在任3年目、テキサス州ダラスで銃撃されて死亡。事件の全容はわかっておらずミステリーのままです。

反戦運動とカウンターカルチャー

　ベトナム戦争に対する賛否で、アメリカ国内は二分されました。特に戦争反対を強く訴えたのは、大学生を中心とする若者たちです。反戦運動は、既存の道徳観や親世代への反抗と結びつき、ヒッピー文化に代表されるカウンターカルチャーを生み出しました。ヒッピー文化の隆盛は、1969年のウッドストックで頂点を迎えます。

🌿 **ヒッピー文化**
ドラッグやロック音楽、東洋思想、自然食、長髪などを好み、既存の秩序に抗う若者たちは「ヒッピー」と呼ばれました。

✒️ **ビートニク**
ジャック・ケルアックなど1950年代に活躍した作家は「ビートニク」と呼ばれ、ヒッピー文化に大きな影響を与えました。

❤️ **サマー・オブ・ラブ**
1967年の夏、ヒッピーの若者たちがサンフランシスコなどの都市に大挙して集まり、一大社会現象を巻き起こしました。

🎸 **ウッドストック**
1969年にニューヨーク州で開かれた野外コンサート「ウッドストック」には約40万人が集まり、空前の規模となりました。

あの頃は「時代は変わる」と言ってた

まさかノーベル文学賞をもらうとはね

ボブ・ディラン
（1941〜）
1960年代を代表する音楽家のひとり。メッセージ性の強いボブ・ディランの歌は、公民権運動や反戦運動のアンセムとなりました。

ベトナム戦争から「名誉ある撤退」を！

私はペテン師ではない！

リチャード・ニクソン
（任期：1969〜1974）
第37代大統領

ドルと金の交換停止を発表し、「ニクソン・ショック」と呼ばれる衝撃を世界に与えました。外交では、中国との関係を劇的に改善させ、ベトナム戦争からの撤退を完遂。しかし、政敵を盗聴しようとしたウォーターゲート事件で弾劾されそうになり、二期目の途中で辞職に追い込まれました。

アラスカ州

氷河やフィヨルドなど原生の自然が残る最大の州

基本情報	
人口	73万3583人(第48位)
面積	172万3337km²(第1位)
GDP	496億3400万ドル(第48位)
州名	アレウト族の言葉で「偉大な土地」「偉大な大陸」を意味するAlaxsxaq

広大な土地に地下資源が眠る

　アメリカ本土から見ると、カナダを挟んだ最北に位置し、面積はダントツの170万km²以上あります。全米最大を誇る大地の3割以上が国立公園や野生保護区に指定されており、手つかずの大自然が残っています。緯度が高く、中央部の都市フェアバンクスはオーロラ観測で有名です。

　もともとはロシア領で、18〜19世紀にかけては毛皮貿易で栄えた土地でした。しかし、財政難に陥ったロシアがアメリカに売却を持ち掛け、アラスカを手放します。1867年に交渉が成立した後は、金や石油などが次々に発見され、戦略的なだけでなく資源の眠る土地として突然重要性が高まりました。石油をはじめとする地下資源は、今なお州経済を支えています。

> ★ 州のモットー ★
> **"North to the future"**
> 「未来へ、北へ、」

❶ 旧バローの捕鯨文化

アラスカ先住民が捕鯨を行ってきた最北の街旧バロー(現ウトキアグヴィク)。鯨肉は分配され感謝祭の祝宴などで消費されました。

❸ イディタロッド・トレイルレース

アンカレッジから州西部ノームまで約1800kmを競う大レース。鉱山地帯まで延びていた手紙や血清を運んだ古道を元にしています。

❺ デナリ

マッキンリーの名でも知られた北米最高峰で標高6190m。植村直己が世界初の冬季単独登頂に成功した後、消息を絶っています。

❻ ベーリング海

大金が稼げるカニ漁が行われてきた海。カニの個体数は激減しており、カニ漁が解禁されない年もあって資源保護が喫緊の課題です。

Wainwright
Prudhoe Bay ❷
RUSSIA
Selawik
Koyuk
Yukon River
❹ Fairbanks
Alakanuk
❺
Anchorage
Bethel
Dillingham
❼
Bering Sea
❻
CANADA
❽ Skagway ❾
Juneau
Sitka
Ketchikan
Attu Island
Pacific Ocean

> ★ 州の鳥 ★
> **Willow Ptarmigan**
> カラフトライチョウ

❷ プルドーベイ油田

単独では北米最大の油田。1977年に生産を開始し80年代後半に生産量が減少し始め、石油会社の撤退も始まりつつありますがまだ現役。

❹ ユーコン川

重要な産業でユーコン川沿いのタナナなどでキングサーモン、レッドサーモンなど5種類のサーモンがとれます。日本にも輸出されます。

❼ アラスカのビッグ5

グリズリー、ムース、カリブー、オオカミ、ドールシープはビッグ5として有名で、カトマイ国立公園ではグリズリーと遭遇できます。

❽ ハバード氷河

クルーズ船でしかアクセスできない北米大陸最大級の幅を持つ氷河。動きが非常に活発なため、運がよければ氷河崩落の瞬間に立ち会えます。

❾ ゴールドラッシュの街

スキャグウェイにはカナダのユーコン地方から多くの人たちが一獲千金を狙って来ました。現在もゴールドラッシュの面影が残ります。

1章 東海岸
2章 南部
3章 五大湖・中西部
4章 西部、西海岸、海外領土
5章 アメリカはどんな国？
巻末資料

1万4000年前	1740年代以降	1867年	1959年	1968年	1989年
アサバスカン、イヌイット、トリンギットなどの先住民族がベーリング海をわたって移住	ヨーロッパの探検家たち、次いでロシアの捕鯨業者や毛皮貿易業者が来るように	アメリカ国務長官のウィリアム・スワードが720万ドルでアラスカをロシアから購入	1912年からの準州時代を経て、アメリカ合衆国49番目の州として昇格した	油田が発見される。この約10年後、トランス・アラスカ・パイプラインが完成	エクソン・バルディーズ号原油流出事故。4200万リットルもの原油が海に流れ出る

主要都市 アンカレッジ

都会の快適さと自然の魅力を兼ね備えた街。居住に適した地域は限られており、あとは美しい自然が残っている荒野です。市民が夏の白夜に近い夜のもと野球などのスポーツを楽しむことも。野生動物のムースなどが自由に駆け回る姿を道沿いでしばしば見ることができます。

州都 ジュノー

西にガスティノー海峡と太平洋が広がり、東に険しい山脈がそびえているため、交通手段は飛行機かフェリーです。先住民が住んでいたところに1880年に金が発見され、採掘拠点として栄えました。その後は漁業や行政、それと観光で糊口を凌ぐようになり、大自然の魅力とアラスカ開拓史を観光客に伝えています。

エクソン・バルディーズ号

エクソン社のタンカー「バルディーズ号」がアラスカ州沖で座礁し、原油が大量に流出。推定40万羽のウミガラスや3000匹のラッコなどが死に、海洋生態系に甚大な被害が出ました。米国史上最悪の原油流出事故となり、エクソン社は汚染除去や賠償金のために大金を投じることになりました。

利益と環境保護の狭間で

州の南北を縦断するトランス・アラスカ・パイプラインは、なんと総延長約1300km。これに象徴されるように、州は石油や天然ガスなどのエネルギー産業で歳入を確保できているため、州消費税や個人所得税がかかりません。また、「アラスカ永久基金」という制度があり、1976年に成立して以降、エネルギー産業で得た収入を積み立てて投資し、利益が出れば州民に還元されているのです。

アラスカ州の経済は、このように地下資源に依存しています。しかし、1980年代後半以降は、石油の埋蔵量や産出量は減少傾向。未発掘の場所は国立公園や保護区でもあるため、オバマ元大統領は石油探査を禁止していました。そこへ2023年、バイデン大統領がアラスカのエネルギー開発プロジェクトを承認。アラスカの議員たちがこれを喜ぶ一方、大量の炭素を排出することになるため、住民や保護団体は猛反対しています。

「巨大な冷蔵庫」と言われたが…

ロシアからアラスカを購入したウィリアム・H・スワードは、当初「巨大な保冷庫を購入した」、「スワードの愚行」と非難されました。しかし、アラスカで金鉱、次いでプルドーベイ油田が発見されると、経済的自立が可能であるとみなされ、州として昇格します。また、ベーリング海峡や北極海を挟んでロシアや日本と国境を接することから、軍事的にも重要な場所となり、スワードのアラスカ購入に関する評価は一変したのでした。アラスカでは、3月の最終月曜日はスワード・デーと名付けられています。この日は州民がアラスカ購入とスワードの功績を祝います。

COLUMN
アラスカを象徴する氷河 温暖化による崩壊が進む？

決壊した氷河と隣接するメンデンホール湖

2023年8月、ジュノーで氷河が崩壊し川や湖の水位が急上昇。洪水が発生して住宅が流される事態となりました。市街地に近いこの氷河は街の中心部までは20kmほどで、川沿いに住宅が並ぶため緊急避難命令も発令されました。氷河決壊の原因は温暖化とされ、科学者は気候変動のためこうした現象が深刻になると警告しています。

火山島からなるポリネシアの楽園

ハワイ州

基本情報		
人口	144万196人（第40位）	
面積	2万8313㎢（第43位）	
GDP	754億1800万ドル（第40位）	
州名	古い英語のスペルOwyhee（オワイヒー）から。母国を意味している	

アロハスピリットの島々

ニイハウ、カウアイ、オアフ、モロカイ、ラナイ、カホオラウェ、マウイ、ハワイ。これら8つの島に加え、100を超える小島が存在し、そのすべてが海底火山の隆起によって誕生しました。起源は少なくとも7000万年前に遡るといわれています。

本土から遠く離れた太平洋にあり、独特なハワイ文化と世界的にも稀な多様性を育みました。先住民、アジア人、ヨーロッパ人などの文化が入り混じり、多彩な民族が助け合って暮らしてきた歴史的な背景から、ハワイの人々の間には、愛、思いやり、他者や自然環境への敬意が浸透しました。この壮大な調和の精神を「アロハ」のひと言で包括してしまうユニークさとおおらかさが、多くの人々をとりこにしています。

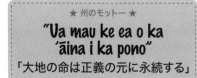

★ 州のモットー ★
"Ua mau ke ea o ka ʻāina i ka pono"
「大地の命は正義の元に永続する」

❶ ジェームズ・クック

ハワイに初めて上陸した外国人として知られるヨーロッパ人の探検家。彼ら一行が最初に足を踏み入れたのがカウアイのワイメアでした。

❷ メネフネ

ハワイの伝説や神話のなかでよく知られている小人族。カウアイには千年前にメネフネが一晩で造ったといわれる養魚池があります。

❸ ビッグウェーブ

冬の大波で有名なノースショアはサーファーの聖地。コンテスト「トリプルクラウン」が開催され、世界中のサーファーが集結します。

❹ デューク・カハナモク像

オリンピックで金メダルを3個獲得した伝説の水泳選手です。彼の像があるのは全長約3kmにわたり砂浜が連なるワイキキビーチ。

❻ ハレアカラ

標高3055mと富士山に迫る高さの火山。太陽の家という意味で、壮大な日の出・日の入りを見るためにトレッキング好きが世界中から訪れます。

★ 州の鳥 ★
Hawaiian Goose / Nene
ハワイガン / ネネ

Kauai
❶ ❷

Niihau

★ Honolulu ❹

Oahu ❸

Molokai

Lanai

Kahoolawe

Lahaina ❺
Maui
❻

Pacific Ocean

❼

Hilo
❽ Hawaii
Hawaii
❾

❺ ホエールウォッチング

冬になると繁殖や出産や育児のためアラスカから多くのザトウクジラがマウイ近海へやって来ます。それを目当てに見物客が来ます。

❽ シェイヴ・アイス

サトウキビなどの畑で働く日本人移民が持ち込んだかき氷に由来。レインボーシロップがかかったものが定番でコナの街に名店があります。

❼ ホノカア

映画『ホノカア・ボーイ』で一躍有名になりました。サトウキビや牧畜で繁栄し、日系人が多く働いていた名残を現代でも感じられます。

❾ キラウエア

頻繁に噴火し地球上で最も活発な火山といわれています。溶岩は海に流れ急激に冷やされて陸となり、島の面積を広げ続けています。

主要都市
ヒロ

ハワイ島最大の都市で、歴史的建造物が立ち並ぶノスタルジックな街並みが有名です。世界遺産であるキラウエア活火山および国立公園にも近いです。キラウエアは断続的に火山活動を続けており、2018年の大規模噴火では多くの住民が避難生活を強いられました。

州都
ホノルル

ポリネシア、アジア、ヨーロッパ、アメリカの文化が混淆した歴史ある街です。古代ポリネシア人が太平洋交易路の拠点とし、18世紀に西洋と接触して貿易、捕鯨、宗教活動が盛んになります。19世紀のサトウキビブームで中国、日本、ポルトガル、フィリピンから人が集まり、第二次世界大戦後に観光業が急成長しました。

なぜ日系人が多い?

最初に日本からの移民がやって来たのは1868年のこと。これらの日系移民はプランテーションで契約移民として雇われていました。最初は数年の出稼ぎとして渡ったつもりが定住を決める者も多く、日本から花嫁を呼び寄せ、やがて子どもが生まれて日系二世が増えることとなったのです。

オバマ元大統領の出身地

●近年の州知事の所属政党

7対2で圧倒的リベラル

共和党

民主党

民主党所属の知事が多く選ばれており、初のアフリカ系大統領として8年の任期を務めたバラク・オバマもハワイ州ホノルル出身です。日系アメリカ人として初めて米国下院・上院議員を務めたダニエル・K・イノウエも民主党所属でした。彼の名前はホノルルの空港名にもなっています。

1章 東海岸
2章 南部
3章 五大湖・中西部
4章 西部・西海岸・海外領土
5章 アメリカはどんな国?
巻末資料

8人の王が治めたハワイ王国

1810年、カメハメハ1世が西欧人からもたらされた知恵や武器を使い、ハワイ8島を統一。ハワイ王国が誕生しました。唯一にして最後の女王となった8代目のリリウオカラニの時代には、西欧人とハワイアンの対立が激化。武装蜂起が起き、反乱で捕らえられた人々が許される代わりに王権を放棄することになり、ハワイ王国は滅亡しました。約百年にわたる王朝時代、8人の王が在位しました。5世まで続いたカメハメハ王、選挙で選ばれたルナリロ王、カラカウア王の2人は、独自文化を発展させつつ西欧的憲法を導入しました。

COLUMN

州史上最悪の災害 マウイ島の森林火災

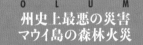

火事で焼き尽くされたラハイナの町

2023年8月、マウイで大規模山火事が発生。同時期に発生したハリケーンや、当時乾季であったことから規模が拡大し、主要エリアのラハイナも壊滅的な被害を受けました。収益の約8割を観光産業に依存しているため、観光客なしでは経済回復が見込めない一方、火災直後も観光を続ける人々に地元民が怒りをあらわにしました。

カリブと太平洋 アメリカの島々

面積は小さいものの戦略的に重要な島々たち。
どこもトロピカルでまさに南国の楽園。
アメリカの自治領など、
独自の距離感を保ち観光客を受け入れます。

注：アメリカの自治領にはコモンウェルスなど種類がありますが、ここではまとめて「自治領」としました

3 アメリカ領サモア

太平洋は列強ヨーロッパ諸国が18世紀半ば以降に本格進出した地域。このうちサモアは1899年の協定で分割され、西部の島々をドイツが、東部の島々をアメリカが支配しました。この東部の島々がアメリカ領サモアです。トゥトゥイラ島の首都パゴパゴには米軍の新人募集事務所があります。アメリカの扱いとしては事実上の自治領です。人口は推定4万5000人くらいで、面積約200㎢ほどと小さいものの自然あふれる島々です。

1 プエルトリコ

カリブ海に浮かぶアメリカの自治領。先住民タイノ族が暮らしていた所にコロンブスが来てスペイン領となり、18世紀にはサトウキビ、コーヒー、タバコのプランテーションができます。1898年の米西戦争に敗れたスペインがアメリカに譲渡。プエルトリコ人はアメリカ市民権のほとんどの恩恵を受けていますが、大統領選挙には投票できません。首都はサンファンで人口は推定320万人くらい、面積は約8800㎢です。

4 北マリアナ諸島

10以上の島々からなるアメリカの自治領です。主な島はサイパン、ティニアン、ロタで首都はサイパンにあります。16世紀にマゼランが一帯の島々の1つグアムに到着しスペイン領となりますが、1898年の米西戦争に敗れたスペインが財政危機からドイツに売却。その後の世界大戦期に日本が統治し、やがて日本を破ったアメリカの自治領になりました。人口は推定5万人くらいで、最大の島サイパンの面積は約120㎢です。

2 アメリカ領バージン諸島

アメリカが1917年にデンマークから2500万ドルで購入したバージン諸島の西側で、東側はイギリス領。セント・クロイ、セント・ジョン、セント・トーマスと約50の島々からなります。セント・クロイはコロンブス上陸地の1つで、その後はオランダ、イギリスなどが入植。18世紀半ばにデンマーク領となりました。扱いは自治領で主な産業は観光です。首都はシャーロット・アマリで人口は推定9万人くらい、面積は約350㎢です。

5 グアム

先住民であるチャモロ人が暮らしていたところにマゼランが来てスペイン領になり、1898年の米西戦争で敗れたスペインがアメリカに渡した島です。第二次世界大戦では日本軍が占領し、終戦を知らなかった元日本兵の横井庄一さんが28年間潜伏し無事に帰国しました。なお1967年には日本と空路で結ばれるようになったため観光業が発展していきます。首都はハガニアで人口は推定17万人くらい、面積は約550㎢です。

戦争に勝ち手に入れた島々

　南の島々がアメリカ領なのは、アメリカとスペインの間で起きた米西戦争（1898）の結果です。当時スペインはいくつか植民地を持っており、その1つがキューバでした。キューバではスペインが奴隷を使ったサトウキビ農場経営を続けていました。やがてキューバで独立の機運が高まり、スペインに対して独立戦争を挑みますが成功しませんでした。

　非人道的なスペインに対する批判がアメリカで高まります。そんな時にハバナ港でアメリカの軍艦メインが爆発する事件が起きます。多数の乗員が死亡したため国民が激怒、黒幕とされたスペインへの開戦機運を、新聞メディアが書き立てあおりました。その世論に押されたマッキンリー大統領がついに宣戦布告します。

　フィリピンとキューバで大規模な戦闘が繰り広げられ、マニラ湾などで米軍が決定的な勝利を収めたことでスペインは降伏。パリ条約（1898）が結ばれ、スペインはプエルトリコ、グアム、フィリピンなどをアメリカに割譲しました。以後アメリカは不干渉主義を翻し、本格的に帝国主義の道を歩みます。

① プエルトリコ、サンファン湾を守る砦「エル・モロ」　**②** プエルトリコ、地元の祝日に踊るダンサー　**③** グアムの超有名ダイビングスポット　**④** グアム、タンギッソンビーチの奇岩　**⑤** 北マリアナ諸島、ティニアン島に残るカトリック教会　**⑥** 北マリアナ諸島、サイパン島に残る旧日本軍の砲台　**⑦** 北マリアナ諸島、ティニアン島に残る遺跡　**⑧** アメリカ領バージン諸島、デンマーク時代の税関　**⑨** アメリカ領サモア、トゥトゥイラ島のサモア国立公園の鳥　**⑩** アメリカ領サモア、ピンクのサンゴ

1章　東海岸
2章　南部
3章　五大湖、中西部
4章　西部、西海岸、海外領土
5章　アメリカはどんな国？
巻末資料

西部、西海岸、海外領土13州 主な世界遺産、国立公園紹介

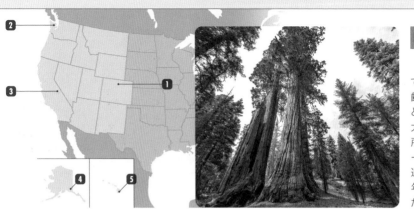

3 セコイア国立公園

巨木ジャイアント・セコイアの森の国立公園です。この巨木はすべてが規格外で、推定樹齢が2000年を超え、高さ80mを超えることがあります。幹の直径は5mを超えるので大人が10人いて囲めるくらいです。主な見所は、樹齢2200年以上ともいわれる「シャーマン将軍の木」や、倒木を切り抜いて車が通れるようにした「トンネル・ログ」など。数千年間にわたり落雷や火災があっても耐えてきたど根性ぶりに舌を巻きます。

1 ロッキー山脈国立公園

コロラド中北部にあります。より具体的には南ロッキーの東側に位置しており、広さは1000㎢を超え、標高1万2000フィート（3650m）の山が60峰以上座しています。ここのトレイル・リッジ・ロードという雄大な景色が楽しめる高原の道が人気です。設立されたのは1915年、ウッドロー・ウィルソン大統領の時代です。その後大恐慌の時代にはニューディール政策の一環として市民保全部隊（CCC）が公園整備事業を行いました。

世界遺産

4 ランゲル・セントイライアス国立公園

アラスカからカナダにまたがった複数の公園からなる世界遺産、その1つがランゲル・セントイライアスで、自然保護区にも含まれています。標高5000mを超えるセントイライアス山や、山肌にあるいくつかの巨大氷河といった、アラスカらしい景観を目にすることができます。一応は夏なら車でたどり着くことができますが、気象条件が厳しく道のコンディションも悪い場合があるので、スペアタイアやサバイバル装備などの準備が必須です。

世界遺産

2 オリンピック国立公園

オリンピック山を擁するオリンピック半島にあって、手付かずの自然が残る世界遺産です。特徴的なのは250を超える氷河と、雨林地帯の独特な植物と動物です。巨大な針葉樹が生い茂る足下には鮮やかな黄色のバナナメクジが這っていて、ほかには野生のアメリカグマ、ヘラジカ、クーガー、マウンテンゴートなどが生息しています。動植物は狩猟採集を生業とする人々の恵みで、昔から多くのネイティブ・アメリカンが暮らしていました。

世界遺産

5 ハワイ火山国立公園

世界最大の火山マウナロア、世界で最も活発な火山キラウエアがあるハワイ島の世界遺産です。マウナロアは島の半分を占めており高さは4000mを超えます。1843年以降に33回の噴火が起きており、最近は2022年に噴火しました。キラウエアはマウナロアの東にあって、標高は約1250mです。過去30年にわたり断続的噴火を繰り返しています。その火口ハレマウマウはハワイに古くから暮らす人々の信仰の対象で祈りが捧げられました。

第5章

アメリカはどんな国?

50州がそれぞれの特徴を輝かせているのがアメリカという国。
これまで各州に着目してきましたが、ここからはあるテーマを掲げ全体像を見ていきます。
豊かな州はどこでしょうか、スポーツ好きが多いのはどこでしょうか。

★ : WASHINGTON, D.C.
NH : NEW HAMPSHIRE
VT : VERMONT
MA : MASSACHUSETTS
RI : RHODE ISLAND
CT : CONNECTICUT
NJ : NEW JERSEY
DE : DELAWARE
MD : MARYLAND

重工業からサービス業へと移るアメリカ
アメリカを牽引する大企業

世界経済をリードするアメリカですが、
元気なのはITばかりではありません。
経済誌フォーチュンの古今のランキングからは、
アメリカ経済の多様性と移り変わりがわかります。

最も好調な会社トップ10

　好調な企業を測る指標には収益、株価などがあります。アメリカではフォーチュン、フォーブス、インクといった経済誌や、ダウ平均株価やスタンダード・アンド・プアーズといった株式指標がしばしば参照されます。このうちフォーチュン500は総収益に基づくアメリカの上位500社を発表するランキングで、半世紀以上の歴史を持つ代表的な指標です。

　その2023年のランキングを見ると、絶好調に思えるアップルやグーグル（アルファベット）は意外にトップ3ではなく、ウォルマート、アマゾン、エクソンモービルなどの小売や石油といったモノを扱う企業の底堅さがわかります。10位に入ったシェブロン社は1879年創業の石油メジャーの1つですが、石油とガスの価格高騰を味方につけ、8年ぶりにトップ10に返り咲きました。

　興味深いのが、現代のトップ10の会社が西海岸に多いながらも、比較的全国に散らばっている点です。

2位 アマゾン　7位 バークシャーハサウェイ　5位 ユナイテッドヘルスグループ
10位 シェブロン
6位 CVSヘルス
1位 ウォルマート
8位 アルファベット（グーグル）
4位 アップル
9位 マッケソン
3位 エクソンモービル

順位	社名	本社	業種
1	ウォルマート	ベントンビル(AR)	小売
2	アマゾン	シアトル(WA)	流通・小売
3	エクソンモービル	ヒューストン近郊(TX)	石油
4	アップル	シリコンバレー(CA)	IT
5	ユナイテッドヘルスグループ	ミネアポリス近郊(MN)	ヘルスケア
6	CVSヘルス	ウーンソケット(RI)	ヘルスケア
7	バークシャーハサウェイ	オマハ(NE)	保険など
8	アルファベット（グーグル）	シリコンバレー(CA)	IT
9	マッケソン	ダラス近郊(TX)	ヘルスケア
10	シェブロン	サンフランシスコ近郊(CA)	石油

PickUp❶ ウォルマート

　「エブリデイ・ロー・プライス」の安売り戦略、商品を拠点から各末端へ運ぶ「ハブ・アンド・スポーク」で、国際的なスーパーマーケット・チェーンに成長したアーカンソー発祥の企業です。日用品から銃弾まで何でも手に入りましたが銃乱射事件の増加を受けて特に2015年以降から武器販売の規制に取り組んでいます。かつては進出先の地元商店を安売り攻勢で壊滅させ、採算悪化で撤退するとの悪評もありました。ですが近年はネット進出に軸足を置きDXに成功しています。日本にも出店したことがありますが撤退、今は中国やインドなどの開拓に切り替えています。

インドのガンジス川に抱かれるウッタル・プラデーシュ州の州都ラクナウ市にあるウォルマートのスーパー。同店は2018年に開業したインドで2番目の次世代型配送拠点だった。

PickUp❷ バークシャーハサウェイ

　中西部の田舎といわれてきたネブラスカ州オマハの投資・保険会社。元はアパレル系でしたが、オマハの賢人ことウォーレン・バフェット氏の先見の明で機関投資業に力を注ぎます。まるで未来を見通しているかのように優良企業を見極め、長期的に株を保有する手法は誰も真似ができず、リーマンショックですら負けを最小限に止める奇跡の采配で乗り切りました。その唯一無二のあり方は自社ホームページを見るだけでもわかります。派手な文句や動画がなく、シンプルなテキストだけの構造は、日本でいうところの俳優、阿部寛さんのサイトを彷彿とさせます。

東海岸の名門コロンビア大ビジネススクールで学ぶが故郷に帰還。驚異の利益を長期間出し続けるが生活は質素。年に一回ランチをする権利をチャリティーオークションで売っているので大金を積めば会える。

1913年	1955年	1975年	1994年	2004年	2007年	2010年	2020年
フォードモーターが組み立てラインによる自動車大量製造を開始、革命を起こす	フォーチュン誌が「フォーチュン500」を初めて発表、自動車会社が上位に	ビル・ゲイツとポール・アレンがマイクロソフトを創業、パソコン時代が幕開け	ジェフ・ベゾスがアマゾンを創業。始まりはガレージでのオンライン書店だった	マーク・ザッカーバーグが学生の交流サイトとしてフェイスブックを始める	アップルが最初のアイフォンを発売する。これにより世界と個人が一変する	ブロックチェーンを基幹技術とするデジタル通貨ビット・コインのサービス開始	新型コロナパンデミックによりZoomなどのリモートワーク技術が一気に普及

東海岸 1章
南部 2章
五大湖・中西部 3章
西部・西海岸・海外領土 4章
アメリカはどんな国？ 5章
巻末資料

1990年のトップ10

　約30年前はスマートフォンどころかインターネットの普及も始まっていません。冷戦構造がほぼ終わって従来型の防衛産業の需要が低下し始め、その一方で湾岸戦争が始まって、ここからブッシュ大統領が親子二代で関わることになる中東の長い戦いの口火が切られました。

　この1990年のフォーチュン500企業トップ10を見ると、現代とは異なりアメリカ経済の中心が東に寄っていたことがわかります。17世紀から続く伝統産業のタバコや、黒色火薬とナイロンで成長した化学企業の老舗デュポンがランキング入りしています。ですが何よりも隔世の感を思わせるのはアメ車ビッグ3の名前があることです。ゼネラルモーターズ、フォード、クライスラーはいずれもデトロイトとその周辺を本拠とし、攻勢をかける日本車と戦っていました。そして当時は石油会社の再編前で、いずれ統合される会社があることがわかります。

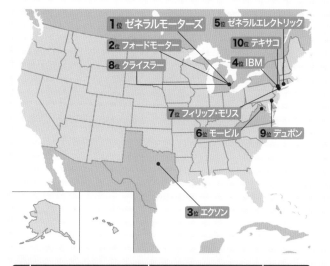

1位 ゼネラルモーターズ
2位 フォードモーター
8位 クライスラー
5位 ゼネラルエレクトリック
10位 テキサコ
4位 IBM
7位 フィリップ・モリス
6位 モービル
9位 デュポン
3位 エクソン

順位	社名	本社	業種
1	ゼネラルモーターズ	デトロイト(MI)	自動車
2	フォードモーター	デトロイト近郊(MI)	自動車
3	エクソン	ダラス近郊(TX)	石油
4	IBM	ニューヨークシティ近郊(NY)	コンピュータ
5	ゼネラルエレクトリック	フェアフィールド(CT)	電気
6	モービル	フェアファックス(VA)	石油
7	フィリップ・モリス	ニューヨークシティ(NY)	タバコ
8	クライスラー	デトロイト近郊(MI)	自動車
9	デュポン	ウィルミントン(DE)	化学
10	テキサコ	ニューヨークシティ近郊(NY)	石油

PickUp③ 旧モービル

　モービルの歴史はアメリカの石油企業の歴史そのものです。19世紀半ば以降に石油企業がいくつもできます。アメリカではその1つ、ロックフェラーらが創業したスタンダード石油が強引な手法を辞さない買収や合併により巨大化、トラストと呼ばれる企業連合で石油市場独占を実現しました。しかし連邦政府が反トラスト法の運用を始めたために1911年に分裂、同社は30社以上に分かれ、エクソンとモービルの前身となる会社が誕生します。そしてその両者が1999年に合併してできたのが今のエクソンモービルというわけです。

青と赤の文字が映えた旧モービルの看板、赤いペガサスのロゴもあった。合併後も完全消滅したわけではなかった。

番外編 新聞とメディア

　最初期の新聞は1690年に発行されたパブリック・オカレンシズ(イギリス政府の弾圧で1日で廃刊)で、南北戦争後には2人の新聞王ジョセフ・ピューリッツァーとウィリアム・ハーストが活躍。1950年代からのTV普及と、1990年代半ば以降のネットとスマートフォンの普及で新聞は統廃合が加速し、大手は紙とデジタルの共存を図ります。リベラルな「ニューヨークタイムズ」や「ワシントンポスト」、比較的中道の「USAトゥデイ」、ビジネス紙の「ウォールストリートジャーナル」が、保守系TVメディア「FOXニュース」に対抗すべく奮闘しています。

FOXニュースは1996年設立のニュース専門TV放送局で、愛国心をあおる保守的な論調で知られる。大統領選ではトランプ派の味方となり時に事実と異なる報道で社会を混乱させた。

アメリカの平均世帯収入

場所によっては収入が約2倍違うことも

世帯主および、世帯主との血縁関係の有無に関係なく、
その世帯に暮らす15歳以上の人が稼いだ収入。
この値である世帯収入は最も基本的な経済指標の1つ。
州平均を割り出すと地域差が明らかになります。

格差は成長の弊害か源泉か

平均世帯収入の最高値は首都のワシントンD.C.で10万ドル超え。1ドル150円だと年収1500万円以上です。最も低いミシシッピは約5万ドル（750万円）と差が出ています。

右の地図では平均世帯収入を5つの色で塗り分けていますが、最も高いレベルの赤色は沿岸部にあることがわかります。対して収入が低い緑色は主に南側に固まっています。

なおアメリカ全体で見ると2022年の値は7万4580ドルです。これは前の年より2.3%の下落であって、進行するインフレと重なり庶民生活への打撃が示唆されます。

ただ、格差の指標であるジニ係数を見ると、2021年から2022年にかけて1.2%の減少が見られました。これは2007年以来初めての減少です。また労働者の数を見ると2021年から2022年にかけて1.7%増加しています。なかでもフルタイムの労働者は3.4%の増加を見せ、活発な労働市場の動きが見てとれます。

地図で見るアメリカの平均世帯収入と格差

NH : NEW HAMPSHIRE
VT : VERMONT
MA : MASSACHUSETTS
CT : CONNECTICUT
NJ : NEW JERSEY
DE : DELAWARE
MD : MARYLAND

9万ドル以上
8万ドル台
7万ドル台
6万ドル台
5万ドル台

1990年代後半〜	2001年	2001年	2008年	2009年	2010年	2010年	2020年
IT関連企業による「ドットコムバブル」が起きる。2000年代初期にはじける	9月11日にアメリカ同時多発テロが発生。株式市場が一時的に混乱に陥る	エネルギー大手エンロン社の巨額粉飾決算が発覚。企業と監査法人の信用失墜	サブプライムローンによる住宅バブルがはじけ、リーマンショックが起きる	オバマ大統領がアメリカ復興・再投資法に署名、財政出動で景気の刺激を試みる	アメリカにおける国民皆保険を目指した法律、通称「オバマケア法」が成立する	オバマ大統領の署名により金融取引の規制改革法「ドッド・フランク法」が成立する	新型コロナ蔓延に対抗すべく2兆ドル規模の緊急経済法「CARES法」が制定

1章 東海岸
2章 南部
3章 五大湖・中西部
4章 西部・西海岸・海外領土
5章 アメリカはどんな国?
巻末資料

泊まり込みで仕事をすることもあるイーロン・マスク氏

アメリカトップの富豪は?

経済誌フォーブスによると2023年でアメリカ一番の富豪は、テスラ社やスペースX社のイーロン・マスク氏で資産は2510億ドル(約37.6兆円)でした。続いて2位がアマゾンのジェフ・ベゾス氏で約24兆円、3位がオラクル社のラリー・エリソン氏で約23.6兆です。お金持ち上位20人は、2022年から2023年にかけて資産を3割増やしました。

アメリカの貧困は?

近年は1950年代に国の誇りとされた豊かな中間層が減り、上と下に分かれています。結果トップ1%が国民所得の約30%を独占。下位50%が保有する資産は全体のわずか2.4%です。政府が定める公的支援を受けるための基準「貧困ライン」は単身世帯で1万4580ドル(約219万円)、3人家族で2万4860ドル(約373万円)。貧困下にいるのは過去最悪クラスの増加率を記録した2022年で12.4%でした。この層はかつてフードスタンプと呼ばれた「補助的栄養支援プログラム(SNAP)」の対象となります。受けると食糧を購入できる「EBTカード」が支給されます。しかしより深刻なのは貧困の世代的再生産です。子どもは学費の借金返済に苦しむか、軍隊にリクルートされるかなど、厳しい選択を迫られます。

感謝祭の炊き出し(ロサンゼルス、2022年11月)

EBTカードが使える商店(フィラデルフィア)

平均世帯収入ランキング(50州+首都)

順位	州と首都	平均世帯収入(ドル)
1	ワシントン D.C.	101,027
2	ニュージャージー	96,346
3	メリーランド	94,991
4	マサチューセッツ	94,488
5	ハワイ	92,458
6	カリフォルニア	91,551
7	ワシントン	91,306
8	ニューハンプシャー	89,992
9	コロラド	89,302
10	ユタ	89,168
11	コネチカット	88,429
12	アラスカ	88,121
13	バージニア	85,873
14	ミネソタ	82,338
15	デラウェア	82,174
16	ロードアイランド	81,854
17	ニューヨーク	79,557
18	イリノイ	76,708
19	オレゴン	75,657
20	アリゾナ	74,568
21	バーモント	73,991
22	ジョージア	72,837
23	アイダホ	72,785
24	ネバダ	72,333

順位	州と首都	平均世帯収入(ドル)
25	テキサス	72,284
26	ノースダコタ	71,970
27	ペンシルベニア	71,798
28	ウィスコンシン	70,996
29	ワイオミング	70,042
30	サウスダコタ	69,728
31	ネブラスカ	69,597
32	アイオワ	69,588
33	メイン	69,543
34	フロリダ	69,303
35	カンザス	68,925
36	モンタナ	67,631
37	ノースカロライナ	67,481
38	ミシガン	66,986
39	インディアナ	66,785
40	オハイオ	65,720
41	テネシー	65,254
42	ミズーリ	64,811
43	サウスカロライナ	64,115
44	ニューメキシコ	59,726
45	アラバマ	59,674
46	オクラホマ	59,673
47	ケンタッキー	59,341
48	アーカンソー	55,432
49	ルイジアナ	55,416
50	ウエストバージニア	54,329
51	ミシシッピ	52,719

【出典】Census "Income in the Past 12 Months (in 2022 Inflation-Adjusted Dollars)"

地元チームがあれば応援するのは万国共通
アメリカの4大スポーツ

アメリカン・フットボールが絶大な人気を誇り、
バスケや野球やホッケーの熱量も負けてはいません。
目が飛び出ても足りないほどの年俸を稼ぐスター選手、
それは今も昔も持たざる者の夢です。

アメリカン・フットボール（NFL）……参加チーム数32

1920年設立。ナショナル・フットボール・カンファレンス（NFC）とアメリカン・フットボール・カンファレンス（AFC）に所属するチームが戦うプロリーグです。毎年2月にNFCとAFCの王者がスーパーボウルで激突し、試合の日はTV観戦のため街から人が消えるといわれます。試合以外の面では、スーパーボウルの国歌斉唱・ハーフタイムショー・コマーシャルを文化と呼んでも大袈裟ではありません。メディアに与えた影響も大きく、莫大な放映権料と視聴者数がアメリカ経済の盛り上がりに非常に大きく貢献しています。

スーパー
ボウル
最多優勝
6回
（2チーム）

ピッツバーグ・スティーラーズ
1933年設立のNFLチームで街の製鉄業からこの名に。70年代に鉄壁の守りを誇りました。

ニューイングランド・ペイトリオッツ
伝説のクォーターバック、トム・ブレイディが活躍し圧倒的な強さを誇ったNFLの強豪。

メジャーリーグ・ベースボール（MLB）……参加チーム数30

ナショナル・リーグとアメリカン・リーグが統合、1903年に設立された歴史の古いスポーツ・エンターテイメントです。ベーブ・ルースだけでなく、人種の壁を破ったジャッキー・ロビンソン、ハンク・アーロンなど伝説の選手を輩出、アメリカ文化に不可欠な存在として成長していきます。チャンピオンシップであるワールドシリーズは、毎年10月に開催され数々の名勝負が生まれました。その影響力はラテンアメリカ、カリブ海諸国、アジアにも広がり選手が集まってきます。現代においては若いファンの獲得が新たな挑戦です。

YANKEE STADIUM

ワールド
シリーズ
最多優勝
27回

ニューヨーク・ヤンキース
1901年にボルチモア・オリオールズとして創設、2年後に現在地に移転。潤沢な資金で選手を集め、ジョー・ディマジオやデレク・ジーターらがピンストライプのユニフォームを着ました。

バスケットボール（NBA）……参加チーム数30

1946年設立。カナダにも所属チームがあり、ほかにはアフリカリーグなど国際的にパートナーシップを広げています。しばしば平均年俸の高さがニュースになり、アメリカン・ドリームの一翼を担っています。マイケル・ジョーダン、レブロン・ジェームズ、コービー・ブライアントのような名選手が活躍し、ボストン・セルティックスやロサンゼルス・レイカーズのように、時代を席巻しライバル関係を煽って名勝負を繰り広げた歴史は語り草です。社会変革の最前線でもあり選手たちが差別反対などのメッセージを放つことがあります。

通算優勝
最多
17回
（2チーム）

ロサンゼルス・レイカーズ
1947年にミネアポリスで設立。1980年代にはマジック・ジョンソンが大活躍しました。

ボストン・セルティックス
1946年設立。宿敵であるロサンゼルス・レイカーズと多くの死闘を繰り広げています。

アイスホッケー（NHL）……参加チーム数32

1917年創設のアメリカとカナダにチームがあるプロホッケー世界最高峰です。当初は4チームでスタートし、世界恐慌や第二次世界大戦などの困難に耐え、ボストン・ブルーインズ、ニューヨーク・レンジャーズなど徐々にチーム数が増えていきました。レギュラーシーズン後にはプレーオフが開催され優勝者がスタンレーカップを獲得します。レギュラーシーズンの最多勝ち点チームを表彰するプレジデンツ・トロフィー創設や、アメリカ南部への進出などファン獲得の努力は実っていますが、なんだかんだ寒い北国が一番熱狂します。

スタンレー
カップ
最多優勝
24回

モントリオール・カナディアンズ
カナダに入植したフランス人に由来する「ハブス」の愛称で親しまれます。1909年創設で、ケベックの文化や、カナダのアイデンティティを背負いアメリカのチームに挑んでいます。

1920年
ナショナル・フットボール・リーグ（NFL）が設立、アメフトプロリーグが誕生

1950年
ロサンゼルス・ラムズが全試合をTV中継される初のNFLチームとなる

1970年
アメリカン・フットボール・リーグ（AFL）とNFLが統合、NFLが今の形に

1979年
スポーツ専門ケーブルテレビ局「ESPN」が24時間のスポーツ放送を開始

1991年
NBAスターのマジック・ジョンソンがHIV感染を公表し引退、啓発活動に従事

1992年
スペインのバルセロナ五輪に現役のNBA選手らが参加する「ドリームチーム」が出場

1996年
女子バスケットのプロリーグ（WNBA）が発足する。もうすぐ30周年を迎える

2006年
ワールド・ベースボール・クラシック第一回大会が開催。日本が初代王者に

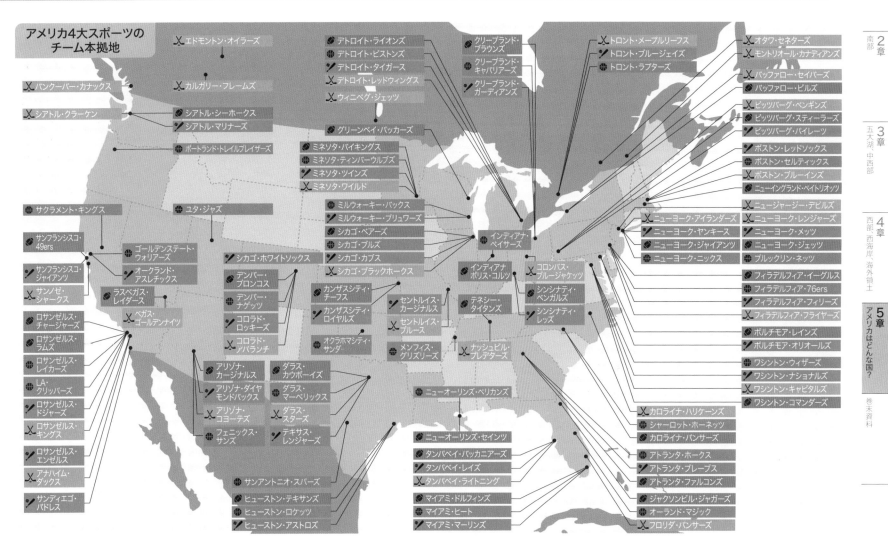

アメリカ4大スポーツのチーム本拠地

155

アメリカの大学のしくみ

ハーバードやコロンビアだけが大学ではない

アメリカの大学は日本と大きく違います。
私立と公立があるのは同じですが、
カレッジとユニバーシティなどで教育課程は異なり、
教育環境やその後の進路が変わってきます。

勉強で忙しいアメリカの学生

日本は大学に入るまでが大変で、アメリカは入ってからが大変とよくいわれます。アメリカには日本のような入試制度がなく、高校の成績、課外活動、エッセイ（任意テーマの作文）が主な選考基準です。

入学後は課題が多くて、授業にしっかり出て、課題や試験、論文をこなさないと卒業できません。学生生活の面では、日本とは違い寮に住む学生が多いようで、3年生未満は校外に住むことが禁止されている大学も珍しくありません。

入学後は専攻選びで将来のキャリアが左右されるといっても過言ではありません。企業は学生が何を学んだかしっかり見ており、例えば銀行に就職したいという学生は、1年目からきちんと経済学の勉強をしていないと厳しいといわれます。

同じ大学といっても「ユニバーシティ」や「カレッジ」、公立や私立など様々な種類があります。それぞれどんな特徴があるか見ていきます。

リベラルアーツ・カレッジ（主に私立）

リベラルアーツとは一般教養のことです。歴史や文学、哲学などの文系科目を指します。片や物理や化学といった理系をハードサイエンスと呼びます。後者のような専門性の高い分野を学び、特定の専門職に就くための勉強というよりは、幅広く「自由（＝リベラル）に」学ぶことで視野を広げることを目標とした課程です。リベラルアーツ・カレッジの多くは長閑な町に位置し、少人数の授業で、教授と密にディスカッションをしながら学業に励みます。その環境は、幅広い知識を身に付けたい学生にもってこいでしょう。

山に囲まれた小さな町にあるウィリアムズ・カレッジは、閑静で美しいキャンパスと、高いレベルの学業を誇る。北東部マサチューセッツ州を代表するカレッジの1つ。

コミュニティ・カレッジ

ロサンゼルスの西に位置するサンタモニカカレッジ・マリブ校は工学や教育、医療関係、さらにグラフィックデザインやプログラミングまで、いくつものコースを提供。

コミュニティ・カレッジとは、アメリカの短大（2年制大学）のことです。一般的な4年制大学と比べ、入りやすくかつ学費も良心的な点を特徴としています。金銭的に恵まれていない、高校で苦戦してしまったなどの理由で、進学が難しいという人にとっては非常に頼もしい存在です。2年制の過程を修了したら準学士号が取得できます。それで専門職に就く学生もいますし、希望の4年制大学に編入する学生もいます。学生寮は用意されておらず、実家から通う学生たちが多いようです。その点、親も安心です。

パブリック・ユニバーシティ（公立）

アメリカのパブリック・ユニバーシティは、いわゆる州立大学が大半を占めています。日本の東京大学のような国立大学はありません。特徴としては、キャンパスが巨大で学生数も多く、ありとあらゆる科目が選択できます。学生数が5万人を超える大学もあります。特に1年生の入門的な授業は巨大な講堂で行われ、100人以上の学生が同時に受けることになります。また、アメフトやバスケなどのスポーツに力を入れている大学も目立ちます。州立なので、原則その州の出身だと学費が安くなるのも利点です。

バージニア州にあるウィリアム＆メアリー大学。1693年にまだイギリスの植民地だった時代に創設された。アメリカで2番目に長い歴史を誇る、由緒ある公立大学。

プライベート・ユニバーシティ（私立）

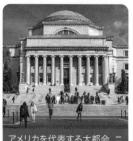

アメリカを代表する大都会、ニューヨーク市のど真ん中に佇むコロンビア大学は、アメリカにおける日本文学の第一人者、故ドナルド・キーン先生の所属していた大学として有名。

アメリカの一般的な私立大学のことで、数でいうとパブリック（公立）とほぼ同じく1600校ほどあります。規模としては公立とそう変わらない場合が多く、様々な分野の研究に力を入れているという点も共通しています。世界的に有名なハーバード大学やイェール大学といった、いわゆるアイビーリーグの大学はこちらの部類に入っており、歴史が長く、美しいキャンパスを誇る大学も少なくありません。学費が高い私立大学もありますが、手厚い支援制度を有する上位の大学もあります。平均収入以下の家庭だと無料なことも。

1636年	1746年	1754年	1785年	1795年	1837年	1867年	1954年
アメリカで最も古い大学ハーバード大学がピューリタンの指導者育成のため設立	アイビーリーグに属するニュージャージー州のプリンストン大学が設立される	イギリス王ジョージ2世によりキングス・カレッジ（後のコロンビア大学）が設立される	ジョージア州のジョージア大学が設立。アメリカで最も古い公立大学の1つ	最古（諸説あり）の公立校ノースカロライナ大チャペルヒル校で第一期生入学	名門女子大7校セブンシスターズで最古のマウント・ホリヨーク・カレッジ設立	アフリカ系アメリカ人のための初の大学であるハワード大学が設立される	最高裁判所が公立校で白人と黒人を分けることを違憲とする（ブラウン判決）

東海岸　1章
南部　2章
五大湖・中西部　3章
西部・西海岸・海外領土　4章
5章　アメリカはどんな国？
巻末資料

リサーチ・ユニバーシティ

パブリック、プライベートを問わず、とりわけ研究に力を入れている4年制大学は、一般にリサーチ・ユニバーシティと呼ばれています。得意分野はそれぞれで、医学やハードサイエンス（化学、物理学、天文学など）、農学などです。先進的な実験を行ったり、新たな技術を開発したりすることで、その学問に貢献する役割を担っています。大学院が充実していることが多いのも特徴です。学部生として卒業しても、そのまま教授の下で研究生になったり、他校の大学院に入り直したりという熱心な人を見かけます。

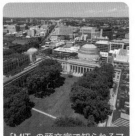

「MIT」の頭文字で知られるマサチューセッツ工科大学は、アメリカを代表する理系のリサーチ型総合大学で、倍率が非常に高い。学部生から最先端の研究に携わることも。

アメリカのエリートを輩出するアイビーリーグとは？

★ : WASHINGTON, D.C.
NH : NEW HAMPSHIRE
VT : VERMONT
MA : MASSACHUSETTS
RI : RHODE ISLAND
CT : CONNECTICUT
NJ : NEW JERSEY
DE : DELAWARE
MD : MARYLAND

MAINE
VT　NH
NEW YORK
MA
CT　RI
ダートマス大
ハーバード大
ブラウン大
イェール大
コロンビア大
プリンストン大
コーネル大
PENNSYLVANIA
NJ
MD　DE
WEST VIRGINIA
VIRGINIA
ペンシルベニア大

アメリカの名門大学といえば、アイビーリーグの8校。全校がアメリカ北東部に位置しており、コーネル大学（1865）を除きすべてが18世紀以前に創設されています。歴史が長い、レベルが高い、狭き門である、学費が高いといった点は、アメリカ人の誰もが持っているイメージでしょう。入れば将来はエリートという印象が強く、例えばアメリカ最高裁の判事はほぼ全員ハーバードまたはイェールの卒業生（2023年11月時点）。お金持ちが行く傾向は否めませんが、成績優秀であれば、奨学金を貰えるケースが少なくありません。

アメリカ、ひいては世界をも代表する名門ハーバード大学の卒業生のなかには、ケネディ、オバマを含む8人のアメリカ大統領と、150人以上のノーベル賞受賞者がいる。

アート・ミュージック

ジュリアードはNY・マンハッタンにある最高峰の芸大。スーパーマン役の俳優クリストファー・リーヴや、映画スター・ウォーズの作曲で有名なジョン・ウィリアムズが卒業生。

アメリカにはいわゆる芸術大学もたくさんあります。一般の大学よりも競争率が高いことが多いようです。音楽、演劇、美術といった分野で、中高生の頃からコンクールに優勝するような、著しい活躍をしてきた出願者でないとなかなか入学できません。そのかわり狭き門に受かって卒業できれば、オーケストラ奏者や演劇俳優など、生計を立てるのが難しいとされる芸術家としての道が開かれます。近年は伝統的な美術や楽器演奏だけでなく、3Dデジタルアートや電子音楽を専門とする学生が増えてきました。

注目度が高まる庶民の味方、ローコスト大学

全23校、学生総人口46万人を誇るカリフォルニア州立大は、代表的な州立大学群。ロサンゼルスの郊外に位置するフラトン校は、年間の学費が約7千ドルと家計に優しい。

ブリガムヤング大学はアメリカの西部ユタ州に位置する、モルモン教（正式名称、末日聖徒イエス・キリスト教会）が運営している私立大学。モルモン教徒であれば学費は半額。

平均学費は、大手メディアの2023年のデータによれば4年制公立大学では年間約2.3万ドル（約340万円）、4年計算すると9.2万ドル（約1360万円）を超えます。私立の大学になると、なんとその倍以上にのぼります。入学できても高収入な職業に就けない場合、一生ローンの返済に追われる人生になりかねない弱肉強食の危うさもあるのです。このため比較的学費が安い大学の人気が近年高まっています。経済的に恵まれていない学生は奨学金（ローンとは違って、返済は不要）に応募することもできます。

時代と社会に揺らぎ続けた"映画の都"ハリウッド

アメリカ映画の歴史

古くから映画産業の中心であったハリウッドは、
華やかさに満ちた「娯楽の殿堂」のイメージの一方で、
激動する時代の流れに翻弄され、
アメリカ社会そのものを反映し続けて来ました。

発明王が映画の都を生んだ？

黎明期アメリカ映画の中心は、今と違って東海岸にありました。

1891年、「発明王」トーマス・エジソンが映像撮影機キネトグラフと鑑賞機キネトスコープを発明。また、フランスのリュミエール兄弟もシネマトグラフという撮影～上映システムを開発し、映画は急速に広まりました。エジソンはニュージャージーに映画製作所も設立。同社製作の『大列車強盗』(1903)は、筋書きのある初のアメリカ映画であり、西部劇の元祖ともされています。

やがて他の人々も映画製作に参入して来ましたが、エジソンがこれを排除しようとしたため、彼らは製作拠点を西海岸に移転。雨が少なくロケ地に恵まれた地域に集まります。「映画の都」ハリウッドの原点です。1910年代には、ここに現在の映画会社の原型が次々出来上がりました。

数々の傑作やスターが生まれ、サイレント映画からトーキーへ。ハリウッドは輝きを増していきます。

映画史の金字塔？ 呪われた作品？

D・W・グリフィス畢生の大作『國民の創生』(1915)は、アメリカ映画初の長編映画です。当時、記録的な大ヒットを収めただけでなく、クロスカッティングなどの映画技法を開発して今日の映画の基礎を築き、グリフィスは後に「映画の父」と呼ばれるに至ります。その反面、南部白人グリフィスの視点から描いたために人種差別団体「KKK」を英雄的に描くなど差別的な色彩が強く、1910年代当時でも激しい批判を浴びて毀誉褒貶にさらされました。アメリカ映画はその「原点」の段階で、すでに大きな内憂外患の要素をはらんでいたのです。

『國民の創生』主演のリリアン・ギッシュは、『散り行く花』(1919)などのグリフィス作品などで活躍したサイレント期のスター。遺作は、90歳を超えて出演した『八月の鯨』(1987)。

トーキーが映画界を一変！

初めて俳優がしゃべった『ジャズ・シンガー』(1927)は、映画界に衝撃を与えました。サイレント映画からトーキー導入によって舞台出身者が新たに招かれ、セリフ回しが下手だったり声の悪い役者は失業。カメラも防音にするなどの苦労がありました。一方、ミュージカル映画というジャンルが新たに誕生しました。

トーキー導入期における悲喜こもごものエピソードは、後年に『雨に唄えば』(1952)等の題材にもなっている。

「赤狩り」に蹂躙されたハリウッド

『独裁者』(1940)ではヒトラーを風刺した反骨の人チャールズ・チャップリンも、「赤狩り」で告発されたひとり。1952年の英国渡航時に米国への再入国を拒否され、以後はスイスに定住。

1950年代初頭には、マッカーシー上院議員らが共産主義者やその同調者と見なされた人々を告発し、仕事を奪ったり追放する動きが激化していきました。いわゆる「赤狩り」です。政治家、言論人だけでなく学者や芸術家までが告発され、映画人もその対象となりました。これに同調したセシル・B・デミル監督やジョン・ウェインらに対して、ジョン・フォード監督らのように毅然と対処した人々もいましたが、数多くの映画人が干されたり追放されて人生を台無しにされました。また、密告を余儀なくされ汚名を着た者もおり、その傷跡はハリウッドに長く残りました。

低迷する映画界

『ベン・ハー』(1959)は、70ミリ超大作でローマのチネチッタ撮影所で撮影という当時の典型的作品。

1950年代には、レジャーの多様化やテレビの普及などから映画の観客動員が低迷。打開策として、映画館で魅力を発揮するシネマスコープ、70ミリ、シネラマなどワイドスクリーンの超大作を製作したり、制作費を安く済ませるためにヨーロッパなど国外を舞台にして、海外の映画人を起用する作品が増えました。

1900～20年代	1930～40年代前半	1940年代後半～50年代前半	1950年代後半～60年代前半	1960年代後半	1970年代	1980～90年代	2000年代～現在
創成期～トーキー	戦前黄金期	戦後黄金期	映画低迷期	ハリウッド変革期	若手映画作家台頭	VFX技術の発達	岐路に立つ映画界
『國民の創生』『黄金狂時代』『ジャズ・シンガー』	『風と共に去りぬ』『駅馬車』『市民ケーン』『カサブランカ』	『真昼の決闘』『雨に唄えば』『ローマの休日』	『ベン・ハー』『サイコ』『ウエスト・サイド物語』	『俺たちに明日はない』『卒業』『イージー・ライダー』	『ゴッドファーザー』『ジョーズ』『スター・ウォーズ』	『ダイ・ハード』『タイタニック』『マトリックス』	『アイアンマン』『ダークナイト』『ジョーカー』

東海岸 1章
南部 2章
五大湖・中西部 3章
西部・西海岸・海外領土 4章
アメリカはどんな国？ 5章
巻末資料

戦後は変化と苦難の連続

第二次世界大戦中も発展を続けたハリウッドでしたが、1950年代頃から最初の苦難が訪れます。共産主義者とされた人々を告発する「赤狩り」です。これによって、多くの映画人も人生を狂わされました。

さらに、テレビの普及で映画の観客数が減り始めます。焦ったハリウッドは、映画ならではのワイドスクリーンによるスペクタクル作品で対抗。また、経費節減のため、国外を製作拠点とする作品を連発しました。

1960年代には社会の価値観が変化し、従来型のハリウッド映画は一気に色褪せました。そんなハリウッドを、大学で映画を学んだ若手映画人らが見事に再生させます。

その後は好調が続いたかに見えましたが、近年は企画がマンネリ化。コロナ禍を挟んでジェンダーや人種問題、多様性の尊重など再び価値観の変化に揺れています。さらに動画配信やAI使用規制の問題と、アメリカ映画は新たな岐路に立っています。

アメリカン・ニューシネマ登場

1960年代は全世界で価値観が大きく変化した時代で、映画にもフランスのヌーヴェルヴァーグなど変革の波が生まれていました。特にアメリカでは人種差別撤廃を求める公民権運動、カウンターカルチャーの発展、ベトナム戦争などの影響から、従来の明るく単純なハリウッド映画が成立しづらくなっていました。こうした背景から、『俺たちに明日はない』(1967)、『真夜中のカーボーイ』、『イージー・ライダー』(ともに1969)など、従来型ではない「アンチ・ヒーロー」や「アンハッピー・エンド」などの特徴を持つ作品群が映画界を席巻しました。

バイクで自由に旅する若者たちが、周囲と摩擦を繰り返して衝撃のラストを迎える『イージー・ライダー』(1969)は、アメリカン・ニューシネマの特徴的なスタイルを持った作品。

アメリカ映画＝ハリウッド？

『2001年宇宙の旅』(1968)以降、英国に移ったスタンリー・キューブリックも、非ハリウッドの監督。

ハリウッドばかりがアメリカ映画ではありません。ニューヨークを拠点に活動するシドニー・ルメットやウディ・アレン、独立系のジョン・カサヴェテスやジム・ジャームッシュなど、非ハリウッド映画には個性的な映画作家が多くいます。『ファーゴ』(1996)等で知られるコーエン兄弟も、元は独立系の出身です。

若手映画作家たちの台頭

ニューシネマ衰退後、パニック映画など娯楽映画の復権を経て、『ゴッドファーザー』(1972)のコッポラ、『ジョーズ』(1975)のスピルバーグ、『タクシードライバー』(1976)のスコセッシ、『スター・ウォーズ』(1977)のルーカスら、大学で映画を学んできた若い映画作家が続々登場しました。

『ゴッドファーザー』(1972)はギャング映画であると同時に、フランシス・フォード・コッポラ監督の作家性が濃厚な作品。

アメリカ社会とハリウッドの「いま」

日本では不幸にも『オッペンハイマー』(2023)とコラボした不適切なファンアートのために反発を招いた『バービー』(2023)だが、アメリカでは空前の大ヒットとなった。

20世紀末から現在まで、ハリウッドではシリーズ化やリメイク作品の乱発による企画のマンネリ化が顕著で、濫作されたスーパーヒーローものの行き詰まりも目立ちます。また、コロナ禍で生じた「映画館離れ」は動画配信による映画公開を促進させ、安易なAI使用の問題とともに2023年夏の脚本家・俳優の大規模なストライキのテーマとなりました。そんななか、ジェンダーや人種問題、多様性の尊重など、近年、アメリカ社会で論議を呼んでいる事柄をエンタメとして描いた『バービー』(2023)の大ヒットは、ハリウッドにとって一筋の光明かもしれません。

国家プロジェクトから民間へ移行

アメリカの宇宙開発

次なるフロンティア、宇宙を目指すためには、
莫大な予算と投資が必要不可欠です。
20世紀はアメリカと旧ソ連がこれを担いましたが、
21世紀は民間企業の時代に入っています。

国家プロジェクトの時代

宇宙開発史は戦争と不可分です。ミサイルとロケットには同じ技術が使われます。第二次世界大戦以降のアメリカと旧ソ連が形成した冷戦期、互いの本土まで届く大陸間弾道ミサイル開発と宇宙開発が競われました。

1957年に旧ソ連が初の人工衛星スプートニク1号を打ち上げ、1961年にガガーリンが初の有人宇宙飛行に成功します。焦ったアメリカはアポロ計画を承認し、1969年に有人飛行船月面着陸を成功させました。

冷戦後は宇宙ステーションの運用が主軸となります。アメリカでは再利用可能なスペースシャトルを開発しますが、大事故の度に打ち上げ費用が増し、ついに2011年に退役。ロシアのソユーズロケットだけが、宇宙に行く手段という時期が続きます。こうしたなかアメリカは火星探査計画を進めながら、宇宙ステーションへの輸送など技術が確立した分野で、民間企業を支援する戦略を取るようになっていきました。

有人宇宙飛行を目指すマーキュリー計画

プロジェクト・マーキュリーは、旧ソ連に宇宙開発競争で先を越されたアメリカが、起死回生の一手として進めた有人宇宙飛行計画です。1958年から1963年にかけて行われ、2匹のチンパンジーと6人の宇宙飛行士が宇宙飛行を行いました。この計画で1962年にフレンドシップ7号が打ち上げられ、ジョン・グレンがアメリカ初の有人地球周回軌道飛行を達成しています。終了後は、2人乗りの宇宙船打ち上げを目指すプロジェクト・ジェミニにたすきが渡されました。

1961年5月5日にマーキュリー・レッドストーン3号（フリーダム7号）で、アラン・シェパード宇宙飛行士が飛び立った。

スペースシャトル・コロンビア号登場

スペースシャトル計画は1981年から2011年にかけて実施されました。目的は宇宙空間まで人や物を輸送すること。強大なロケットに接続された航空機型機体「オービタ」が滑空して地上へ戻ってきます。最大100回再利用できる設計です。これまでエンタープライズ（試験機）、コロンビア、チャレンジャー、ディスカバリー、アトランティス、エンデバーの6機が作られました。

1981年4月12日、ジョン・ヤングとロバート・クリッペンの2人の宇宙飛行士を乗せたスペースシャトル・コロンビア号の打ち上げ。

アポロ11号が月面着陸に成功

1969年7月20日にバズ・オルドリン宇宙飛行士が、アポロ11号のムーンウォーク中に撮影した月面上についた靴の跡。

アポロ計画はマーキュリー、ジェミニに続く有人宇宙飛行計画で月を目指したもの。1960年代初頭から1972年に実施されました。1969年のアポロ11号では、ニール・アームストロング船長が初の有人月面着陸に成功し、人類は偉大な一歩を月に刻みました。計画を通じて6回の有人月面着陸と帰還に成功しました。その業績は実験中の死亡事故、莫大な予算など多くの課題とともに、次のスカイラブ（宇宙ステーション）計画や、スペースシャトル計画へ引き継がれます。

キュリオシティが火星を探査

活動拠点であるゲール・クレーターで巨大な砂嵐が過ぎ去るのを待つなか、せっかくなので自撮り画像を撮影し送った惑星探査機キュリオシティ（2018）。

スペースシャトル計画が終了した2011年の冬、フロリダのケープカナベラルから火星に向けて探査機が打ち上げられます。キュリオシティ（好奇心）との愛称で呼ばれる彼は全長約3m、重さ約900kgのローバー（惑星探査機）です。到着以来、サンプル分析や放射線量の測定などの業務をこなし10年以上が経過してもなお元気に稼働中。先輩探査機オポチュニティは2019年に運用を終了しています。

1903年	1942年	1957年	1960年	1961年	1963年	1965年	1969年
ロシアのロケット研究者ツィオルコフスキーがロケット等に言及する論文を発表	第二次世界大戦中のナチスドイツがV2ロケットミサイルの開発・発射に成功	旧ソ連が人類初の人工衛星スプートニク1号打ち上げ、2号にはライカ犬が搭乗	アラバマ州にマーシャル宇宙飛行センターが開設され、フォン・ブラウンが所長に	旧ソ連ガガーリン少佐がボストーク1号で宇宙へ。人類初の有人宇宙飛行を達成	旧ソ連のワレンチナ・テレシコワ氏がボストーク6号で女性として初めて宇宙へ	アメリカのインテルサット社が初の商業通信衛星インテルサット1号を運用開始	サターンVロケットで打ち上げられたアポロ11号が月面着陸に成功し帰還する

東海岸　1章
南部　2章
五大湖・中西部　3章
西部、西海岸、海外領土　4章
アメリカはどんな国？　5章
巻末資料

そして民間宇宙開発の時代へ

　宇宙開発の役割が民間に期待される21世紀、最も存在感を放つのはイーロン・マスク率いるスペースXです。ロシアから大陸間弾道ミサイルを購入しようと思ったイーロン・マスクは先方から相手にされず、2002年に自らロケット開発に着手、同社を立ち上げます。2008年にはファルコン1号の打ち上げを成功させ、NASAとISSへの物資輸送業務で契約。宇宙船開発も行い、2020年には宇宙船「クルードラゴン」を打ち上げ、民間初の有人宇宙飛行とISSドッキングを実現させました。2021年には4人の民間人を乗せた宇宙旅行まで達成しています。

　スペースXの後を追うのは、アマゾンのジェフ・ベゾスが関わっているブルーオリジン社や、ニュージーランドで2006年に創業したロケットラボ社などです。旧ソ連勢ではロシアの航空会社S7グループが宇宙開発に乗り出していましたが、ウクライナ侵攻以降の動向は不明です。

スペースX社のクルードラゴン

　クルードラゴンはスペースXが自社の補給船カーゴドラゴンをベースに造った宇宙船。再利用可能で、管制センターによる完全自動操縦ができ、複雑な計器類が廃されたタッチパネルによる操作など、商用に結びつく実用性が設計思想の軸にあります。気圧が保たれるカプセル部分に乗る乗組員の最大人数は7名です。

宇宙空間で国際宇宙ステーションISSにドッキングするクルードラゴンのイメージ。実際に2019年3月3日に成功する。

有人飛行に成功したデモ2ミッション

デモ2ミッションから無事に帰還したクルードラゴン・エンデバーが、メキシコ湾で吊り上げられた（2020年8月3日）。

　デモ2ミッションはスペースX製のクルードラゴンを、同社のファルコン9ロケットで打ち上げる有人実証試験。実際に運用が可能かどうかを評価する最終試験でした。2020年5月末にフロリダから発射されISSとドッキング。2名の乗組員はISSに約2カ月滞在し、8月頭にメキシコ湾への着水を果たしました。これで試験は無事めでたく終了、本格的な運用が始まります。第一弾「クルー1」は2020年で、日本からは野口聡一氏が搭乗。その後2023年8月時点で「クルー7」が発射され実績を重ねています。

ブルーオリジン社のロケット開発

　ネット小売大手のアマゾン社を創業したジェフ・ベゾス。彼が21世紀に入る直前の2000年に設立したのがブルーオリジン社です。本社所在地はアマゾンと同じアメリカ北西部のワシントン州にあります。同社が開発したのも再利用可能なロケット宇宙船でした。ニューシェパードと名付けられ、商業宇宙旅行を主軸としているため大きめの窓が取り付けられています。すでに5回以上有人宇宙飛行を実現しました。大気圏を出てすぐに再突入する弾道飛行というタイプの宇宙飛行で、飛行時間は10分程度です。

垂直離陸と垂直着陸が可能なニューシェパードロケット。乗組員が乗る先端のカプセルは切り離され別途着陸する仕様。

ロケットラボ社の発射成功

2023年4月28日にニュージーランドで行われた「エレクトロン」のリハーサル。先端にNASAの気象衛星が取り付けられている。

　ロケットラボ社は、ニュージーランド出身のピーター・ベック氏が2006年に設立した小型衛星を発射するロケット開発企業です。ベック氏の略歴は公になっていませんが、大学ではなく、独学でエンジニアリングを学んだといわれます。同社は2009年にロケット「Atea-1」の打ち上げに成功し、南半球で初めて宇宙に到達した民間企業となりました。2017年にはロケット「エレクトロン」の打ち上げに成功。その後はカリフォルニアにも進出し、再利用可能な大型ロケット開発に取り組んでいます。

アメリカ型の民主主義システムの根幹
大統領選挙のしくみ

大統領選挙は4年に1度行われます。
1年以上にわたり議論や予備選挙を重ねて、
最終的には国民一人ひとりが、
二大政党候補者どちらかを選ぶ事実上のほぼ直接選挙。

大統領に立候補する資格

アメリカ市民として生まれる

アメリカに移民してきた親の子であれば立候補ができます。裏を返せば海外で生まれてアメリカに来た移民一世は、大統領に立候補することができません。

35歳以上

年齢規定はありますが歩んだ道は問われません。政治家や法律家の経験がなくても立候補できます。トランプ元大統領は会社経営者で政治経験ゼロでした。

14年以上居住

連続14年以上ではありません。合計年数が14年に達していれば立候補資格を得ます。このことはしっかりと合衆国憲法に書かれています。

副大統領の条件と役割

条件は大統領と同じ

アメリカに生まれて、年齢は35歳以上、それでいてアメリカに14年以上住んでいることが条件です。大統領に何かあったら副大統領が大統領になります。

居住州は大統領と別の方が有利

憲法においてそういう規定はありませんが、選挙人は自分と違う出身州の人に最低1票を投じる決まりがあるので、事実上は別の州居住が条件になります。

役割は大統領の弱点の補完

副大統領はかつてあまり影響力を持たなかった役職ですが、現代では大統領の弱点を補完する存在として、また多様性の象徴として役割が重くなりました。

STEP1「予備選挙と党員集会」

大統領になりたい人はたくさんいて、それぞれが独自に思想やアイディアを持っています。

思想やアイディアが似た人同士が集まり政党ができ内部での話し合いで議論が深まります。

その政党に所属する人が国民と話して支持を得て、党内の仲間たちからの信頼も得ます。

STEP2「全国規模の討論」

全国党大会の場では大統領候補者が自分の活動を補佐する人(副大統領候補)を選びます。

それぞれの党において最終的な大統領候補者を全国党大会の場を通して選出し決定します。

予備選挙
政党メンバーがこの人こそ大統領候補としてふさわしいと思う人物を州ごとに選挙で選びます。

党員集会
政党メンバーによる話し合いや投票によって大統領候補となる党代表を州ごとに決めていきます。

大統領候補者は選挙に勝つために全国各州に自ら赴いて遊説し有権者にアピールをします。

STEP3「国民による一般投票」

全州で投票が行われ、「1人の大統領と1人の副大統領の組み合わせ」に投票します。

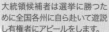

特に重要なのは両候補者が直接対面して議論するテレビ討論です。相手の弱点を攻めます。

STEP4「選挙人団投票」

各州に割り当てられた合計538の選挙人が自州の投票結果に基づき投票。

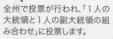

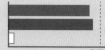

選挙人の過半数の票を得た方が大統領です。

270 VOTES

各州の選挙人の人数

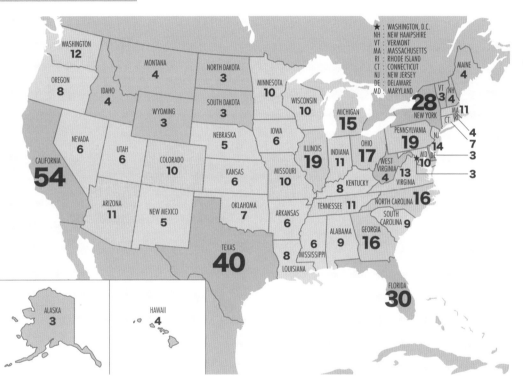

選挙人は総取り方式

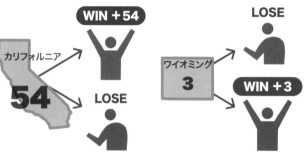

大統領選挙の選挙人は「総取り方式」です。例えば51%対49%の僅差で票が割れると、敗者に投じられた票をよそに、勝者がその州の選挙人全員を獲得します。ただしネブラスカとメインだけは例外で、州全体の選挙結果と下院議員の選挙区の結果で選挙人の投票先が分かれます。

ねじれる可能性がある選挙結果

選挙人とは、各州の一般投票の結果に基づいて大統領候補に投票する人のことです。全部で538人いて、概ね各州の人口割合に応じて各州に割り当てられています。全米で人口1位のカリフォルニアは選挙人が54人、人口最下位のワイオミングは3人です。選挙人は大統領経験者や元議員など政党に忠実な人から選ばれ、一般投票の結果を裏切って投票することはほとんどありません。まれにそれがあると大事件に発展

します。各州で行われる一般投票は厳密にいえば大統領を選んでいるのではなく、大統領に投票する選挙人を選んでいることになります。このため大統領選挙は間接選挙ですが、その選挙人が一般投票の結果に基づくので事実上の直接選挙に近いです。日本では、国会議員は直接選挙で決められますが、内閣総理大臣は国民に選ばれた議員による間接選挙で、民意の反映は限定的です。

選挙人538の過半数を獲得した方が勝者。一般選挙における総得票数では勝っても、選挙人を獲得できていないと負け。選挙人が多く割り当てられている州で勝利した方が有利かつ効率的で、このため大統領候補者は浮動票が多く、選挙人が多い州で重点的に選挙活動を行います。

アメリカを強大たらしめているもう1つの力
アメリカ軍の基本情報

自他ともに認めた「世界の警察」時代は過去のものです。
とはいえアメリカの軍隊は依然として強力。
国内外に基地を保有しており、
近年もイラクやアフガニスタンに派兵していました。

アメリカ軍の概要と略史

　6つの軍種から成り、その歴史は独立戦争時代に遡ります。総兵力はベトナム戦争や冷戦以降は減少傾向ですが、2023年時点で約130万人と中国、インドに続き世界3位を維持しています。国外へは約150の国に派遣されています。日本には最も多い約5万5000人がいます。2022年の約8800億ドル（約133兆円）の軍事費は2位の中国の約3倍で、世界の軍事支出の約40%を占めています。

　男社会の印象があるアメリカ軍ですが、特に徴兵制が廃止となった1973年以降は女性隊員が増加傾向にあり、2021年の政府統計では現役兵の17%、州兵や予備軍隊の21%と計約40万人に上ります。人種構成で見ればアメリカ全体の傾向とそう変わりませんが、上層部になると白人が圧倒的な割合を占め、多様性の面で課題が残されています。また、歴史的に見ても入隊者の大多数は中産階級で、奨学金や安定した収入を求め志願するパターンは健在です。

Army（陸軍）

テキサス州フォートフッドの陸軍第9連隊第1陸軍大隊によるエイブラムス戦車の訓練。（2019年12月、リトアニア）

　アメリカ軍のなかで一番長い歴史を誇ります。1775年、独立戦争の最中に13植民地により編成された「大陸軍」を原型とし、翌年国の独立で正式に誕生した陸軍は最も大規模な軍種です。急増したベトナム戦争時から幾分縮小したものの、今も現役隊員だけで48万人にも上ります。時代とともに数々の戦場で力を発揮した陸軍は、最先端の技術を駆使し、中東でのテロ対策や核戦争の防止等が重要任務となっています。

Navy（海軍）

バージニア州にあるノーフォーク海軍基地に停泊中の軍艦。同基地の規模は世界最大級といわれる。（2022年10月）

　陸軍同様に独立戦争時代を起源とする海軍が正式に誕生したのは1794年。わずか6隻だった艦艇は、現代においては新型ステルス性ミサイル駆逐艦や原子力潜水艦を含む計470隻にまで拡大し、アメリカとその同盟国の海洋を守っています。兵士数は1位の陸軍に続き、空軍とほぼ同等。1962年、ベトナム戦争を機に結成された特殊部隊のネイビーシールズは、2011年のビン・ラディン殺害任務で注目を浴びました。

Marine Corps（海兵隊）

　Semper Fidelis（ラテン語で「常に忠実」の意）がモットーの海兵隊は、独立戦争時代から第一次・二次世界大戦、近年のアフガニスタン戦争まで、数ある水陸両用作戦で活躍してきた誇り高き軍種です。1941年まで禁止されていた黒人の入隊がF・ルーズベルト大統領の行政命令により可能となり、ノースカロライナ州のモントフォード・ポイントで訓練を受けた約2万人の黒人海兵隊が、硫黄島などで戦いました。

カリフォルニア州南部の海に近い場所に造られた海兵隊の基地、キャンプ・ペンドルトンの空撮写真。（2022年2月）

Air Force（空軍）

　アメリカ軍で比較的歴史の短い空軍は第二次世界大戦直後、1947年の国家安全保障法により陸軍から独立し、新たな軍種として誕生しました。5つあるコアな任務は設立当初から変わっておらず、「制空権」「地球規模で統合された諜報、監視、偵察」「地球規模の迅速移動」「戦略爆撃」「指揮統制」を掲げています。1947年、空軍所属のチャック・イェーガー大尉が世界初の有人超音速飛行に成功し、歴史に名を刻みました。

アメリカ西部ネバダ州のラスベガス近郊にあるネリス空軍基地。航空ショーを開催することでも知られている。（2019年11月）

1973年	1991年	2001年	2003年	2015年	2017年	2020年	2021年
泥沼化していたベトナム戦争からアメリカ軍が撤退する	イラクによるクウェート侵攻を受けてアメリカ主体の多国籍軍がイラクに侵攻する	9.11同時多発テロを受けてアメリカ軍がアフガニスタンに侵攻する	大量破壊兵器の開発（後に発見できず）を口実にアメリカ軍がイラクに侵攻	アメリカ軍におけるすべての戦闘任務が女性兵士に解禁される	アメリカ軍らが「イスラム国」と戦う。イラクのモスル解放作戦で激しい市街戦を展開	新型コロナウイルスのパンデミックで陸軍医療班がワクチン配布等に貢献する	アメリカ軍が約20年にわたり戦ってきたアフガニスタンから撤退する

Space Force（宇宙軍）

アメリカ6軍種で最も新しい「宇宙軍」。その背景には冷戦初期に始まった空軍の宇宙作戦があります。また1983年、レーガン大統領が打ち出したミサイル衛星システム「戦略防衛構想」（通称「スターウォーズ計画」）の一環として、「宇宙軍」の新設が議論にあがりました。遂に2019年トランプ大統領の指示で正式に実現されます。ですが数は8千人と少数で、国の宇宙利益を守るほか軍事作戦を宇宙からサポートしています。

コロラド州のオーロラにあるバックリー宇宙軍基地。ゴルフボール型のレーダードームが多数設置されている。（2020年3月）

Coast Guard（沿岸警備隊）

カリフォルニア州オークランドの人工島にあるアラメダ基地を出航する沿岸警備船ストラットン。（2018年3月）

アメリカ軍の6つある軍種で、唯一国土安全保障省に属している沿岸警備隊。その原型は1790年に設立された税関監視船隊で、1915年に救命局（1848年発足）と統合し現在の形に生まれ変わりました。「Protect. Defend. Save.（保護する、防御する、救命する）」を標語に、4万人を超える現役隊員が船舶の救助、海洋環境の保護（海洋汚染防止や事故の対処）、海上での法執行や海上輸送の援助といった任務に日々当たっています。

National Guard（州兵）

アメリカの軍事組織の1つで、そのほかの軍種とは違い各州知事の指示下にあります。国が戦時体制となった場合、陸空両軍の予備部隊として戦場に派遣される役割を兼ねています。平時は主に自然災害時の救助活動や、デモや騒動が発生した時の治安維持といった任務に当たっています。計45万人もの州兵は定期的な訓練以外は、通常は大学に通ったり、一般企業に努めたりと、ほぼ民間人と変わらない生活を送っています。

首都ワシントンD.C.をパトロールする州兵部隊。バイデン大統領の就任式を控えた時期のため。（2021年1月）

Veterans（退役軍人）の各州人口

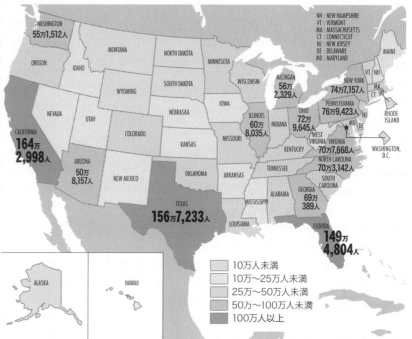

NH : NEW HAMPSHIRE
VT : VERMONT
MA : MASSACHUSETTS
CT : CONNECTICUT
NJ : NEW JERSEY
DE : DELAWARE
MD : MARYLAND

WASHINGTON 55万1,512人
MICHIGAN 56万2,329人
NEW YORK 74万7,157人
PENNSYLVANIA 76万9,423人
OHIO 72万9,645人
CALIFORNIA 164万2,998人
ILLINOIS 60万8,035人
INDIANA
WEST VIRGINIA VIRGINIA 70万7,668人
NORTH CAROLINA 70万3,142人
ARIZONA 50万8,157人
GEORGIA 69万389人
TEXAS 156万7,233人
FLORIDA 149万4,804人

ALASKA
HAWAII

- 10万人未満
- 10万～25万人未満
- 25万～50万人未満
- 50万～100万人未満
- 100万人以上

【出典】U.S. Department of Veterans Affairs, "VETPOP2020 LIVING VETERANS BY STATE, AGE GROUP, GENDER, 2020-2050"

毎年11月11日は退役軍人の日という国民の祝日です。しかし約2000万人にも上る退役軍人の待遇が、いまだにアメリカ社会の1つ大きな課題として挙げられ続けています。怪我や身体障害のみならず、PTSD（心的外傷後ストレス障害）など精神衛生上の問題を抱える人たちも多く、社会復帰に大変苦労を強いられています。1920年、20万人を超える傷病兵が出た第一次

世界大戦の直後に発足したDAV（傷痍軍人協会）は、現在ではメンバー数が100万以上に上り、医療手当や住居確保、再就職等、様々な面で支援活動を行っています。近年の動きとしては、2022年にバイデン大統領が署名したPACT法で、有毒物質にさらされた退役軍人を対象に給付金予算が大幅に拡大されましたが、ケアが受けられない人も多くやはり課題が残ります。

1章 東海岸
2章 南部
3章 五大湖・中西部
4章 西部・西海岸・海外領土
5章 アメリカはどんな国？
巻末資料

航空機が発達しても高速道路は移動と物流の要

州間高速道路と地形

広大なアメリカの国土において道は血管のように大事。
馬車が通った街道、蒸気船が進んだ運河を経て、
20世紀に入ると舗装道路が造られました。
人と物だけでなく、道は文化までも運びました。

アメリカ本土の州間高速道路地図

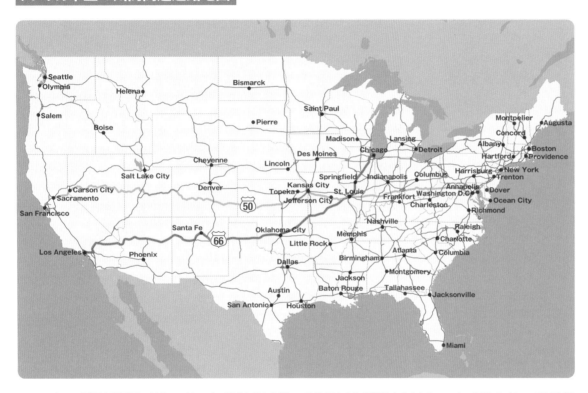

母なる道「ルート66」の遺産

1926年のU.S.ハイウェイ建設でできた道です。中西部とカリフォルニアを結び、あらゆる物を運んで「マザーロード」と呼ばれました。道沿いには旅人用のモーテルができました。

最も孤独な道「高速道路50号線」

東海岸のメリーランドから西海岸のサクラメントまで大陸を横断している長い道です。特にネバダ州あたりでは遮る物も立ち寄る所も対向車も少なく、孤独な道と呼ばれます。

アメリカには州間高速道路、U.S.ハイウェイ、州道などから構成される複雑な道路網があります。このうち現代の長距離移動の主役は州間高速道路です。それぞれに番号が付けられており、特に1桁から2桁の番号で識別されるものが主要ルートを担います。正式名称は「ドワイト・D・アイゼンハワー全米州間国防高速道路網」。第二次世界大戦後の1956年にドイツのアウトバーンをヒントにしたプロジェクトで、軍事面も視野に入っていましたが、むしろ旅行文化に影響を与えました。一方でU.S.ハイウェイは1926年にできた古い道です。何となくひなびて、地元に根付いた雰囲気があります。さらに時代を遡るとフォードT型登場前の19世紀後半から、自転車道や農道の整備のため「グッドロード運動」が興り、道路建設の機運が高まりました。これが20世紀初頭に自動車普及が始まると高速道路建設へつながり、アメリカで初めて大陸を横断した高速道路「リンカーン・ハイウェイ」に結実します。

NASAの画像から見るアメリカ本土の地形

★ : WASHINGTON, D.C.
NH : NEW HAMPSHIRE
VT : VERMONT
MA : MASSACHUSETTS
RI : RHODE ISLAND
CT : CONNECTICUT
NJ : NEW JERSEY
DE : DELAWARE
MD : MARYLAND

本土の最高地点「ホイットニー山（4421m）」

場所はカリフォルニア州のシエラネバダ山脈で、ハイキング好きや登山者に人気の富士山超えの山です。なおアメリカ全土まで視野を広げると、最高峰はアラスカのデナリ（6190m）。

本土の最低地点「バッドウォーター盆地（−86m）」

場所はカリフォルニア州のデスバレーで北米全体でも最も低い地点です。湖が涸れた跡の塩の平原が続くここは夏の極端な気温で知られ、時に50度を超えます。さすが死の谷。

　前のページで見たようにアメリカの人々は全土に高速道路を築きました。上の画像を見るとそれがいかに大事業かわかります。東海岸から西海岸までの長さは大体4000〜4500km。南北の長さは2000〜2600kmくらい。距離だけでも相当ですが、地形を見るとまた別の想像が湧きます。中西部はまだ平べったいから良いものの、西部はやたらゴツゴツです。その正体はロッキー山脈であり、またはネバダ州あたりの乾燥した山と谷が続くグレイト・ベイスン地形などです。現代では冬でも暖かい気候を求めて、仕事をリタイアした高齢者が集まるネバダやアリゾナですが、道路建設に携わった労働者からすれば、暑い上に太陽を遮る物がなく、山岳地帯に入ったら山あり谷ありの難工事。かといって東海岸の道路建設が楽かといえば、アパラチア山脈があるわけで一筋縄ではいきません。もしも何かの間違いでタイムリープして作業員になったのなら、中西部を南北に走る道路を作るのが良さそうです。

あらゆる場所に潜むヘイトが定期的に暴発

ヘイトクライムと暴力

近年増加傾向にあるヘイトクライムとは、ある特徴を持つ人に対して偏見を持ち、それを動機として振るわれる暴力や犯罪行為です。発生件数を調べてみると波があることがわかります。

近年発生したヘイトクライム

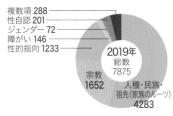

複数項 288
性自認 201
ジェンダー 72
障がい 146
性的指向 1233

2019年
総数
7875

宗教
1652

人種・民族・
祖先（家族のルーツ）
4283

人口3億超えの多民族国家でこの数を多いとするか、少ないとするかはわかりません。長期的には件数は増加傾向にあり2018年7172件より増えていました。

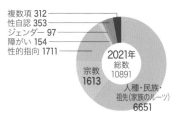

複数項 312
性自認 353
ジェンダー 97
障がい 154
性的指向 1711

2021年
総数
10891

宗教
1613

人種・民族・
祖先（家族のルーツ）
6651

人種・民族・祖先での件数が増えています。その内訳をさらに調べてみると、アフリカ系が3297件と最多、アジア系へのヘイトは753件ですが前年の2倍以上。

複数項 368
性自認 283
ジェンダー 77
障がい 151
性的指向 1263

2020年
総数
9952

宗教
1491

人種・民族・
祖先（家族のルーツ）
6319

2020年はブラック・ライブズ・マター運動に発展したジョージ・フロイド事件が発生。新型コロナ感染拡大に端を発するアジア人に対するヘイトが高まりました。

複数項 347
性自認 469
ジェンダー 95
障がい 171
性的指向 1947

2022年
総数
11643

宗教
2044

人種・民族・
祖先（家族のルーツ）
6570

この年に宗教でヘイトクライムが増えており、内訳を調べるとユダヤ教への差別が増えました。ラッパーのカニエ・ウェストらの反ユダヤ発言が報道されました。

21世紀初頭のヘイトクライム

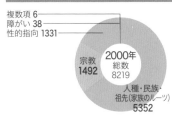

複数項 6
障がい 38
性的指向 1331

2000年
総数
8219

宗教
1492

人種・民族・
祖先（家族のルーツ）
5352

ふた昔前の2000年の頃は件数こそ現代と同レベルですが、ジェンダーや性自認の報告がゼロ。これらに社会的な認知がまだ及んでいなかったことが察せられます。

複数項 3
障がい 49
性的指向 1246

2002年
総数
7485

宗教
1425

人種・民族・
祖先（家族のルーツ）
4762

前年に急増したことに対する揺り戻しのようにヘイトクライムが減少しています。一方で性的指向におけるヘイトが一定数存在し続けていることがわかります。

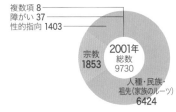

複数項 8
障がい 37
性的指向 1403

2001年
総数
9730

宗教
1853

人種・民族・
祖先（家族のルーツ）
6424

9月11日にアメリカ同時多発テロが発生し、イスラム原理主義組織の犯行であったことから、ムスリムもしくはアラブ系に対するヘイトが高まった年です。

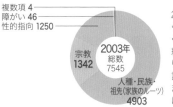

複数項 4
障がい 46
性的指向 1250

2003年
総数
7545

宗教
1342

人種・民族・
祖先（家族のルーツ）
4903

2003年以降は少なくて6000件台、多くて8000件前後が続き、2010年代よりジェンダーと性自認のヘイトが出現します。同性婚が議論になった時期です。

アフリカ系とアジア系への差別の歴史

今も昔も人種差別は移民した時点で始まります。アフリカ系は17世紀に奴隷として連れて来られた時からの差別対象で、アジア系は19世紀半ばに中国人労働者が激増した時から排斥運動が起きました。日本人は第二次世界大戦中に二世、三世にもかかわらず強制収容所に送られました。映画『ティファニーで朝食を』でも侮辱されています。これらは2020年のように事件がある度に噴出、しばらく意識が高まり、やがて忘れられまた事件発生を繰り返しています。宗教に関しても同様で、ユダヤ教やローマ・カトリックなども迫害の対象です。歴史を見る限り放置していても差別と事件はなくなりません。相手を知るための教育と啓発が不可欠であると現代では考えられています。

ワシントン州シアトルでのブラック・ライブズ・マター黒人差別抗議運動（2020年6月）

首都ワシントンD.C.で行われたアジア系へのヘイトに対する抗議活動（2021年3月）

LGBTQ＋略史

近代社会で認知が進んだのは比較的新しく20世紀以降です。最古のゲイ権利団体ができたのは1924年のシカゴ。目立った社会運動は1969年グリニッジビレッジで起きたストーンウォール反乱です。この動きは1980年代のHIVと男性同性愛差別で後退しますが、その後徐々に映画などで扱われネットの発展で水面化から浮上します。

プライドと呼ばれる性的マイノリティーの権利主張イベント（フロリダ、2022年11月）

1920年	憲法修正第18条により禁酒法が誕生、密造酒の製造流通をギャングが担い成長
1924年	FBI（連邦捜査局）が指紋ファイルの管理を本格化。科学的な捜査が大きく前進
1968年	公民権活動家のキング牧師、大統領を目指したロバート・ケネディが暗殺される
1970年	国によるドラッグ規制の元となる包括的薬物乱用防止・管理法が制定される
1990年	犯罪統制法が成立し、学校における銃所持の規制など一連の法律が制定される
1994年	2度の重罪前科がある者が3度目につかまると終身刑になる三振法が制定される
2001年	9月11日同時多発テロを受け愛国者法が成立、警察の捜査権限等が強化される
2018年	ファースト・ステップ法が成立し、長期服役囚の服役期間の短縮が認められる

人口10万人あたりの凶悪犯罪発生数

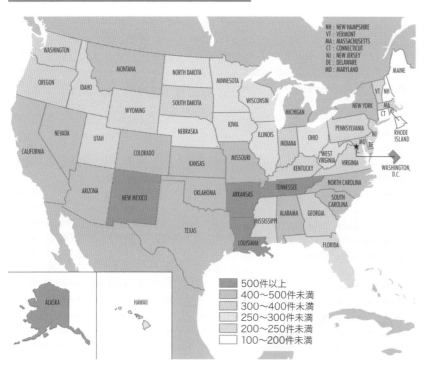

NH : NEW HAMPSHIRE
VT : VERMONT
MA : MASSACHUSETTS
CT : CONNECTICUT
NJ : NEW JERSEY
DE : DELAWARE
MD : MARYLAND

凡例：
- 500件以上
- 400～500件未満
- 300～400件未満
- 250～300件未満
- 200～250件未満
- 100～200件未満

犯罪大国のイメージが強いアメリカですが1990年代から2010年頃までは顕著に犯罪が減少していました。人口10万人あたりの凶悪犯罪件数を見ると、1990年が726.9件であるのに対し2010年は404.5件、以降は概ね横ばいです。厳しい刑罰や投獄の効果は限定的で、所得の増加や高齢化などさまざまな社会的、経済的、環境的な要因のためと考え

られています。各州を上の地図で見ていくと概ねの傾向としては北ほど犯罪が少なく、南ほど犯罪が多くなるようです。そんな南部にあってまるでオアシスのように犯罪が少ないのがミシシッピ。その理由は他州よりも都市化が遅れているからといわれることがあります。とはいえ都市部で犯罪が多く、夜の独り歩きが危険な地域があるのはミシシッピでも同じことです。

凶悪犯罪ワーストランキング

順位	州と首都	10万人あたり件数	順位	州と首都	10万人あたり件数
1	ワシントン D.C.	812.3	25	ジョージア	367.0
2	ニューメキシコ	780.5	26	オレゴン	342.4
3	アラスカ	758.9	27	マサチューセッツ	322.0
4	アーカンソー	645.3	28	インディアナ	306.2
5	ルイジアナ	628.6	29	ウィスコンシン	297.0
6	テネシー	621.6	30	オハイオ	293.6
7	カリフォルニア	499.5	31	イリノイ	287.3
8	コロラド	492.5	32	アイオワ	286.5
9	サウスカロライナ	491.3	33	ネブラスカ	282.8
10	ミズーリ	488.0	34	ミネソタ	280.6
11	ミシガン	461.0	35	ペンシルベニア	279.9
12	ネバダ	454.0	36	ノースダコタ	279.6
13	テキサス	431.9	37	ウエストバージニア	277.9
14	アリゾナ	431.5	38	ハワイ	259.6
15	ニューヨーク	429.3	39	フロリダ	258.9
16	オクラホマ	419.7	40	ミシシッピ	245.0
17	モンタナ	417.9	41	ユタ	241.8
18	カンザス	414.6	42	アイダホ	241.4
19	アラバマ	409.1	43	バージニア	234.0
20	ノースカロライナ	405.1	44	バーモント	221.9
21	メリーランド	398.5	45	ケンタッキー	214.1
22	デラウェア	383.5	46	ニュージャージー	202.9
23	サウスダコタ	377.4	47	ワイオミング	201.9
24	ワシントン	375.6	48	ロードアイランド	172.3
			49	コネチカット	150.0
			50	ニューハンプシャー	125.6
			51	メイン	103.3

【出典】FBI "National Incident-Based Reporting System"（Y2022）

アメリカを動かす二大政党の肖像
共和党と民主党の違い

保守的な共和党とリベラルな民主党が頻繁に入れ替わる。
両党による政権交代でアメリカ政治は新陳代謝します。
その違いと歴史をたどってみると、
当初は互いにまるで逆の性格だったことがわかります。

共和党
Republican Party

主張
- 政府の力と規模は小さくてよい（小さな政府）
- 市場原理に任せる、規制を緩和する
- 個人の自由、自立、権利を最大限に
- 総じて保守的

支持層
- 富裕層が中心で、近年は地方の白人など貧しい層の支持も集めている
- 地方で暮らす人
- 保守的で伝統的なキリスト教徒
- 農業従事者
- 大企業

主な政策
- ウクライナ支援はほどほどに
- イスラエルを助けないといかん
- 軍事費の充実
- 移民を制限
- 法人税を少なく
- 国民皆保険（オバマケア）に反対
- 銃規制強化に反対
- 環境よりも経済が第一
- 人工妊娠中絶に反対
- 同性婚に反対
- 学校での祈祷を容認

共和党の成り立ち

　共和党は奴隷制を容認する民主党に対抗し、反奴隷と近代化を掲げて1854年に結成されました。支持層は工業化が進んだ北部です。1860年に共和党リンカーン大統領が誕生すると、奴隷経済で繁栄する南部は反発し南北戦争が勃発。勝利した共和党政府は元奴隷の社会統合を目指しますが、やがて経済政策をより重視し始め、その天下が1920年代まで続きました。

　1930年代は世界恐慌の時代。国民は民主党フランクリン・ルーズベルトと、財政出動による救済策ニューディールを支持し、共和党は失権します。復活は公民権運動時代の後。公民権運動とそれを実現させた民主党を南部白人は苦々しく思い、共和党は彼らの支持を得ようとします。1969年、それに成功し共和党リチャード・ニクソン大統領が誕生しました。こうして共和党は地盤を北から南へ、理念を革新から保守へ転換し今に至ります。

民主党
Democratic Party

主張
- 政府の力と規模は大きくてよい（大きな政府）
- 政府が積極的に市場経済に介入、規制を行う
- 社会福祉を大事に
- 税金は高め、富裕層はもっと高め
- 総じてリベラル

支持層
- 中産階級や労働者階級が中心で、近年は富裕で高学歴な人々の支持を集めている
- 都市で暮らす人
- 移民
- マイノリティー（人種的、性的）
- 労働組合

主な政策
- ウクライナを助けないといかん
- イスラエルも助けるが他も助けないと
- 軍事費を抑制
- 移民を受け入れ
- 法人税を多く
- 国民皆保険（オバマケア）を推進
- 銃規制強化を推進
- 経済も大事だけど環境も大事
- 人工妊娠中絶に寛容
- 同性婚に賛成
- 学校での祈祷に反対

民主党の成り立ち

　民主党設立は1820年代後半頃で、庶民派アンドリュー・ジャクソンの下に発展します。当初は地域や立場に関係なく幅広い層が支持。それが19世紀半ばに奴隷制の是非で分裂し容認派の南部民主党が主流となります。民主党は南北戦争後も南部と結びつき人種差別を助長しました。

　南北戦争後の共和党アメリカは、好景気で独占資本が形成され、一方格差が拡大しました。その反発として20世紀初頭に民主党ウッドロウ・ウィルソン大統領が誕生、独占禁止法の原型となる法律を制定します。その後フランクリン・ルーズベルト大統領がニューディール政策を実施、大きな政府による社会福祉・経済介入と、労働組合・マイノリティー・都市住民を取り込む傾向を強めました。

　1960年代はケネディ大統領とジョンソン大統領の動きで公民権法が成立。しかし南部白人層が共和党へ離反し、それから共和党と民主党が交互に政権を握るようになりました。

1828年	1854年	1860年代	1930年代	1980年	1990年代	2008年	2016年
アンドリュー・ジャクソンが大統領に。今につながる民主党が形成されていく	奴隷制拡大を容認するカンザス・ネブラスカ法に対抗すべく共和党が結成される	奴隷制反対の共和党、奴隷制容認の民主党で国が割れて南北戦争に突入する	大恐慌の時代。民主党のニューディール政策を前に共和党は影を潜める	共和党のレーガン大統領が圧勝。より保守的でリバタリアン的な方向へ	民主党のビル・クリントン大統領が経済的・政治的に中道の姿勢で国を導く	民主党のバラク・オバマ候補が大統領選に勝利（史上初のアフリカ系大統領）	民主党ヒラリー候補を共和党トランプ候補が破り、ポピュリズムが国内外で台頭

両陣営による2020年大統領選挙の結果

ネブラスカ州は特例により州内の選挙人が分裂
民主党バイデンが1人、共和党トランプが4人を獲得

メイン州は特例により州内の選挙人が分裂
民主党バイデンが3人、共和党トランプが1人を獲得

★ : WASHINGTON, D.C.
NH : NEW HAMPSHIRE
VT : VERMONT
MA : MASSACHUSETTS
RI : RHODE ISLAND
CT : CONNECTICUT
NJ : NEW JERSEY
DE : DELAWARE
MD : MARYLAND

✔ 民主党バイデンが306人の選挙人を獲得して勝利　　■ 共和党トランプが232人の選挙人にとどまり敗北

民主党候補バーニー・サンダース上院議員。自称社会主義者ともいわれており人気が高い。スーパーチューズデー（予備選挙、党員集会が集中する火曜日）を前にしたキャンペーンを終え、支持者に挨拶している様子。（テキサス州ヒューストン、2020年2月23日）

ドナルド・トランプ元大統領。2020年の大統領選挙で敗れた後、機密文書持ち出しなどの事件で起訴されている。しかしながら熱狂的な支持者がおり復権もあるのではとの予想も。（ニューヨーク、2023年10月2日）

前回2020年大統領選は、ともに75歳以上の民主党バイデン候補、共和党トランプ大統領（現職）が争いました。勝者はバイデン候補で、分断でなく結束を取り戻すことを掲げた勝利は、トランプ大統領によるアメリカ第一主義と大衆迎合主義に変化をもたらしました。特徴的だったのは66.7%という高い投票率です。近年は60%前後でしたが、新型コロナウイルス蔓延のため郵便投票が普及し、1億5900万人以上が投票しています。バイデン勝利はミシガン、ウィスコンシン、ペンシルベニア、アリゾナ、ジョージアといった、2016年にトランプ氏が勝利した激戦州での勝利が大きいとの分析があります。リバタリアンのジョー・ジョーゲンセンや、緑の党のハウイー・ホーキンスなどの第3党候補も出馬しましたが、全体の結果に大きな影響は与えませんでした。また、女性初、黒人初、アジア系アメリカ人初の副大統領となったカマラ・ハリス氏就任は歴史的なものとなりました。

見回すと大人の約4割が肥満の州がある
大人の肥満が多い州

アメリカ疾病予防管理センター（CDC）では、大病の元凶である肥満の注意喚起を兼ね、各州別の肥満率を公表しています。しかし食欲を止めるのは難しく年々肥満は増加中。

アメリカでは肥満が増加傾向

　一般に格差は経済面のことをしばしば指します。ですがそれだけではありません。肥満の多さと少なさでもアメリカには格差が存在しています。そして経済的な格差と、肥満には相関関係があると考えられています。

　右の地図では真っ赤な（大人の40％以上が肥満）州は3つ、薄い赤色（35〜40％未満）の州が19です。それらのほとんどがアメリカ中西部と南部にあるとわかります。合わせて22州になるわけですが、1年前である2021年と比べると3州増加しています。10年前まで遡ると35％超えの州はなんと0でした。このままのペースでは、2030年頃には、国民の半分が肥満という前代未聞の時代に突入すると、ハーバード大学の研究チームが指摘しています。

　肥満率が25％を下回っているのは残念ながら州では0。唯一、首都ワシントンD.C.がそれに該当しています。次ページで肥満の要因を見ていきます。

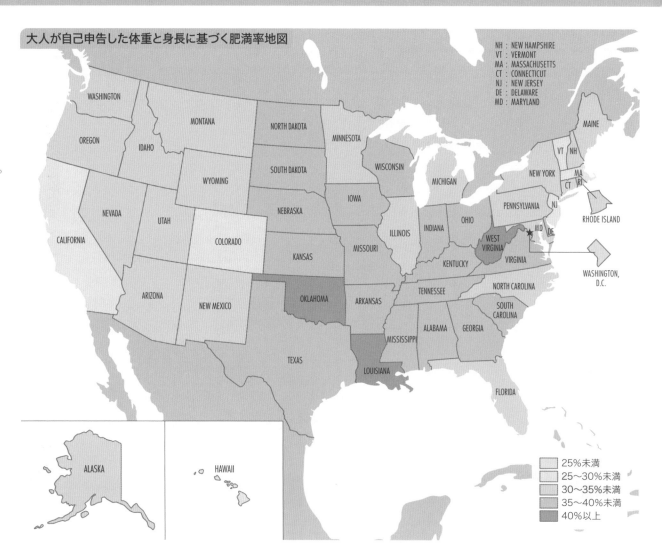

大人が自己申告した体重と身長に基づく肥満率地図

NH : NEW HAMPSHIRE
VT : VERMONT
MA : MASSACHUSETTS
CT : CONNECTICUT
NJ : NEW JERSEY
DE : DELAWARE
MD : MARYLAND

25％未満
25〜30％未満
30〜35％未満
35〜40％未満
40％以上

1929年
レモン風味の甘い炭酸飲料「7UP（セブンアップ）」の発売が開始される

1946年
学校給食法が制定され、栄養価が高くバランスの良い給食が提供されることに

1950年代
マクドナルドに代表されるファストフード・チェーンが店舗を増やしていく

1977年
アメリカ国民の食事目標を議会が初めて推奨する。卵やバターの取り過ぎに言及

2000年
肥満率が10%を下回る州が消滅。なお25%以上の州もこの時点ではなかった

2004年
1日3食ファストフード生活を実験した映画『スーパーサイズ・ミー』が公開

2006年
飲食店でのトランス脂肪酸を含む食品の提供が規制（ニューヨークシティ）

2010年
オバマ政権下で「健康で飢えがない子ども法」制定。食環境の改善に着手する

人種によっても異なる肥満率

ニューメキシコ州のピマ族の女性。ピマ族は飢餓状態に順応するために、エネルギーを効率良く脂肪に蓄える能力が備わったと考えられている。このため太りやすい民族とされることがある。実際に肥満も多い。

アフリカ系黒人、ヒスパニック、ネイティブ・アメリカン、アラスカン・ネイティブに肥満が多く見られます。アフリカ系に絞ると肥満率35%以上を記録した地域（州と首都）は38。ネイティブ・アメリカンとアラスカン・ネイティブで33、ヒスパニックで32です。これが白人の場合14まで減少。アジア人に至ってはなんと0です。年収5万ドル未満（1ドル150円で750万円未満）の低所得層で肥満が多いことがわかっています。人種間の肥満率の違いの要因が身体的、文化的、経済的のどれなのか、あるいは複合的なものであるのかは、研究が続いているところです。

フードデザート、貧困と肥満

フードデザートはスイーツのことではありません。「dessert（デザート）」ではなく、「desert（砂漠）」。新鮮な果物や野菜、健康的な自然食品が足りていない地域のことを指します。日本語にすると生鮮食品砂漠といったところです。特に食べ物にお金をかけることができない都市部の貧困地域に目立って多く、代わりに売られているのは、マカロニ・アンド・チーズに代表される安価な加工食品や、これまた安価なスナック菓子など。いずれも栄養素が豊富という食べ物ではなく、カロリーだけは非常に豊富な食品です。安くておいしいのはありがたいことではありますが。

アメリカのスーパーマーケットでよく目にする冷凍食品会社とそのブランド「ストーファーズ」。おいしくて食べ応えがあるラザニアが定番商品。炭水化物たっぷりの上に安価でありがたい。でもこればかりだと太る。

50州と首都、大人の肥満率ランキング

順位	州と首都	(%)
1	ウエストバージニア	41.0
2	ルイジアナ	40.1
3	オクラホマ	40.0
4	ミシシッピ	39.5
5	テネシー	38.9
6	アラバマ	38.3
7	オハイオ	38.1
8	デラウェア	37.9
9	インディアナ	37.7
9	ケンタッキー	37.7
9	ウィスコンシン	37.7
12	アーカンソー	37.4
12	アイオワ	37.4
14	ジョージア	37.0
15	サウスダコタ	36.8
16	ミズーリ	36.4
17	カンザス	35.7
18	テキサス	35.5
19	ノースダコタ	35.4
20	ネブラスカ	35.3
21	バージニア	35.2
22	サウスカロライナ	35.0
23	ミシガン	34.5
24	ワイオミング	34.3

順位	州と首都	(%)
25	ノースカロライナ	34.1
26	ミネソタ	33.6
27	ネバダ	33.5
28	イリノイ	33.4
28	ペンシルベニア	33.4
30	アリゾナ	33.2
30	アイダホ	33.2
30	メリーランド	33.2
33	メイン	33.1
34	ニューメキシコ	32.4
35	アラスカ	32.1
36	ワシントン	31.7
37	フロリダ	31.6
38	ユタ	31.1
39	オレゴン	30.9
40	ロードアイランド	30.8
41	コネチカット	30.6
42	モンタナ	30.5
43	ニューハンプシャー	30.2
44	ニューヨーク	30.1
45	ニュージャージー	29.1
46	カリフォルニア	28.1
47	マサチューセッツ	27.2
48	バーモント	26.8
49	ハワイ	25.9
50	コロラド	25.0
51	ワシントンD.C.	24.3

【出典】CDC "Overweight & Obesity"、肥満＝BMI値30以上、2022年値

各州に住む人の人種割合

ヨーロッパ系白人がマイノリティーの州も!?

18世紀から19世紀にかけてのアメリカには、
約6000万人の移民が世界中から押し寄せて来ました。
ある者は信仰の自由を、またある者は仕事を求めて。
彼らは複雑な人種的モザイクを各州で描いています。

アメリカの移民史

　最初に来たのはネイティブ・アメリカンで、そこにスペイン人やフランス人やイギリス人、そして奴隷として連行されたアフリカ系が来ます。

　現代に通じる移民急増は19世紀に始まります。それは産業革命と飢饉で土地を追われたヨーロッパ人の農民で、特に1840年代と1850年代のアイルランド人とドイツ人でした。南北戦争後はイタリア、北欧、ポーランドなどヨーロッパ各地から来ます。

　鉄道事業とゴールドラッシュで中国人も来ましたが、1882年の排斥法で一時断絶。第二次世界大戦後は各地の難民を受け入れ、1965年には国籍による移民割当が廃止、アジアやラテンアメリカから移民が増加する下地となります。20世紀末から21世紀初頭とそれ以降は、その彼らが移民の主役になっています。

白人
建国に携わったのはイギリス人だがそれ以前にもフランスやオランダの人が来ていた。

黒人、アフリカ系アメリカ人
アフリカから奴隷として連れて来られた人たちが、古くから暮らすアフリカ系のルーツ。

ラティーノ、ヒスパニック
ラティーノは中南米出身者のことで、なかでもスペイン語を話す人たちがヒスパニック。

ネイティブ・アメリカン、アラスカン・ネイティブ
ヨーロッパ人が来る前から住んでいた先住民。世相を反映したいろいろな名で呼ばれる。

アジア人
古くは西海岸へ中国人が、ハワイへ日本人が移民。20世紀末からアジア各国の移民が増加。

2つ以上の背景を持つ人
先住民や各国の移民の血が混じった人々。フランス系のクレオールやケイジャンも含まれる。

ネイティブハワイアン、太平洋島国出身者
西に領土を拡大していったアメリカが最後に併合した太平洋に暮らしていた人たちのこと。

各州で1、2、3番目に多い人種とその割合

凡例：
- 非ラテン系白人
- ラテン
- アジア
- 太平洋
- 黒人
- 先住民
- 2つ以上
- その他

【出典】Census (2020)、ラテンはラティーノとヒスパニック、太平洋はネイティブハワイアンと太平洋島国出身者、先住民はネイティブ・アメリカンとアラスカン・ネイティブ、その他は4番目以降に多い人種。値は四捨五入により合計100%にならないことがある。

西部・西海岸エリア

ワシントン
白人 63.8%
ラテン 13.8%
アジア 9.4%
その他 13.0%

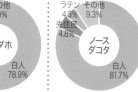
アイダホ
白人 78.9%
ラテン 13.0%
2つ以上 4.2%
その他 3.9%

オレゴン
白人 71.7%
ラテン 13.9%
2つ以上 6.1%
その他 8.3%

ネバダ
白人 45.9%
ラテン 28.7%
黒人 9.4%
その他 16.0%

モンタナ
白人 83.1%
先住民 6.0%
2つ以上 5.1%
その他 5.9%

カリフォルニア
白人 34.7%
ラテン 39.4%
アジア 15.1%
その他 10.8%

ユタ
白人 75.4%
ラテン 15.1%
2つ以上 3.7%
その他 5.9%

ワイオミング
白人 81.4%
ラテン 10.2%
2つ以上 4.1%
その他 4.2%

アリゾナ
白人 53.4%
ラテン 30.7%
黒人 4.4%
その他 11.5%

ニューメキシコ
白人 36.5%
ラテン 47.7%
先住民 8.9%
その他 6.9%

コロラド
白人 65.1%
ラテン 21.9%
2つ以上 4.5%
その他 8.5%

五大湖中西部エリア

ノースダコタ
白人 81.7%
先住民 4.8%
ラテン 4.3%
その他 9.3%

サウスダコタ
白人 79.6%
先住民 8.4%
ラテン 4.4%
その他 7.6%

ネブラスカ
白人 75.7%
ラテン 12.0%
黒人 4.8%
その他 7.5%

カンザス
白人 72.3%
ラテン 13.0%
黒人 5.6%
その他 9.2%

1840年代頃
アイルランドでジャガイモ飢饉が発生し、アメリカへと移民する人が急増した

1882年
中国人急増への警戒感から中国人移民排斥法が成立。移民排斥法の先駆けとなる

1892年
ニューヨーク州のエリス島に移民局ができる。多くの移民船はまずここを目指した

1921、1924年
移民制限法が次々と成立し、日本人や東ヨーロッパからの移民が制限される

1942年
メキシコからの農業従事者らを短期間受け入れるブラセロプログラムが始まる

1965年
移民法が改正されて移民制限である国別割当が廃止、以降移民が再び増加する

1980年
難民法が成立。難民の年間受け入れ上限が5万人に引き上げられる

1986年
移民改革統制法が成立。急増していた不法移民に恩赦を与える一方、雇用者を制裁

ミネソタ — ラテン 6.1%、その他 10.8%、黒人 6.9%、白人 76.3%

ウィスコンシン — 黒人 6.2%、その他 7.6%、ラテン 7.6%、白人 78.6%

ミシガン — ラテン 5.6%、その他 8.5%、黒人 13.5%、白人 72.4%

首都

ワシントンD.C. — その他 9.9%、ラテン 11.3%、黒人 40.9%、白人 38.0%

ハワイ・アラスカ

ハワイ — その他 21.8%、アジア 36.5%、2つ以上 20.1%、白人 21.6%

アラスカ — その他 17.9%、白人 57.5%、2つ以上 9.8%、先住民 14.8%

アイオワ — 黒人 4.1%、その他 6.5%、ラテン 6.8%、白人 82.7%

ペンシルベニア — ラテン 8.1%、その他 7.9%、黒人 10.5%、白人 73.5%

ニュージャージー — その他 14.2%、黒人 12.4%、ラテン 21.6%、白人 51.9%

コネチカット — 黒人 9.5%、その他 9.6%、ラテン 17.3%、白人 63.2%

ロードアイランド — 黒人 5.1%、その他 9.6%、ラテン 16.6%、白人 68.7%

ニューヨーク — その他 14.3%、黒人 13.7%、ラテン 19.5%、白人 52.5%

メイン — 2つ以上 3.9%、その他 4.0%、ラテン 2.0%、白人 90.2%

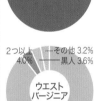

東海岸エリア

ウエストバージニア — 2つ以上 4.0%、その他 3.2%、黒人 3.6%、白人 89.1%

バージニア — ラテン 10.5%、その他 12.6%、黒人 18.3%、白人 58.6%

メリーランド — その他 12.0%、ラテン 11.8%、黒人 29.1%、白人 47.2%

デラウェア — その他 9.4%、ラテン 10.5%、黒人 21.5%、白人 58.6%

マサチューセッツ — その他 9.4%、アジア 7.2%、ラテン 12.6%、白人 67.6%

バーモント — 2つ以上 4.6%、その他 3.9%、ラテン 2.4%、白人 89.1%

ニューハンプシャー — その他 4.6%、2つ以上 4.0%、ラテン 4.3%、白人 87.2%

インディアナ — ラテン 8.2%、その他 7.0%、黒人 9.4%、白人 75.5%

オハイオ — ラテン 4.4%、その他 7.3%、黒人 12.4%、白人 75.9%

アーカンソー — ラテン 8.5%、その他 8.0%、黒人 14.9%、白人 68.5%

テネシー — ラテン 6.9%、その他 6.5%、黒人 15.7%、白人 70.9%

ケンタッキー — ラテン 4.6%、その他 6.1%、黒人 7.9%、白人 81.3%

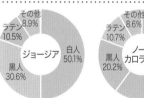

ジョージア — その他 8.9%、ラテン 10.5%、黒人 30.6%、白人 50.1%

ノースカロライナ — その他 8.6%、ラテン 10.7%、黒人 20.2%、白人 60.5%

南部エリア

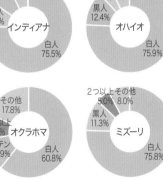

オクラホマ — その他 17.8%、2つ以上 9.4%、ラテン 11.9%、白人 60.8%

ミズーリ — 2つ以上 5.0%、その他 8.0%、黒人 11.3%、白人 75.8%

テキサス — その他 9.2%、黒人 11.8%、白人 39.8%、ラテン 39.3%

ルイジアナ — ラテン 6.9%、その他 6.1%、黒人 31.2%、白人 55.8%

ミシシッピ — ラテン 3.6%、その他 4.7%、黒人 36.4%、白人 55.4%

アラバマ — ラテン 5.3%、その他 6.0%、黒人 25.6%、白人 63.1%

フロリダ — その他 7.5%、黒人 14.5%、白人 51.5%、ラテン 26.5%

サウスカロライナ — ラテン 6.9%、その他 6.2%、黒人 24.8%、白人 62.1%

1章 東海岸
2章 南部
3章 五大湖、中西部
4章 西部、西海岸、海外領土
5章 アメリカはどんな国？
巻末資料

唯一の超大国となったアメリカの苦悩
近年の大統領たち、その仕事

第41代大統領
ジョージ・H・W・ブッシュ
（任期1989〜1993、共和党）
出身：マサチューセッツ州

プロフィールと人物像
元海軍パイロットで、太平洋戦争では日本軍に撃墜されながらも生還。下院議員、国連大使、CIA長官を経て、レーガン政権で副大統領を8年間務めました。妻のバーバラとの間に6人の子をもうけ、長男は大統領、次男はフロリダ州知事になりました。

主な仕事
前任のレーガン大統領の政策を引き継ぎ、内政では減税を推進。外政では湾岸戦争を指揮し、クウェートを占領していたイラクを撤退に追い込みました。しかし軍事費の増大や減税による財政赤字に苦しみ、二期目を迎えることができずに退任しました。

第42代大統領
ビル・クリントン
（任期1993〜2001、民主党）
出身：アーカンソー州

プロフィールと人物像
若い頃から政治に関心を持ち、学生時代にはベトナム戦争の反戦運動に参加しました。32歳でアーカンソー州知事、46歳で大統領に就任。弁護士である妻のヒラリーはキャリアウーマンのファーストレディとして名を馳せ、後に国務長官そして大統領候補となりました。

主な仕事
経済を何より重視し、アメリカをハイテク中心の産業構造へ転換させることに成功。好景気を呼び込み、レーガン時代から続いた「双子の赤字」と呼ばれた巨額の財政赤字と貿易赤字をほぼ解消させました。性的スキャンダルで弾劾裁判にかけられる不名誉な出来事もありました。

第43代大統領
ジョージ・W・ブッシュ
（任期2001〜2009、共和党）
出身：コネチカット州

プロフィールと人物像
青年期にはアルコール依存症に悩まされましたが、キリスト教メソジスト派の信仰に目覚め、40歳で禁酒に成功。石油企業に勤務した後にテキサス州知事となり、クリントン政権の副大統領だったゴアとの歴史的な接戦を制して大統領に当選しました。

主な仕事
大統領に就任した年に9.11同時多発テロ事件が発生。「テロとの戦い」を最重要課題と位置付け、アフガニスタン侵攻、イラク戦争を主導しました。内政では「思いやりのある保守主義」を掲げましたが、保守とリベラルの分断はかえって深まりました。

東海岸　1章

南部　2章

五大湖 中西部　3章

西部 西海岸 海外領土　4章

アメリカはどんな国？　5章

巻末資料

そうだ、我々ならできる
Yes, we can.

黒人のアメリカ、白人のアメリカなどない。ただアメリカ合衆国があるのみだ

第44代大統領
バラク・オバマ

（任期2009〜2017、民主党）
出身：ハワイ州

プロフィールと人物像

建国以来初めてのアフリカ系大統領。父はケニア出身の黒人、母はカンザス州出身の白人です。弁護士時代に同僚のミシェル・ロビンソンと結婚。2004年民主党全国大会の際に演説の巧みさで一躍脚光を浴び、ついに大統領にまで登り詰めました。

主な仕事

「オバマケア」と呼ばれる医療保険改革を実施し、国民皆保険への道筋をつけました。2008年の金融危機に際しては、銀行や自動車大手への公金投入などで積極介入。リベラルな姿勢に保守派の不満は高まり、後の「トランプ現象」の呼び水となります。

アメリカをもう一度偉大に！
Make America great again!

アメリカが第一。アメリカ製のものを買い、アメリカ人を雇う

第45代大統領
ドナルド・トランプ

（任期2017〜2021、共和党）
出身：ニューヨーク州

プロフィールと人物像

不動産業で名を成し、TV番組「アプレンティス」の出演で人気を博しました。歯に布着せぬ発言が熱狂的な支持者を生み、政治経験なしで大統領に当選。2020年大統領選では選挙不正を主張し、一部の支持者が連邦議会議事堂を襲撃する事態となりました。

主な仕事

不法移民への対応を厳格化する「ゼロ寛容」政策を推進し、論議を呼びました。経済では「アメリカ第一」を掲げ、保護主義的な姿勢を鮮明にします。任期中に発生した新型コロナウイルスの流行では、当初軽視する姿勢をとり、批判を浴びましたが、ワクチン開発促進にも注力しました。

アメリカは戻ってきた
America is back.

プーチンがウクライナで勝利することは決してない

第46代大統領
ジョー・バイデン

（任期2021〜、民主党）
出身：ペンシルベニア州

プロフィールと人物像

カトリック信徒の家庭に生まれ、幼少期は吃音に悩まされました。若くして上院議員となった直後には、妻と子を交通事故で失う悲劇に見舞われます。政界では外交畑を歩み、オバマ政権の副大統領を務めた後、78歳という高齢で大統領に就任しました。

主な仕事

トランプ政権が離脱を決めた気候変動問題に関する枠組み（パリ協定）に復帰し、WHOからの脱退を取り消すなど、国際社会との協調姿勢へ転換。ロシアのウクライナ侵攻に際してはプーチン大統領を強く非難し、ウクライナを積極的に支援しました。

歴代大統領①

代	氏名(生年と没年)	任期	政党	出生地	ファーストレディ	主な仕事
第1代	ジョージ・ワシントン (1732年～1799年)	1789年～1797年	連邦党 (無所属とも)	バージニア植民地	マーサ・ワシントン	大統領職と連邦政府の役割を確立。大統領2期制などの先例を作る。中央銀行制の創設、権利章典の承認、安定した経済を確立
第2代	ジョン・アダムズ (1735年～1826年)	1797年～1801年	連邦党	マサチューセッツ湾 直轄植民地	アビゲイル・アダムズ	海軍を強化し、強力な海上戦力の基礎を築いた。フランスとの全面戦争を回避する一方で、外国人・治安諸法を制定する
第3代	トーマス・ジェファーソン (1743年～1826年)	1801年～1809年	民主共和党	バージニア植民地	マーサ・ジェファーソン (1782年死去)	ルイジアナ購入でアメリカの国土を倍増させた反連邦主義者。1807年の通商禁止法でヨーロッパの戦争と距離をとる
第4代	ジェームズ・マディソン (1751年～1836年)	1809年～1817年	民主共和党	バージニア植民地	ドリー・マディソン	1812年勃発の第二次独立戦争を指揮。戦争中のリーダーシップでアメリカの愛国心が育まれた。ほか第二合衆国銀行を設立する
第5代	ジェームズ・モンロー (1758年～1831年)	1817年～1825年	民主共和党	バージニア植民地	エリザベス・モンロー	アメリカとヨーロッパの相互不干渉を唱えたモンロー主義を発表・実践。自由州と奴隷州の均衡を図るミズーリ妥協に署名する
第6代	ジョン・クインシー・アダムズ (1767年～1848年)	1825年～1829年	民主共和党	マサチューセッツ湾 直轄植民地	ルイーザ・アダムズ	モンローの国務長官を務めた外交の名手だが自身が大統領の時代は党内の混乱期で先進的なビジョンが議会に反発される
第7代	アンドリュー・ジャクソン (1767年～1845年)	1829年～1837年	民主党	南北カロライナ境界 のワクシャー植民地	妻の他界で姪のエミリーが 官邸を切り盛り	庶民派として絶大な支持を得る。大統領権限の拡大で国を安定させた一方で、インディアン強制移住法を成立させる暗黒面も
第8代	マーティン・ヴァン・ビューレン (1782年～1862年)	1837年～1841年	民主党	ニューヨーク州	妻の他界で義理の娘 アンジェリカが切り盛り	経済恐慌、メイン州とカナダとの国境紛争、フロリダのセミノール戦争、テキサス併合問題に直面。反奴隷制を主張し再選叶わず
第9代	ウィリアム・ハリソン (1773年～1841年)	1841年～1841年 就任後約ひと月で病死	ホイッグ党	バージニア植民地	アンナ・シムズ・ハリソン	ネイティブ・アメリカンと戦ったティピカヌーの戦いで知られるが在任期間が非常に短かった。在任中死去した最初の大統領
第10代	ジョン・タイラー (1790年～1862年)	1841年～1845年	ホイッグ党 (就任後除名)	バージニア州	先妻レティティアの他界で 後妻ジュリアが引き継ぐ	前任者死去で就任。テキサス併合や、カナダとアメリカの国境を確定するウェブスター・アシュバートン条約の締結を行った
第11代	ジェームズ・ポーク (1795年～1849年)	1845年～1849年	民主党	ノースカロライナ州	サラ・チルドレス・ポーク	米墨戦争に勝利しカリフォルニア、ニューメキシコ、テキサスの広大な領土を獲得。イギリスとのオレゴン境界紛争も解決した
第12代	ザカリー・テイラー (1784年～1850年)	1849年～1850年	ホイッグ党	バージニア州	マーガレット・テイラー	長い軍歴を持ち米墨戦争などに従事している。カリフォルニアを州として認めることや、ニューメキシコ州制を主張するも急死
第13代	ミラード・フィルモア (1800年～1874年)	1850年～1853年	ホイッグ党	ニューヨーク州	アビゲイル・フィルモア	自由州と奴隷州の均衡を維持すべく逃亡奴隷法を含んだ「1850年の妥協」に署名。日本にペリーを派遣したことでも知られる
第14代	フランクリン・ピアース (1804年～1869年)	1853年～1857年	民主党	ニューハンプシャー州	ジェーン・ピアース	カンザス・ネブラスカ法が可決された時の大統領。これでミズーリ妥協が事実上廃止されて奴隷制をめぐる緊張が高まった

1章 東海岸
2章 南部
3章 五大湖 中西部
4章 西部 西海岸 海外領土
5章 アメリカはどんな国？
巻末資料

代	氏名（生年と没年）	任期	政党	出生地	ファーストレディ	主な仕事
第15代	ジェームズ・ブキャナン（1791年～1868年）	1857年～1861年	民主党	ペンシルベニア州	生涯独身。姪のハリエットが官邸を切り盛り	ドレッド・スコット判決や奴隷制をめぐる対立が激化。この危機に効果的に対処できず、任期後に分離独立派が勢い付く
第16代	エイブラハム・リンカーン（1809年～1865年）	1861年～1865年	共和党	ケンタッキー州	メアリー・トッド・リンカーン	南北戦争を経て連邦を維持、奴隷解放宣言で奴隷制を廃止。ゲティスバーグなどの名演説で自由と民主主義の原則に献身した
第17代	アンドリュー・ジョンソン（1808年～1875年）	1865年～1869年	民主党	ノースカロライナ州	イライザ・マカーデル・ジョンソン	南北戦争後の復興に重点を置いた。解放奴隷の権利拡大への反対と南部への寛大なアプローチのため弾劾されるが1票差で無罪
第18代	ユリシーズ・グラント（1822年～1885年）	1869年～1877年	共和党	オハイオ州	ジュリア・グラント	南北戦争の北軍の英雄。憲法修正第15条の施行など、再建とアフリカ系アメリカ人の公民権に注力したが汚職により失脚する
第19代	ラザフォード・ヘイズ（1822年～1893年）	1877年～1881年	共和党	オハイオ州	ルーシー・ヘイズ	政治取引「1877年の妥協」により就任したといわれ、このため南部に連邦軍が駐留する再建期が終結、旧南軍勢力が復活する
第20代	ジェームズ・ガーフィールド（1831年～1881年）	1881年～1881年就任約半年後に暗殺	共和党	オハイオ州	ルクレティア・ガーフィールド	公務員制度改革に重点を置き、官僚制度の腐敗に異議を唱えた。しかしこのために恨みを買ってしまい、道半ばで暗殺される
第21代	チェスター・A・アーサー（1829年～1886年）	1881年～1885年	共和党	バーモント州	妻の他界で妹のメアリーが官邸を切り盛り	ガーフィールドの後を継いでペンドルトン法を制定し汚職が蔓延っていた官僚制度に楔を打つ。当時から高く評価された人物
第22代	グロバー・クリーブランド（1837年～1908年）	1885年～1889年	民主党	ニュージャージー州	フランシス・クリーブランド	連続しない2期を務めた唯一の大統領。1期目は公務員制度改革、汚職撲滅、個人年金法案に対する拒否権発動などを行った
第23代	ベンジャミン・ハリソン（1833年～1901年）	1889年～1893年	共和党	オハイオ州	キャロライン・ハリソン	関税を引き上げるマッキンリー関税法、独占資本に対抗するシャーマン反トラスト法、海軍拡張、6つの州の加盟で知られる

第1代大統領
ジョージ・ワシントン

総司令官として独立戦争を勝利に導き、初代大統領として公正で民主的な大統領像の規範となる。また合衆国憲法制定に深く関わった。これらから建国の父と尊敬されている。バージニアの農場主の子として生まれ、農場経営に手腕を発揮しつつフレンチ・インディアン戦争に従軍、現場で経験を積んだタイプだった。

第3代大統領
トーマス・ジェファーソン

ワシントンと同郷。独立宣言起草者の主筆。自由、平等、民主主義を信条とする一方、農場で奴隷を使っていたことを疑問視する後世の声もある。その業績はルイジアナ購入と、ルイスとクラーク探検隊の派遣に代表され、引退後は故郷で大学設立に尽力した。妻を早くに亡くしたが再婚をしなかった律儀な人だった。

第5代大統領
ジェームズ・モンロー

独立戦争に参加した後、法律を学び大陸会議にも出席。議員になってからはジョージ・ワシントンと何かとそりが合わなかったという。大統領になってからはモンロー主義、ミズーリ妥協、フロリダ獲得などの大仕事で貢献した。引退後は一時故郷に帰るが後にニューヨーク・シティに引っ越して余生を過ごした。

第7代大統領
アンドリュー・ジャクソン

早くに両親を亡くし、困窮のなかから軍人と政治家の道を駆け上がって庶民派と親しまれた。民主党初の大統領となって同党の形成に寄与し、自立と平等を理念として白人男性の普通選挙を実現させる執政はジャクソニアン・デモクラシーと呼ばれた。現代においても人気が高く、トランプ大統領が尊敬していた。

第16代大統領
エイブラハム・リンカーン

貧しさのなか勉学と法律で身を立て、奴隷制反対を掲げて共和党から大統領になった努力の人。奴隷州は連邦を離反し南北戦争が起きたが、リンカーンはアメリカの分裂をよしとせず、南部州の早期復帰を模索していたという。しかしそんな折に凶弾に倒れた。子どもの頃から働いていた彼は斧の達人だったとか。

第17代大統領
アンドリュー・ジョンソン

父を早くに亡くし、働く母に育てられ、自身は若くして仕立て屋をもった苦労人。リンカーン大統領の時に副大統領を務めていたため、リンカーン暗殺で大統領に繰り上がった。出身が南部であったこともあり、南北戦争後は親南部の姿勢で臨む。退任後は地元テネシーに戻り、そこで再び議員になっている。

歴代大統領②

代	氏名（生年と没年）	任期	政党	出生地	ファーストレディ	主な仕事
第24代	グロバー・クリーブランド ※連続ではない2期目	1893年〜1897年	民主党	ニュージャージー州	フランシス・クリーブランド	1893年の経済恐慌に対処すべくシャーマン銀購入法の廃止に成功した。しかしストライキへの強硬姿勢が批判され人気を失う
第25代	ウィリアム・マッキンリー (1843年〜1901年)	1897年〜1901年	共和党	オハイオ州	アイダ・マッキンリー	米西戦争でフィリピン、グアム、プエルトリコをスペインから獲得。経済では高関税による保護政策を推進したが暗殺された
第26代	セオドア・ルーズベルト (1858年〜1919年)	1901年〜1909年	共和党	ニューヨーク州	イーディス・ルーズベルト	公正さを重視した反トラスト法運用や自然保護活動など進歩的な政策を行う。日露戦争を調停したことでノーベル平和賞受賞
第27代	ウィリアム・タフト (1857年〜1930年)	1909年〜1913年	共和党	オハイオ州	ヘレン・ハロン・タフト	中南米にドル外交で臨む。ドル外交はアメリカの商品と資本を海外に送り込むことで、その地域の影響力を高めようとする戦略
第28代	ウッドロー・ウィルソン (1856年〜1924年)	1913年〜1921年	民主党	バージニア州	先妻エレンの他界で後妻エディースが引き継ぐ	当初消極的だったアメリカ国民を第一次世界大戦参戦に導き、戦後は国際連盟を提唱した。国内では連邦準備法などを導入
第29代	ウォレン・ハーディング (1865年〜1923年)	1921年〜1923年	共和党	オハイオ州	フローレンス・ハーディング	第一次世界大戦後にアメリカを正常な状態に戻すと宣言。だが閣僚が軍所有の油田を貸すスキャンダルに見舞われた上、在任中に変死
第30代	カルビン・クーリッジ (1872年〜1933年)	1923年〜1929年	共和党	バーモント州	グレース・グッドヒュー・クーリッジ	「狂騒の1920年代」といわれた経済が絶好調の時期に就任する。減税とビジネスへの限定的な介入でこれに大きく貢献した
第31代	ハーバート・フーバー (1874年〜1964年)	1929年〜1933年	共和党	アイオワ州	ルー・ヘンリー・フーバー	大恐慌への対処に追われた。失業対策であるフーバー・ダム建設や、銀行への政府融資などを行うも効果は限定的だった
第32代	フランクリン・ルーズベルト (1882年〜1945年)	1933年〜1945年	民主党	ニューヨーク州	エレノア・ルーズベルト	ニューディール政策で社会保障、失業対策、公共事業を実施。第二次世界大戦で指揮をとり終戦直前に果てるかのように没す
第33代	ハリー・S・トルーマン (1884年〜1972年)	1945年〜1953年	民主党	ミズーリ州	ベス・トルーマン	第二次世界大戦末期、日本への原爆投下を決めた大統領。戦後は共産主義封じ込め策トルーマン・ドクトリンで冷戦を構築
第34代	ドワイト・D・アイゼンハワー (1890年〜1969年)	1953年〜1961年	共和党	テキサス州	マミー・アイゼンハワー	陸軍元帥として第二次世界大戦で指揮をとる。戦後大統領となり朝鮮戦争終結、州間高速道路法の制定、東側封じ込めに注力
第35代	ジョン・F・ケネディ (1917年〜1963年)	1961年〜1963年	民主党	マサチューセッツ州	ジャクリーン・ケネディ	初のアイルランド系・カトリックの大統領。暗殺までの短い任期中はピッグス湾侵攻、キューバ危機、宇宙開発競争と事件の連続だった
第36代	リンドン・ジョンソン (1908年〜1973年)	1963年〜1969年	民主党	テキサス州	レディ・バード・ジョンソン	「偉大なる社会」を打ち出し公民権法、医療保険制度メディケアなど福祉政策を拡大した。だがベトナム戦争への関与も行う
第37代	リチャード・ニクソン (1913年〜1994年)	1969年〜1974年	共和党	カリフォルニア州	パット・ニクソン	ソ連との緊張緩和、中国との関係改善、ベトナム戦争撤退などに取り組んだがウォーターゲート事件で辞任に追い込まれた

代	氏名（生年と没年）	任期	政党	出生地	ファーストレディ	主な仕事
第38代	ジェラルド・R・フォード（1913年〜2006年）	1974年〜1977年	共和党	ネブラスカ州	ベティ・フォード	前任者の辞任で就任し2期目は選挙に敗れている。ニクソン大統領に恩赦を出し、中国やソ連には牽制でなく対話に努めた
第39代	ジミー・カーター（1924年〜）	1977年〜1981年	民主党	ジョージア州	ロザリン・カーター	イスラエルとエジプトの和解策キャンプ・デービッド合意を仲介。だがイラン・アメリカ大使館人質事件の救助失敗で支持急落
第40代	ロナルド・レーガン（1911年〜2004年）	1981年〜1989年	共和党	イリノイ州	ナンシー・レーガン	減税と規制緩和と社会福祉予算の削減が特徴の経済政策「レーガノミクス」を敢行。ゴルバチョフには「壁を壊せ」と迫った
第41代	ジョージ・H・W・ブッシュ（1924年〜2018年）	1989年〜1993年	共和党	マサチューセッツ州	バーバラ・ブッシュ	冷戦の終結を宣言した大統領。その後はパナマ侵攻や、クウェートに侵攻したイラクと湾岸戦争を戦い軍費が嵩んでしまった
第42代	ビル・クリントン（1946年〜）	1993年〜2001年	民主党	アーカンソー州	ヒラリー・クリントン	経済最優先を掲げて当選しIT産業が成長して経済成長をもたらす。ただし2期目はホワイト・ハウスでの不倫が暴露された
第43代	ジョージ・W・ブッシュ（1946年〜）	2001年〜2009年	共和党	コネチカット州	ローラ・ブッシュ	9.11同時多発テロを受けテロとの戦いを標榜、アフガンとイラクで戦争になる。そのブレインに新保守主義の人材が目立った
第44代	バラク・オバマ（1961年〜）	2009年〜2017年	民主党	ハワイ州	ミシェル・オバマ	後期は人気低迷に苦しむが無保険者を減らす保険制度オバマケア、ビン・ラディン殺害作戦、再エネ推進、金融規制など業績多数
第45代	ドナルド・トランプ（1946年〜）	2017年〜2021年	共和党	ニューヨーク州	メラニア・トランプ	アメリカ第一主義を掲げたポピュリスト。経済を優先しつつ税制改革、オバマケア見直し、パリ協定離脱、金正恩との会談を行う
第46代	ジョー・バイデン（1942年〜）	2021年〜	民主党	ペンシルベニア州	ジル・バイデン	分断の溝を埋めようとする老政治家。コロナ対策にあたりながら、パリ協定復帰などトランプ大統領の政策を撤回している

第25代大統領
ウィリアム・マッキンリー

大学卒業後に教師などを経て南北戦争に従軍。戦後法律を学びオハイオから下院議員に当選する。後に同州の知事になり、さらに共和党代表に選ばれ大統領に。任期中は米西戦争を指揮し、勝利してフィリピンなどを獲得。2期目の途中でアナーキストに暗殺され、副大統領のセオドア・ルーズベルトが跡を継いだ。

第31代大統領
ハーバート・フーバー

早くに鍛治職人だった父と母を亡くし、親戚に引き取られて育つ。大学卒業後は鉱山技師として各国で働き、第一次世界大戦中はヨーロッパに食糧支援を行う団体を運営した。大統領になると早々に世界恐慌に見舞われ、ダム建設など公共事業は行ったがバラマキ政策はせず人気が低迷、2期目は叶わなかった。

第32代大統領
フランクリン・ルーズベルト

大型公共事業を軸とするニューディール政策で世界恐慌に立ち向かう。だが当時からその効果は疑問視され、むしろ第二次世界大戦に参戦し軍事特需をもたらしたことが経済再生につながった。激動の時代にあって例外的に4期も引き受けたが、病を押した体が激務に耐えきれず、戦争終結を見ずに殉職した。

第33代大統領
ハリー・S・トルーマン

前任者の急死にともない副大統領から大統領に就任。農家に生まれ高校卒業後にミズーリ州兵となったあと第一次世界大戦に参戦。戦後は戦友とメンズ・ファッション店を開業するも失敗し、その後郡判事を経て上院議員となり政界へ進出した。2期目では朝鮮戦争を指揮しており、戦争と縁がある大統領だった。

第37代大統領
リチャード・ニクソン

第二次世界大戦に海軍兵として従軍、戦後共和党の議員となり政界へ。彼の時代に共和党は支持層を北部からアメリカ南部へ移す大転換をやってのけた。電撃的な中国訪問、ソ連への歩み寄り、ベトナム戦争撤退と業績は目覚ましいが、民主党候補をスパイしようとしたウォーターゲート事件の黒幕として失脚する。

第42代大統領
ビル・クリントン

生まれる前に父が事故死し、実母と継父の家庭で育つ。大学で法律を学び同級生のヒラリーと結婚。政治経験としては、下院議員に立候補するも落選、2年後に司法長官を経てアーカンソー州知事の座を射止め、民主党に入り大統領に昇りつめた。副大統領は環境活動で知られるアル・ゴア。辞任後は講演や慈善事業に従事。

アメリカの世界遺産

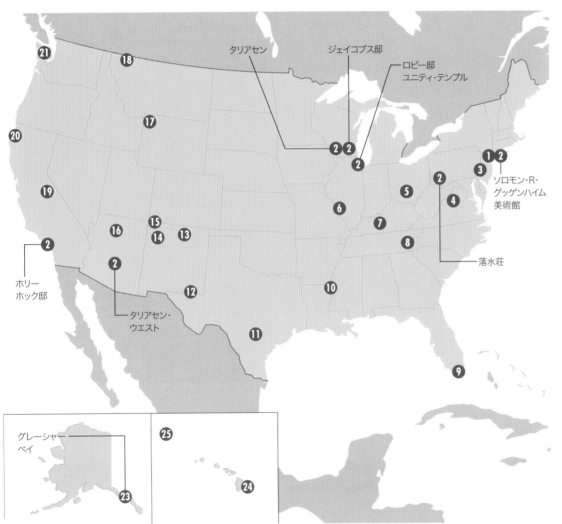

タリアセン

ジェイコブス邸

ロビー邸
ユニティ・テンプル

ソロモン・R・
グッゲンハイム
美術館

落水荘

ホリー
ホック邸

タリアセン・
ウエスト

グレーシャー
ベイ

番号	世界遺産	分類	登録年
1	自由の女神像	文化遺産	1984年
2	フランク・ロイド・ライトの20世紀建築（複数）	文化遺産	2019年
3	独立記念館	文化遺産	1979年
4	モンティチェロとバージニア大学（シャーロットビル）	文化遺産	1987年

番号	世界遺産	分類	登録年
5	ホープウェル儀式場群	文化遺産	2023年
6	カホキア墳丘群	文化遺産	1982年
7	マンモスケイブ国立公園	自然遺産	1981年
8	グレートスモーキーマウンテンズ国立公園	自然遺産	1983年
9	エバーグレーズ国立公園	自然遺産	1979年
10	ポバティーポイント	文化遺産	2014年
11	サン・アントニオ伝道所群	文化遺産	2015年
12	カールズバッド洞窟群国立公園	自然遺産	1995年

番号	世界遺産	分類	登録年
13	タオス・プエブロ	文化遺産	1992年
14	チャコ文化	文化遺産	1987年
15	メサベルデ国立公園	文化遺産	1978年
16	グランドキャニオン国立公園	自然遺産	1979年
17	イエローストーン国立公園	自然遺産	1978年
18	ウォータートン・グレーシャー国際平和公園	自然遺産	1995年
19	ヨセミテ国立公園	自然遺産	1984年
20	レッドウッド国立および州立公園	自然遺産	1980年

番号	世界遺産	分類	登録年
21	オリンピック国立公園	自然遺産	1981年
22	ラ・フォルタレサとサン・ファン国定史跡（プエルトリコ）	文化遺産	1983年
23	クルアーニー /ランゲル・セントイライアス/グレーシャーベイ/タッチェンシニー・アルセク	自然遺産	1979、1992、1994年
24	ハワイ火山国立公園	自然遺産	1987年
25	パパハナウモクアケア	複合遺産	2010年

2 タリアセン・ウエスト

2 落水荘

13

15

16

17

1章 東海岸
2章 南部
3章 五大湖・中西部
4章 西部・西海岸・海外領土
5章 アメリカはどんな国？
巻末資料

アメリカの国立公園

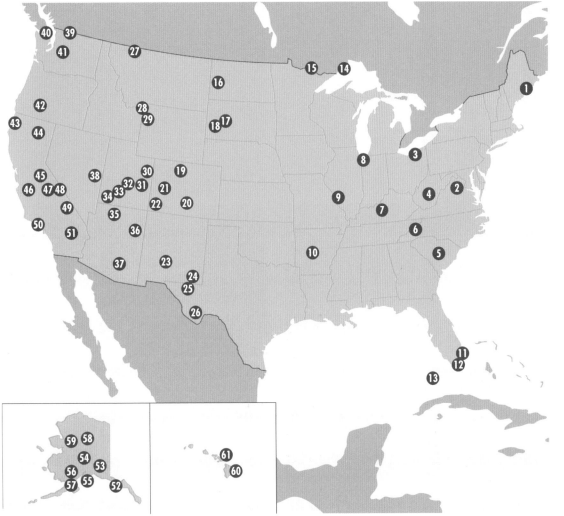

番号	国立公園名	所在地
1	アカディア国立公園	メイン
2	シェナンドー国立公園	バージニア
3	カイヤホガバレー国立公園	オハイオ
4	ニューリバーゴージ 国立公園	ウエスト バージニア
5	コンガリー国立公園	サウスカロライナ
6	グレートスモーキー マウンテンズ国立公園	ノースカロライナ、 テネシー
7	マンモスケイブ国立公園	ケンタッキー
8	インディアナデューンズ 国立公園	インディアナ
9	ゲートウェイアーチ 国立公園	ミズーリ
10	ホットスプリングス国立公園	アーカンソー

番号	国立公園名	所在地
11	ビスケーン国立公園	フロリダ
12	エバーグレーズ国立公園	フロリダ
13	ドライ・トートゥガス国立公園	フロリダ
14	アイル・ロイヤル国立公園	ミシガン
15	ボエジャーズ国立公園	ミネソタ
16	セオドア・ルーズベルト国立公園	ノースダコタ
17	バッドランズ国立公園	サウスダコタ
18	ウインドケイブ国立公園	サウスダコタ
19	ロッキー山脈国立公園	コロラド
20	グレートサンドデューンズ国立公園	コロラド
21	ブラックキャニオンオブガニソン国立公園	コロラド
22	メサベルデ国立公園	コロラド
23	ホワイトサンズ国立公園	ニューメキシコ
24	カールズバッド洞窟群国立公園	ニューメキシコ
25	グアダルーペ山脈国立公園	テキサス
26	ビッグベンド国立公園	テキサス
27	グレーシャー国立公園	モンタナ
28	イエローストーン国立公園	ワイオミング、モンタナ、アイダホ

番号	国立公園名	所在地
29	グランドティトン国立公園	ワイオミング
30	アーチズ国立公園	ユタ
31	キャニオンランズ国立公園	ユタ
32	キャピトルリーフ国立公園	ユタ
33	ブライスキャニオン国立公園	ユタ
34	ザイオン国立公園	ユタ
35	グランドキャニオン国立公園	アリゾナ
36	化石の森国立公園	アリゾナ
37	サワロ国立公園	アリゾナ
38	グレートベースン国立公園	ネバダ
39	ノースカスケード国立公園	ワシントン
40	オリンピック国立公園	ワシントン
41	マウント・レーニア国立公園	ワシントン
42	クレーターレイク国立公園	オレゴン
43	レッドウッド国立公園	カリフォルニア
44	ラッセン火山国立公園	カリフォルニア
45	ヨセミテ国立公園	カリフォルニア
46	ピナクルズ国立公園	カリフォルニア
47	セコイア国立公園	カリフォルニア
48	キングスキャニオン国立公園	カリフォルニア
49	デスバレー国立公園	カリフォルニア

番号	国立公園名	所在地
50	チャンネル諸島国立公園	カリフォルニア
51	ヨシュアツリー国立公園	カリフォルニア
52	グレーシャーベイ国立公園	アラスカ
53	ランゲル・セントイライアス国立公園	アラスカ
54	デナリ国立公園	アラスカ
55	キーナイフィヨルド国立公園	アラスカ
56	レイククラーク国立公園	アラスカ
57	カトマイ国立公園	アラスカ
58	北極圏の門国立公園	アラスカ
59	コバックバレー国立公園	アラスカ
60	ハワイ火山国立公園	ハワイ
61	ハレアカラ国立公園	ハワイ
62	アメリカンサモア国立公園	アメリカ領サモア
63	バージン諸島国立公園	バージン諸島

54

1章 東海岸
2章 南部
3章 五大湖・中西部
4章 西部・西海岸・海外領土
5章 アメリカはどんな国?
巻末資料

人口ランキング

順位	州	人口(人)
1	カリフォルニア	39,029,342
2	テキサス	30,029,572
3	フロリダ	22,244,823
4	ニューヨーク	19,677,151
5	ペンシルベニア	12,972,008
6	イリノイ	12,582,032
7	オハイオ	11,756,058
8	ジョージア	10,912,876
9	ノースカロライナ	10,698,973
10	ミシガン	10,034,113
11	ニュージャージー	9,261,699
12	バージニア	8,683,619
13	ワシントン	7,785,786
14	アリゾナ	7,359,197
15	テネシー	7,051,339

順位	州	人口(人)
16	マサチューセッツ	6,981,974
17	インディアナ	6,833,037
18	ミズーリ	6,177,957
19	メリーランド	6,164,660
20	ウィスコンシン	5,892,539
21	コロラド	5,839,926
22	ミネソタ	5,717,184
23	サウスカロライナ	5,282,634
24	アラバマ	5,074,296
25	ルイジアナ	4,590,241
26	ケンタッキー	4,512,310
27	オレゴン	4,240,137
28	オクラホマ	4,019,800
29	コネチカット	3,626,205
30	ユタ	3,380,800
31	アイオワ	3,200,517
32	ネバダ	3,177,772
33	アーカンソー	3,045,637

順位	州	人口(人)
34	ミシシッピ	2,940,057
35	カンザス	2,937,150
36	ニューメキシコ	2,113,344
37	ネブラスカ	1,967,923
38	アイダホ	1,939,033
39	ウエストバージニア	1,775,156
40	ハワイ	1,440,196
41	ニューハンプシャー	1,395,231
42	メイン	1,385,340
43	モンタナ	1,122,867
44	ロードアイランド	1,093,734
45	デラウェア	1,018,396
46	サウスダコタ	909,824
47	ノースダコタ	779,261
48	アラスカ	733,583
49	バーモント	647,064
50	ワイオミング	581,381

【出典】U.S. Census Bureau, Population Division（2022年推定値）

面積ランキング

1章 東海岸
2章 南部
3章 五大湖、中西部
4章 西部、西海岸、海外領土
5章 アメリカはどんな国?
巻末資料

順位	州	面積(km²)
1	アラスカ	1,723,337
2	テキサス	695,662
3	カリフォルニア	423,967
4	モンタナ	380,831
5	ニューメキシコ	314,917
6	アリゾナ	295,234
7	ネバダ	286,380
8	コロラド	269,601
9	オレゴン	254,799
10	ワイオミング	253,335
11	ミシガン	250,487
12	ミネソタ	225,163
13	ユタ	219,882
14	アイダホ	216,443
15	カンザス	213,100

順位	州	面積(km²)
16	ネブラスカ	200,330
17	サウスダコタ	199,729
18	ワシントン	184,661
19	ノースダコタ	183,108
20	オクラホマ	181,037
21	ミズーリ	180,540
22	フロリダ	170,312
23	ウィスコンシン	169,635
24	ジョージア	153,910
25	イリノイ	149,995
26	アイオワ	145,746
27	ニューヨーク	141,297
28	ノースカロライナ	139,391
29	アーカンソー	137,732
30	アラバマ	135,767
31	ルイジアナ	135,659
32	ミシシッピ	125,438
33	ペンシルベニア	119,280

順位	州	面積(km²)
34	オハイオ	116,098
35	バージニア	110,787
36	テネシー	109,153
37	ケンタッキー	104,656
38	インディアナ	94,326
39	メイン	91,633
40	サウスカロライナ	82,933
41	ウエストバージニア	62,756
42	メリーランド	32,131
43	ハワイ	28,313
44	マサチューセッツ	27,336
45	バーモント	24,906
46	ニューハンプシャー	24,214
47	ニュージャージー	22,591
48	コネチカット	14,357
49	デラウェア	6,446
50	ロードアイランド	4,001

【出典】Census(2018年値、海外領土を除く)

GDPランキング

順位	州	GDP（百万ドル）
1	カリフォルニア	2,885,627
2	テキサス	1,876,328
3	ニューヨーク	1,563,044
4	フロリダ	1,070,930
5	イリノイ	797,969
6	ペンシルベニア	726,036
7	オハイオ	638,910
8	ジョージア	591,257
9	ワシントン	582,172
10	ニュージャージー	581,704
11	ノースカロライナ	559,510
12	マサチューセッツ	543,872
13	バージニア	512,946
14	ミシガン	490,318
15	コロラド	385,835

順位	州	GDP（百万ドル）
16	メリーランド	368,680
17	テネシー	367,776
18	アリゾナ	356,417
19	インディアナ	352,956
20	ミネソタ	350,315
21	ウィスコンシン	311,702
22	ミズーリ	300,676
23	コネチカット	252,533
24	オレゴン	234,806
25	サウスカロライナ	226,420
26	ルイジアナ	217,156
27	アラバマ	213,265
28	ケンタッキー	201,375
29	ユタ	191,965
30	オクラホマ	191,388
31	アイオワ	177,090
32	ネバダ	165,455
33	カンザス	164,939

順位	州	GDP（百万ドル）
34	アーカンソー	126,532
35	ネブラスカ	123,540
36	ミシシッピ	104,535
37	ニューメキシコ	94,663
38	アイダホ	84,003
39	ニューハンプシャー	83,004
40	ハワイ	75,418
41	ウエストバージニア	71,652
42	デラウェア	65,755
43	メイン	64,766
44	ロードアイランド	55,413
45	ノースダコタ	53,125
46	サウスダコタ	49,809
47	モンタナ	49,752
48	アラスカ	49,634
49	ワイオミング	36,346
50	バーモント	31,395

【出典】U.S. Bureau of Economic Analysis（2022年推定値）

平均寿命ランキング

1章 東海岸
2章 南部
3章 五大湖・中西部
4章 西部・西海岸・海外領土
5章 アメリカはどんな国？
巻末資料

順位	州	平均寿命（歳）
1	ハワイ	80.7
2	ワシントン	79.2
3	ミネソタ	79.1
4	ニューハンプシャー	79.0
4	マサチューセッツ	79.0
4	カリフォルニア	79.0
7	バーモント	78.8
7	オレゴン	78.8
9	ユタ	78.6
10	アイダホ	78.4
10	コネチカット	78.4
12	コロラド	78.3
13	ロードアイランド	78.2
14	メイン	77.8
15	ウィスコンシン	77.7

順位	州	平均寿命（歳）
15	ニューヨーク	77.7
15	ネブラスカ	77.7
18	バージニア	77.6
19	ニュージャージー	77.5
19	アイオワ	77.5
19	フロリダ	77.5
22	ノースダコタ	76.9
23	ペンシルベニア	76.8
23	モンタナ	76.8
23	メリーランド	76.8
23	イリノイ	76.8
27	サウスダコタ	76.7
27	デラウェア	76.7
29	アラスカ	76.6
30	テキサス	76.5
31	カンザス	76.4
32	ワイオミング	76.3
32	ネバダ	76.3

順位	州	平均寿命（歳）
32	アリゾナ	76.3
35	ノースカロライナ	76.1
36	ミシガン	76.0
37	ジョージア	75.6
38	オハイオ	75.3
39	ミズーリ	75.1
40	インディアナ	75.0
41	サウスカロライナ	74.8
42	ニューメキシコ	74.5
43	オクラホマ	74.1
44	テネシー	73.8
44	アーカンソー	73.8
46	ケンタッキー	73.5
47	アラバマ	73.2
48	ルイジアナ	73.1
49	ウエストバージニア	72.8
50	ミシシッピ	71.9

【出典】CDC "Life Expectancy at Birth by State"（2020年）

参考文献、参考サイト

● 和 書

『アメリカ50州を読む地図』浅井信雄（新潮社）

『日本人が意外と知らない「アメリカ50州」の秘密』レッカ社、松尾弌之（PHP研究所）

『アメリカの小学生が学ぶ歴史教科書』ジェームス・M・バーダマン、村田薫（ジャパンブック）

『地図でスッと頭に入るアメリカ50州』（昭文社）

『ルポ 貧困大国アメリカ(岩波新書)』堤未果（岩波書店）

『アメリカ大統領選 (岩波新書)』久保文明、金成隆一（岩波書店）

『アメリカの政党政治-建国から250年の軌跡 (中公新書)』岡山裕（中央公論新社）

『50州が動かすアメリカ政治』久保文明、21世紀政策研究所（勁草書房）

『ニューステージ世界史詳覧』（浜島書店）

『山川 詳説世界史図録』小松久男、木村靖二、岸本美緒（山川出版社）

『教養としてのアメリカ短篇小説』都甲幸治(NHK出版)

『フラナリー・オコナー全短篇〈上〉』フラナリー オコナー、横山貞子（筑摩書房）

『アメリカ文化事典』アメリカ学会（丸善出版）

『季刊　映画宝庫　第3号夏／ザッツ・ハリウッド』（芳賀書店）

『マッカーシズム』岩波文庫　リチャード・H・ロービア・著／宮地健次郎・訳（岩波書店）

『ハリウッド「赤狩り」との闘い：「ローマの休日」とチャップリン』吉村英夫（大月書店）

● 洋 書

『THE WORLD ALMANAC AND BOOK OF FACTS』(World Almanac)

『Lonely Planet USA』(Lonely Planet)

『Everything You Need to Ace American History in One Big Fat Notebook』Lily Rothman, Tim Hall(Workman Publishing Company)

『The 50 States: Explore the U.S.A. with 50 fact-filled maps!』Gabrielle Balkan, Sol Linero (Wide Eyed Editions)

『United Tastes of America: An Atlas of Food Facts & Recipes from Every State!』Gabrielle Langholtz, Jenny Bowers, Danielle Acken (Phaidon Press)

『The New York Times Almanac 2009』John W. Wright (Penguin Books)

『How America Works: Understanding Your Government and How You Can Get Involved』Elliott Rebhun(Scholastic Teaching Resources)

● 主な参考サイト

ABC News(https://chat.openai.com/c/b728a0d8-f29c-4978-ad18-61747f21b3f4)

AFP(https://www.afpbb.com/?cx_part=nav)

AMERICAN CENTER JAPAN(https://americancenterjapan.com/)

AMNESTY INTERNATIONAL UK(https://www.amnesty.org.uk/)

Axios(https://www.axios.com/)

BBC(https://www.bbc.com/)

BUSINESSINSIDER(https://www.businessinsider.com/)

BuzzFeed News(https://www.buzzfeednews.com/)

CBC(https://www.cbc.ca/)

CBS THIS MORNING(https://www.cbsnews.com/cbs-this-morning/)

CNBC(https://www.cnbc.com/world/)

CNN(https://edition.cnn.com/)

DEATH PENALTY INFORMATION CENTER(https://deathpenaltyinfo.org/)

Delaware.gov(Delaware.gov)

Encyclopedia Britannica (https://www.britannica.com/)

ENERGY.GOV (https://www.energy.gov/)

Forbes (https://www.forbes.com/?sh=6bb7443e2254)

FORTUNE (https://fortune.com/)

Fox News (https://www.foxnews.com/)

Go USA (https://www.gousa.jp/)

HuffPost (https://www.huffpost.com/)

IDAHO POTATO MUSEUM (https://idahopotatomuseum.com/)

IOWA PBS (http://www.iowapbs.org/)

Knox news (https://www.knoxnews.com/)

KRCU (https://www.krcu.org/)

Military.com (https://www.military.com/)

MiningTechnology (https://www.mining-technology.com/)

MSNBC (https://www.msnbc.com/)

NASA (https://www.nasa.gov/)

National Geographic (https://www.nationalgeographic.com/)

National Library of Medicine (https://www.ncbi.nlm.nih.gov/)

NBC News (https://www.nbcnews.com/)

NEW JERSEY MONTHLY (https://njmonthly.com/)

Newsweek (https://www.newsweek.com/)

NewYorkStateDestinations.com (https://www.newyorkstatedestinations.com/)

NEZ PERCE TRIBE (https://nezperce.org/)

NHK (https://www.nhk.or.jp/)

npr (https://www.npr.org/)

NYRA (https://www.nyrainc.com/)

OAK RIDGE National Laboratory (https://www.ornl.gov/)

Politico (https://www.politico.com/)

REUTERS (https://www.reuters.com/)

The Atlanta Journal-Constitution (https://www.ajc.com/)

The Boston Globe (https://www.bostonglobe.com/)

The Chicago Tribune (https://www.chicagotribune.com/)

THE CITY OF BURLINGTON (https://www.burlingtonvt.gov/)

The Los Angeles Times (https://www.latimes.com/)

The New York Times (https://www.nytimes.com/)

The Wall Street Journal (https://www.wsj.com/)

THE WHITE HOUSE (https://www.whitehouse.gov/)

Tuscaloosanews (https://www.tuscaloosanews.com/)

United States Census Bureau (https://www.census.gov/en.html)

USA Today (https://www.usatoday.com/)

USCCA (https://www.usconcealedcarry.com/)

Vox (https://www.vox.com/)

WATCH NOW (https://www.wowktv.com/)

WXYZ Detroit (https://www.wxyz.com/)

YANKEE (https://newengland.com/)

ジェトロ (https://www.jetro.go.jp/)

その他メディア、各州市町村公式サイト等多数

● 監修者

パトリック・ハーラン

1970年生まれ。アメリカ、コロラド州コロラドスプリングス出身（生まれはモンタナ州）。ハーバード大学比較宗教学部を卒業後に1993年来日。福井県での英語の講師を経て1996年に上京。翌年にお笑いコンビ「パックンマックン」を結成しNHKなどで活躍する。現在はお笑いのほか、情報番組や報道番組のコメンテーター、俳優など幅広く活躍。2012年から東京工業大非常勤講師、2021年度からは流通経済大学客員教授を務める。主な出演番組は日本テレビ「情報ライブ ミヤネ屋」、テレビ東京「モーニングサテライト」、BS-TBS「報道1930」、TBS「news23」など。主な著書に『無理なく貯めて賢く増やす パックン式　お金の育て方』（朝日新聞出版）、『逆境力 貧乏で劣等感の塊だった僕が、あきらめずに前に進めた理由』（SB新書）、『ハーバード流『聞く』技術』（角川新書）などがある。

● イラストレーター

鶴岡ふみの（つるおか ふみの）

神奈川県藤沢市出身。桑沢デザイン研究所を卒業後、デザイン会社にデザイナーとして勤務し、現在はフリーイラストレーターとして雑誌、書籍、広告、カレンダー、キャラクター制作など幅広く活動。切り絵や木のパーツでの人形など立体造形も制作する。
（ウェブサイト）https://23no.net/

● 編集・執筆
本山光、南百瀬健太郎、中川瑶子、ジョン・タウンゼント、夫馬信一

● 編集協力
株式会社アーク・コミュニケーションズ、神戸るみ子

● アートディレクション / 本文デザイン /DTP
石田嘉弘（アズール図案室）

● デザイン /DTP
小林幸恵・佐藤琴美（有限会社エルグ）

● 地図制作
山賀貞治(yデザイン研究所)

● 校正校閲
株式会社ぷれす、オバタコウイチ

● 写真 / 画像
NASA ／ Library of Congress ／ Shutterstock

● 編集担当
原 智宏（ナツメ出版企画）

本書に関するお問い合わせは、書名・発行日・該当ページを明記の上、下記のいずれかの方法にてお送りください。電話でのお問い合わせはお受けしておりません。
● ナツメ社 Web サイトの問い合わせフォーム
https://www.natsume.co.jp/contact
● FAX （03-3291-1305）
● 郵送（下記、ナツメ出版企画株式会社宛て）
なお、回答までに日にちをいただく場合があります。正誤のお問い合わせ以外の書籍内容に関する解説・個別の相談は行っておりません。あらかじめご了承ください。

ナツメ社Webサイト
https://www.natsume.co.jp
書籍の最新情報（正誤情報を含む）はナツメ社Webサイトをご覧ください。

イラストでサクッと理解

今が見えてくるアメリカ合衆国50州図鑑

2024 年 2 月 1 日　初版発行

監修者　パトリック・ハーラン
発行者　田村正隆

発行所　株式会社ナツメ社
　　　　東京都千代田区神田神保町 1-52 ナツメ社ビル 1F（〒 101-0051）
　　　　電話 03-3291-1257（代表）　FAX 03-3291-5761
　　　　振替 00130-1-58661

制　作　ナツメ出版企画株式会社
　　　　東京都千代田区神田神保町 1-52 ナツメ社ビル 3F（〒 101-0051）
　　　　電話 03-3295-3921（代表）

印刷所　ラン印刷社

ISBN978-4-8163-7492-0
Printed in Japan